LE DESTIN
DES QUATRE SŒURS

Retrouvez toutes les collections **J'ai lu pour elle**
sur notre site :

www.jailu.com

ELOISA JAMES

LE DESTIN
DES QUATRE SŒURS

Traduit de l'américain par Viviane Ascain

POUR elle

Titre original :
Much Ado About You
An Avon Book, an imprint of HarperCollins Publishers, New York

© Eloisa James, 2005

Pour la traduction française :
© Éditions J'ai lu, 2007

1

Septembre 1816. Holbrook Court, résidence du duc de Holbrook, dans les environs de Silchester, l'après-midi.

— J'ai le plaisir de vous apprendre que les chevaux à bascule ont été livrés, Votre Grâce. Si vous voulez les voir, ils sont dans la nursery. Mais les enfants ne sont pas encore arrivées.

Raphaël Jourdain, duc de Holbrook, cessa de tisonner le feu qui crépitait dans la monumentale cheminée de son bureau. Une note de froideur dans le ton de son majordome laissait deviner une légère désapprobation, voire une certaine contrariété, ce qui était pour le moins inhabituel chez un domestique aussi parfaitement stylé. Brinkley se faisait sans doute l'interprète de l'inquiétude des plus anciens parmi le personnel, qui ne devaient pas être enchantés à la perspective de voir quatre fillettes délurées envahir le paisible château.

Eh bien, ils se feraient une raison ! Comme s'il avait eu le choix...

— Des chevaux à bascule ? demanda une voix moqueuse. C'est charmant, Raf, charmant ! Il n'est jamais trop tôt pour initier ces petites chéries à l'équitation.

Garret Langham, comte de Mayne, leva son verre en direction de son hôte. Ses boucles brunes en désordre, l'arrogance ironique de ses gestes, la sécheresse métallique de sa voix révélaient assez clairement l'amertume qui l'habitait. Il n'avait rien à reprocher à Holbrook en particulier, bien entendu. Cela faisait tout simplement des mois qu'il était invivable, et seules ses amours malheureuses en étaient la cause.

— Au papa de secours, et à sa nichée de petites cavalières ! lança-t-il avant de vider d'un trait son verre d'armagnac.

— Ça suffit ! coupa le duc sans montrer cependant de mécontentement véritable.

Mayne n'était pas un convive très agréable, ces temps-ci, avec son humour grinçant et ses remarques acerbes, le maître des lieux le savait bien. Il lui suffirait de se montrer patient avec lui en attendant que le temps fasse son œuvre et que l'amertume de se voir rejeter par la femme aimée finisse par s'estomper.

— Et pourquoi *des* chevaux à bascule ? Pour autant que je sache, dans une nursery, il y a généralement *un* cheval à bascule.

— Je ne connais pas grand-chose aux enfants, mais je me souviens très bien que nous n'arrêtions pas de nous disputer nos jouets, Peter et moi. Alors j'en ai fait acheter quatre !

Sachant que Raphaël ne s'était toujours pas remis de la perte de son frère, bien qu'il fût décédé depuis plus de cinq ans, Garret préféra changer de sujet.

— Ne gâte pas trop ces petites orphelines, tu vas les rendre insupportables. À ta place, n'importe quel tuteur se contenterait de leur offrir le gîte et le couvert. Elles ne font pas partie de ta famille, après tout !

— Même une armée de poupées ne compensera jamais ce qu'elles ont perdu, répondit le duc. Leur père aurait dû se souvenir qu'il avait charge d'âmes, et assumer ses responsabilités avant d'aller s'amuser à dompter un étalon !

— Allons voir tes achats, proposa le comte, pour couper court à tout attendrissement. Il y a des années que je n'ai pas mis les pieds dans une nursery ! Cela nous rajeunira tous les deux, et nous commençons à en avoir besoin !

— Tu as raison ! Brinkley, si les petites filles arrivent, faites-les monter, je les recevrai là-haut.

Mayne considéra avec une stupéfaction amusée la vaste pièce du troisième étage décorée d'aquarelles colorées illustrant les contes de Perrault et ceux des frères Grimm, tout récemment parus. Quatre magnifiques poupées aux sourires de porcelaine trônaient dans des fauteuils de paille tressée, entourées d'un mobilier complet adapté à leur taille, ainsi que de berceaux, dînettes et garderobes. Elles avaient même à leur tour leurs propres jouets, balles ou animaux en peluche de taille lilliputienne.

En face se trouvaient quatre magnifiques chevaux à bascule, tous avec une robe de couleur différente : un blanc, un noir de jais, un alezan avec une mignonne tache blanche sur le front, et un gris pommelé extrêmement élégant.

Des animaux en peluche de toutes tailles, ours bruns ou blancs, lapins aux grandes oreilles, agneaux laineux, et même une portée de chiots avec leur mère, étaient disséminés un peu partout.

Une ferme parfaitement imitée, avec ses bêtes, son poulailler, son étable, sa mare aux canards et une meule de foin plus vraie que nature, complétait cette panoplie.

Avec un sourire satisfait, Raphaël donna une tape au cheval gris, qui se balança docilement avec un léger grincement. Au même instant, une porte dissimulée dans la tapisserie s'entrouvrit sur une petite femme replète au tablier immaculé.

— Nous n'attendons plus que les enfants, Votre Grâce, dit-elle avec un doux sourire. Voulez-vous rencontrer les nouvelles femmes de chambre ?

— Faites-les entrer, je vous prie. Mme Beeswick sera la gouvernante des petites, expliqua Holbrook à son ami.

— Voici Daisy, Gussie, Elsie et Mary, annonça fièrement Mme Beeswick. Elles sont toutes les quatre du village, et bien entendu enchantées d'entrer à votre service. Nous attendons avec impatience les petits anges !

Tandis que les quatre adolescentes aux joues rouges qui venaient d'entrer plongeaient dans des révérences maladroites, Mayne leva les yeux au ciel.

— Tu ne crois pas que tes protégées pourraient partager la même femme de chambre ?

— Et pourquoi donc ? Nous avions trois nurses qui s'occupaient de nous, mon frère et moi !

— Une chacun ne vous suffisait pas ?

— Peter en a eu deux à sept ans, quand il est devenu duc de Holbrook, et moi une.

— C'est ridicule ! Pourquoi les gâter autant ? Tu connaissais bien leur père ? J'ignorais que vous étiez si proches, tu ne m'avais jamais parlé de lui !

— Nous nous connaissions à peine. Il m'avait écrit il y a des années pour me proposer un cheval, un yearling très prometteur qui m'intéressait beaucoup. Je ne sais plus pourquoi l'affaire ne s'est pas conclue, mais nous avions échangé des remarques et des renseignements intéressants. Nous avons gardé le contact, mais nos relations sont restées purement épistolaires, expliqua Raphaël en remontant le mécanisme d'une boîte à musique. Sa dernière lettre date de 1811 déjà. Peut-être même de 1810, je ne me souviens plus très bien.

— Tu veux dire que tu n'as jamais rencontré le vicomte de Brydone ?

— Jamais. Il quittait rarement l'Écosse, sauf pour les courses à Ascott et à Newmarket, et moi je ne suis jamais allé là-bas. À vrai dire, je crois que tout ce qui l'intéressait, c'était son écurie. Il n'a même jamais fait inscrire ses enfants dans le Bottin mondain, tu te rends compte ? Bien entendu, comme il n'a eu que des filles, toute sa fortune est allée à un lointain cousin.

— Mais qu'est-ce qui t'a pris de… marmonna Garret en baissant la voix pour ne pas être entendu des cinq femmes sagement alignées non loin d'eux.

— Il avait d'abord pensé à Monkton, mais celui-ci était en voyage. Brydone m'a demandé de le remplacer, et j'ai accepté sans réfléchir. Qui aurait pu se douter qu'il mourrait d'une chute de cheval, même si cet étalon n'était pas encore dressé ? C'était un cavalier hors pair !

— J'ai du mal à t'imaginer en père de famille !

— Je ne pouvais décemment pas refuser. Et il m'a offert Starling pour me remercier d'accepter la tutelle de ses enfants ! J'ai eu beau lui expliquer que ce n'était pas nécessaire, il a insisté et me l'a quand même envoyé. Un pur-sang pareil ne se refuse pas !

— Il a un pedigree en or, n'est-ce pas ?

— C'est le fils de Standout, un frère de Patchem ! s'enthousiasma Holbrook. Les meilleurs chevaux du vicomte sont issus de Patchem. Ce sont les seuls en ligne directe de tout le royaume ! J'espère bien qu'il gagnera le Derby l'année prochaine, même s'il n'est pas directement issu de Patchem, mais de Standout !

— À qui va aller l'écurie de Brydone ? questionna Mayne avec la passion qui le gagnait dès qu'il s'agissait de chevaux. Wanton m'intéresse beaucoup !

— Je n'en sais rien. Ils ne sont pas attachés au domaine, apparemment. J'ai demandé à mon secrétaire de se pencher sur la question. Si ses filles doivent en hériter, je les vendrai aux enchères et placerai l'argent. Il faudra bien les doter un jour, et cela m'étonnerait que leur père y ait pensé.

— Si Wanton est à vendre, je suis preneur ! J'y mettrai le prix qu'il faudra ! Ce sera le joyau de mes écuries !

— Il serait très bien dans les miennes, rétorqua Holbrook.

Garret avait trouvé quatre petits attelages de plomb à deux chevaux, et s'employait à assortir les figurines pour que chaque voiture soit tirée par deux animaux semblables.

— Ces miniatures sont très belles, remarqua-t-il en les alignant soigneusement sur le manteau de la cheminée. Tes pupilles vont en raffoler. Elles ne regretteront pas l'Écosse un seul instant, j'en suis sûr. Quel dommage que ce ne soient pas des garçons !

Raphaël garda le silence. Le comte était son meilleur ami, mais c'était un enfant gâté. Jamais il n'avait éprouvé la moindre souffrance. Il ne savait pas ce que signifiait la perte d'un être cher et ignorait la solitude de l'orphelin. Le duc, lui, savait bien que tous les jouets du monde ne suffisaient pas à combler la solitude d'une nursery, lorsque plus jamais un père et une mère ne viendraient vous y embrasser.

L'arrivée de Brinkley le tira de ces tristes pensées. La lueur amusée dans le regard du domestique d'ordinaire impassible aurait dû lui mettre la puce à l'oreille. Après tout, même le plus expérimenté des majordomes n'avait pas tous les jours l'occasion d'étonner son maître.

— Permettez-moi d'annoncer Mlles Teresa, Annabelle, Imogène et Joséphine Essex! Les enfants que vous attendiez sont arrivées, Votre Grâce.

2

Ce qui frappa immédiatement Teresa, ce fut de découvrir que les deux hommes s'amusaient avec des jouets. Mais après tout, cela correspondait bien à ce qu'elle avait toujours entendu dire des Anglais : qu'ils étaient de grands enfants fragiles, qui ne grandissaient jamais et s'enrhumaient au moindre souffle de vent...

À part cela, les Anglais étaient des hommes comme les autres, et l'idée que le sexe dit fort se faisait des jouets était parfaitement extensible, Tess l'avait compris dès son plus jeune âge.

Un regard impérieux à Joséphine, une tape discrète sur l'épaule d'Imogène, et ses deux sœurs, les yeux baissés comme il sied à des jeunes filles de bonne famille, se tinrent droites comme des « I ». Annabelle avait déjà adopté une position impeccable, la tête légèrement inclinée de façon à mettre en valeur les reflets mordorés de sa somptueuse chevelure.

Quoi qu'il en soit, les deux messieurs paraissaient totalement abasourdis de les voir. Ils restaient là à les contempler, bouche bée, sans le moindre mot de bienvenue, ce qu'elle trouva vraiment discourtois de leur part. Bien sûr, ils n'avaient pas les longues jambes maigres, le teint blafard et l'air malade qu'on lui avait assuré être le propre des Anglais, mais il n'est pas nécessaire d'être malade pour observer les règles les plus élémentaires de la politesse.

Le plus mince ressemblait à une gravure de mode, et ses boucles savamment en désordre devaient être du dernier chic à Londres. Pourtant, la lueur inquiétante qui dansait au fond de ses yeux noirs et son sourire ironique ne correspondaient pas à l'idée qu'elle se faisait d'un dandy.

Le second était grand, bien bâti, et s'il n'avait rien de vraiment négligé, sa cravate nouée à la diable et la longue mèche auburn qui lui retombait sur le front indiquaient clairement que l'élégance constituait la moindre de ses préoccupations. Un loup solitaire, sans doute.

— Nous sommes désolées de vous déranger dans vos occupations, commença-t-elle, puisque personne ne se décidait à rompre le silence.

Elle avait mis dans sa voix juste ce qu'il fallait de raillerie pour se faire respecter. Il ne fallait surtout pas qu'on les prenne pour de petites oies blanches de province. Elles appartenaient à la meilleure aristocratie, même si leur mise était des plus modestes.

— Cette rencontre constitue une délicieuse surprise, mademoiselle ! Je suis enchanté de faire votre connaissance à toutes les quatre, remarqua enfin le plus élégant.

Au léger tremblement de sa voix, Teresa aurait pu s'imaginer qu'il contenait à grand-peine un fou rire, mais il s'inclina profondément et lui baisa la main en véritable homme du monde.

Le plus grand parut sortir enfin de sa torpeur. Il s'ébroua comme un jeune chien sortant de l'eau et les rejoignit en deux enjambées.

14

— Veuillez pardonner mon impolitesse, je vous prie. Je suis Raphaël Jourdain, duc de Holbrook. J'ai bien peur de m'être trompé sur votre âge !

— Je vous demande pardon ?

Tout à coup, elle comprit la présence de ces soubrettes en bonnets blancs, la raison de ces gravures colorées, de ces poupées, de ces chevaux à bascule et de ces monceaux de jouets.

— Vous pensiez que nous étions encore des enfants ?

— Je vous présente mes plus sincères excuses, répéta-t-il en s'inclinant avec toute l'aisance d'un parfait gentleman. J'attendais de toutes petites filles !

— Papa ne vous avait pas dit…

Elle s'interrompit. Bien sûr qu'il ne lui avait rien dit ! Son père l'avait certainement informé de l'âge de Starling, lui avait sans aucun doute donné tous les détails possibles et imaginables sur le trot de Wanton, et n'avait bien entendu pas manqué de lui expliquer ce que devait manger Lady of Pleasure avant chaque course, mais il ne lui était pas venu à l'idée de lui préciser l'âge de ses filles !

Sa colère retomba devant le sourire chaleureux de leur nouveau tuteur.

— Je suis tellement distrait que je n'ai même pas pensé à m'enquérir de votre âge auprès de votre père ! D'ailleurs, je n'avais jamais imaginé que ma tutelle deviendrait un jour effective. Je vous présente mes plus sincères condoléances pour le deuil qui vous frappe !

Même s'il paraissait arriver tout droit de chez les sauvages du Pacifique, il n'avait rien de redoutable. Son regard gris-bleu était plein de bonté et Teresa commença à reprendre espoir, après toutes ces semaines d'angoisse.

— Je vous en prie ! Permettez-moi de vous présenter mes sœurs. Voici Imogène, qui vient tout juste d'avoir dix-neuf ans.

Par moments, elle pensait que celle-ci était encore plus jolie qu'Annabelle, ce qui n'était pas peu dire. Elle tenait de leur mère sa longue chevelure d'ébène et son regard de braise, mais sa bouche plus douce et délicate qu'un bouton de rose n'appartenait qu'à elle. Un seul de ses sourires suffisait à faire fondre le séducteur le plus endurci.

Cependant, Imogène n'avait cure de l'effet qu'elle produisait sur la gent masculine, car elle était éperdument amoureuse. En jeune fille bien élevée, elle sourit toutefois poliment à son nouveau tuteur avant de plonger dans une révérence impeccable.

De temps en temps, le vicomte de Brydone se souvenait qu'il avait quatre filles et se mettait en tête de s'occuper de leur éducation. Il engageait alors pour quelque temps une gouvernante, et c'est ainsi qu'elles avaient tant bien que mal acquis un vernis de bonnes manières.

— Et voici Annabelle, qui n'a que deux ans de moins que moi.

Si Imogène ne cherchait pas à séduire le sexe fort, sa cadette avait dû apprendre dès le maillot à tourner la tête des messieurs. Elle gratifia le duc d'un sourire à l'innocence savamment calculée et le salua d'une voix mélodieuse qui aurait dû suffire à lui ouvrir les portes du paradis.

— Je suis ravi de faire votre connaissance, mademoiselle, répondit Holbrook, apparemment insensible à tout ce charme déployé.

— Et enfin Joséphine, qui vient d'avoir quinze ans.

16

Le duc adressait déjà un sourire chaleureux à la benjamine, ce qui lui valut un nouveau bon point de la part de Tess. L'aînée ne supportait pas de voir les hommes rester pétrifiés devant Annabelle et n'accorder qu'une indifférence tout juste polie à Josie.

— Je préférerais que vous ne me baisiez pas la main, lança l'adolescente.

— À mon tour de vous présenter l'un de mes meilleurs amis. Garret Langham, comte de Mayne.

Bella considéra le comte avec la gourmandise d'une enfant découvrant un plateau de friandises. Un homme jeune, bien fait et titré, voilà qui représentait l'idéal de la jeune fille.

Le comte la salua sans dissimuler son admiration, mais Teresa doutait qu'il partageât la ferveur de sa sœur.

— Puisque aucune d'entre vous n'est susceptible de s'intéresser à ces jouets, je vous propose de passer au salon, suggéra Raphaël une fois les présentations terminées. Ma gouvernante a besoin d'un peu de temps pour faire préparer vos appartements, mais je suppose qu'avec l'aide de vos camáristes…

— Nous n'avons pas amené de femmes de chambre avec nous, bredouilla Tess en rougissant jusqu'à la racine des cheveux.

— Eh bien, si cela vous convient, ces jeunes filles feront parfaitement l'affaire, proposa aimablement son tuteur en désignant les quatre servantes. La femme de charge les mettra rapidement au courant.

— Il va te falloir un chaperon, puisqu'il ne s'agit plus d'un jardin d'enfants, fit remarquer Mayne. Et dès ce soir !

— Je n'y avais pas pensé ! Il faut que j'envoie un mot à lady Clarice, soupira-t-il en passant une main inquiète dans ses cheveux, ce qui n'arrangea pas l'état de sa coiffure. J'espère qu'elle voudra bien venir. Je n'ai pas été très courtois avec elle, la dernière fois que nous nous sommes vus...

— Qu'est-ce qui s'est passé ?

— Je l'ai jetée dehors, plutôt énergiquement, et je ne me souviens plus très bien pourquoi. C'était après une soirée bien arrosée... Et maintenant, mes pupilles vont me prendre pour un ivrogne irascible, ajouta en souriant Raphaël sans pour autant manifester le moindre remords.

— Elles apprendront bien vite à te connaître, et te pardonneront ton penchant pour les boissons fortes, objecta narquoisement son ami.

— Les terres de lady Clarice jouxtent les miennes, précisa le duc à l'intention des jeunes filles. Je pense que si je lui écris un mot gentil, elle me pardonnera et ne refusera pas de se joindre à nous, puisqu'il s'agit d'une urgence. Vous ne pouvez décemment pas passer la nuit sous mon toit sans un chaperon.

— Il faut vous dire qu'elle est veuve, qu'elle lève le coude avec entrain, et qu'elle a des vues sur votre tuteur, expliqua Mayne, décidément intarissable. Je suis sûr qu'elle espère l'enivrer pour publier les bans sans qu'il s'en aperçoive. Heureusement, notre ami tient remarquablement bien l'alcool.

— Cesse de dire des bêtises ! intima Holbrook en repoussant ses cheveux en arrière, ce qui lui donna l'air d'un Iroquois égaré.

— Son fils est à peine plus jeune que Raphaël, mais il en faudrait plus pour l'arrêter.

— Maitland est beaucoup plus jeune que moi !

— Il a dans les vingt-cinq ans. Lady Clarice doit donc en avoir au moins dix de plus que toi !

— Vous parlez bien de Draven Maitland ? s'enquit Tess en s'efforçant de dissimuler sa contrariété.

Imogène s'en était entichée et, comme le reste de la famille, Tess avait espéré que leur déménagement l'aiderait à l'oublier. Apprendre qu'elles auraient cette tête brûlée prétentieuse pour voisin ne l'enchantait pas.

— Vous le connaissez ? Dans ce cas, je vais le prier à dîner avec sa mère, proposa Raphaël après un instant d'hésitation.

Apparemment, le duc ne tenait pas non plus le jeune homme en très haute estime. Peut-être se révélerait-il un allié ?

— Mais vous souhaitez sans doute prendre un peu de repos ? Vous pouvez vous installer dans les anciens appartements de ma mère en attendant qu'on prépare les vôtres, proposa-t-il en offrant son bras à Tess.

Décidément, les Anglais s'avéraient très différents de l'idée qu'elle s'en était faite ! Ils se révélaient pleins de vie, truculents même, alors qu'ils étaient censés se montrer lymphatiques et fragiles. Il y avait des exceptions, bien entendu, comme en toute chose. Lord Maitland, par exemple, n'avait rien d'un freluquet.

Quant à Holbrook, lui non plus n'entrait pas dans ce moule !

Il n'avait pas grand-chose d'aristocratique, d'ailleurs. Ses vêtements auraient paru démodés même en Écosse, et ils étaient si vieux que les coutures s'effilochaient. Sa voix chaude et profonde était agréable mais brusque, et un faisceau de petites rides courait autour de ses yeux. C'était probablement un bambocheur, mais certainement pas un coureur, Tess les flairait à dix lieues. Si leur tuteur les considérait avec intérêt et bienveillance, il paraissait totalement insensible à leurs charmes féminins.

Enfin, malgré sa coiffure à la diable et sa mise excentrique, il n'avait rien d'effrayant. Un homme qui engageait quatre bonnes pour s'occuper de quatre fillettes ne pouvait être mauvais, même s'il semblait avoir un penchant marqué pour la bouteille.

— Je voudrais vous remercier d'avoir accepté notre tutelle, Votre Grâce.

— C'est tout naturel, ma chère, répondit Raphaël d'un ton détaché.

— Mon père se montrait souvent imprévoyant, et avait parfois tendance à se reposer sur ses amis, insista-t-elle en choisissant soigneusement ses mots.

— Un duc fait toujours un tuteur respectable, et je dois être désigné comme tel dans une bonne vingtaine de testaments. Je n'ai jamais vu aucune raison de refuser. Ne vous inquiétez pas, poursuivit-il en lui tapotant paternellement la main, nous nous arrangerons très bien. Nous n'aurons aucun mal à trouver une institutrice pour la jeune Joséphine. Dénicher un chaperon agréable à vivre s'avérera peut-être plus délicat, mais il n'y a aucune raison de se tourmenter.

Se tourmenter? Teresa n'avait fait que cela au cours des derniers mois! Sa préoccupation principale avait été de savoir à quelle sauce elles seraient mangées, et si leur tuteur serait un homme prévenant et raisonnable plutôt qu'un maniaque obsédé par les chevaux. Bien entendu, à toutes les questions qu'on lui posait, elle avait toujours opposé une sérénité remarquable en répondant qu'il ne pouvait s'agir que d'une personne parfaitement fiable, puisque leur père l'avait choisie avec le soin qu'il mettait en toute chose!

C'était justement là que le bât blessait !

« Ne t'inquiète pas, Tess, lui avait dit le vicomte sur son lit de mort. J'ai trouvé quelqu'un de très bien pour veiller sur vous. Je connais Holbrook depuis près de vingt ans.

— Comment se fait-il qu'il ne soit jamais venu nous rendre visite ?

— Je ne l'ai jamais vu. Mais ne te tracasse pas, j'avais souvent vu son nom dans *Les Nouvelles des courses*, et nous nous sommes souvent écrit. Il saura prendre soin de Wanton, de Bluebell et de toute l'écurie. Il me l'a juré ! Et je lui ai offert Starling pour le remercier.

— Je suis certaine qu'il sera l'homme de la situation, papa, avait-elle murmuré, au bord des larmes.

— Et puis, tu seras là pour t'en occuper, toi aussi.

— Fais-moi confiance, avait-elle promis, le regard brouillé par les larmes, sans bien savoir s'il parlait de ses filles ou de ses chevaux.

— Je vais bientôt aller rejoindre ta mère. N'oublie pas que Wanton aime la bouillie d'orge. Je compte sur toi pour t'en occuper. Ma chérie… avait-il ajouté, sans que Tess sache s'il s'adressait à elle ou à sa mère.

— Ne t'inquiète pas, dès notre arrivée, je signalerai au duc que Wanton a l'estomac fragile.

— Je ne parlais pas de Wanton. Annabelle est trop jolie, tu sais, et Josie trop gentille. Quant à Imogène, Maitland n'est pas fait pour elle. Il a une cervelle d'oiseau. Et toi… »

Le vicomte n'avait pu achever. Il avait sombré dans une torpeur dont il ne devait plus sortir.

Comme dans un mauvais rêve, Tess s'était occupée d'organiser les funérailles et d'accueillir l'héritier du titre, un cousin replet et ronchon affublé d'une épouse volubile et de deux vieilles tantes. Elle fit de son mieux pour les installer confortablement, alors qu'il n'y avait pas un seul bon lit dans toute la maison.

Lorsque le secrétaire de Holbrook arriva enfin, elle parvint à contenir son impatience et à ne pas l'assaillir de questions au sujet de son maître. Puis elle s'aperçut vite que sa principale préoccupation était d'envoyer en Angleterre l'écurie du vicomte, et jugea sa curiosité sans objet. Leur tuteur exprimait clairement où se trouvaient ses priorités.

Bien qu'étouffée par le chagrin et l'angoisse, elle avait continué comme si de rien n'était à tenter de rassurer Joséphine et à menacer d'étrangler Imogène si elle mentionnait encore une seule fois Draven Maitland.

Elle en avait par-dessus la tête des chevaux, de leurs propriétaires, de leurs cavaliers, et de tout ce qui avait trait à la race équine en général ! L'idée que leur avenir dépendait d'un autre amateur d'équitation la révulsait. Elle en voulait à son père, se reprochait d'avoir de telles pensées, et finissait par devenir irritable.

Le duc, maintenant qu'elle l'avait enfin en face d'elle, était sans doute passionné par les équidés, mais cela ne l'empêchait pas de se montrer plein de prévenance. Après tout, rien ne l'obligeait à les recevoir chez lui, ni à les traiter comme de véritables parentes.

Peut-être avait-elle trop rapidement désespéré. Peut-être existait-il des hommes sur qui l'on pouvait compter, finalement. Peut-être…

3

Quelques heures plus tard, allongée sur un lit moelleux, dans une chambre ravissante où la peinture ne s'écaillait pas, Teresa se laissait bercer par la rumeur tranquille d'une maison opulente. Il ne s'agissait plus ici du claquement de bottes sur des parquets nus, comme à la maison où son père avait vendu tous les tapis depuis des années, mais des pas feutrés d'une armée de domestiques sur des tapis de prix qui, ajoutés à la senteur rassurante des meubles parfaitement cirés, du linge soigneusement repassé et parfumé, et des somptueux bouquets de fleurs disséminés un peu partout, apportaient une impression apaisante de confort et de paix.

— Il est temps de tenir un conseil de famille! lança soudain la voix enjouée d'Annabelle.

— Mais je viens à peine de m'étendre! protesta Tess en repoussant la compresse tiède qui couvrait ses yeux fatigués.

— Cela fait plus de deux heures que tu es avachie sur ce lit comme un plum-pudding! Nous avons tout juste le temps de dresser nos plans avant d'aller nous habiller pour le dîner. Josie et Imogène arrivent.

Quelques instants plus tard, toutes quatre étaient serrées sur le lit, comme elles avaient coutume de le faire à la maison pour échanger leurs confidences, partager chagrins et joies, et parler pendant des heures de leur avenir, de leur père et de ses chevaux.

— Je vais l'épouser! annonça Annabelle.

— Qui ça? demanda Teresa en étouffant un bâillement.

— Notre tuteur, bien entendu! Il faut bien que l'une de nous devienne duchesse, et il ne paraît pas en avoir une en vue. Annabelle, duchesse de Holbrook...

— Il n'est peut-être pas libre, avança Imogène. Comme Draven.

Lord Maitland était officiellement fiancé depuis plus de deux ans, mais il ne manifestait aucune hâte à monter à l'autel.

— J'en doute, trancha Bella. Puisque personne ne nous a parlé d'une promise, je vais l'épouser, et mon mari dotera richement chacune d'entre vous. Bien sûr, vous ne pourrez pas faire d'aussi beaux mariages, puisqu'il n'y a que huit ducs dans toute l'Angleterre, en dehors de la famille royale. Mais nous trouverons des aristocrates de haut rang, aux revenus confortables, pour chacune d'entre vous.

— C'est très gentil de ta part de te sacrifier pour nous! remarqua ironiquement Joséphine. Tu as dû apprendre par cœur le Bottin mondain pour trouver les noms et les adresses de chacun des huit ducs?

— Je vais m'atteler à la tâche dès ce soir! Et d'après ce que j'ai constaté, c'est effectivement un sacrifice. Il aura du ventre avant la cinquantaine, s'il ne se surveille pas!

— Ne me fais pas rire! Tu serais prête à épouser un octogénaire cacochyme et unijambiste pour devenir duchesse! N'est-ce pas, Votre Grâce? Oserezvous dire que je me trompe? ironisa la benjamine.

— Certainement pas ! À moins qu'il ne soit fabuleusement riche ! répliqua en riant Annabelle.

— Et comment sais-tu si notre tuteur n'est pas aussi désargenté que papa ? reprit Joséphine. Il avait beau être vicomte, ses poches étaient encore plus vides que ta tête !

— Si le duc n'a pas d'argent, j'en trouverai un autre. Plutôt mourir qu'épouser un panier percé comme papa ! Mais réfléchis un peu ! Regarde cette maison ! Holbrook nage dans l'opulence, c'est évident !

— Montre un peu plus de respect envers notre père, s'il te plaît ! s'exclama Teresa. Imogène a raison : le duc est peut-être fiancé. Quoi qu'il en soit, il s'est montré très bon en acceptant d'être notre tuteur et de nous accueillir chez lui.

— Eh bien, je vais peut-être le lui faire regretter, lança la cadette en rectifiant sa coiffure.

— Tu n'as pas honte ? s'écria Josie.

— J'ai les pieds sur terre, rétorqua sa sœur. Il faut que l'une de nous se marie rapidement et prenne les autres en charge. Imogène ne pense qu'à Maitland, et Tess n'a jamais fait le moindre effort pour plaire à un homme. Toi, tu es trop jeune. Il ne reste donc plus que moi.

— Tess pourrait épouser qui lui plaît, si elle voulait ! Elle est plus jolie que nous trois réunies ! Qu'est-ce que tu en dis ? ajouta Josie en se tournant vers Imogène.

— Absolument, répondit distraitement l'intéressée. N'importe qui sauf Draven... Tu te rends compte, nous allons dîner avec lui ! Dès le soir de notre arrivée ! Et nous allons rencontrer sa mère !

— Je suis d'accord avec toi, Tess est la plus belle d'entre nous, reprit Annabelle en ignorant les rêveries d'Imogène. Mais les messieurs ne se bousculent pas pour faire la cour à des filles sans le sou si elles ne font pas un minimum d'efforts. Moi, je fais attention à eux, et je le leur montre !

— Tu fais attention à leur situation, pas à eux !

— Imogène est romantique pour quatre ! Et puis, c'est la faute de papa. Il m'a fait faire les comptes pendant des années, et maintenant, chaque fois que je pense au mariage, j'ai des chiffres qui dansent devant les yeux.

— N'exagère pas ! protesta Joséphine avec véhémence.

C'était un fait : lorsque le vicomte avait découvert le don pour les chiffres de sa seconde fille, âgée alors d'une douzaine d'années à peine, il en avait profité pour se décharger sur ses frêles épaules de toute l'administration du domaine. Mais Joséphine avait toujours adoré leur père et, surtout depuis sa mort, elle acceptait mal de l'entendre critiquer.

— Et justement, j'en ai assez de penser à l'argent ! Je ne veux plus avoir à compter ni à me préoccuper de chiffres, de revenus ou de factures jusqu'à la fin de mes jours ! Dieu merci, il y a des hommes assez naïfs pour passer sur mon absence de dot.

— Tu pourrais montrer un peu de modestie, pour une fois ! répliqua Joséphine.

— Tu pourrais montrer un peu de maturité, à ton âge ! rétorqua son aînée. J'essaie simplement d'être réaliste. Il faut que l'une de nous se marie, et j'ai ce qu'il faut pour faire oublier notre impécuniosité à un célibataire. Je n'essaie pas de jouer à la petite débutante de bonne famille ; il est trop tard pour ça. Si papa avait voulu faire de nous des jeunes filles accomplies, il se serait préoccupé de notre éducation lorsqu'il en était temps.

— Il voulait faire de nous de véritables dames ! protesta la benjamine. Il nous a appris à nous exprimer correctement, et nous laissait lire tous les livres de la bibliothèque, non ?

— Avant qu'il ne les vende ! Josie, si papa s'était vraiment soucié de nous faire entrer dans la bonne société, reprit gentiment Annabelle, notre vie aurait été radicalement différente ! Cela dit, ne t'inquiète pas : je compte me comporter en parfaite femme du monde, du moins jusqu'à ce qu'un pair du royaume m'ait passé la bague au doigt et ouvert sa bourse !

Teresa soupira. L'ennui, avec Bella et Imogène, c'était qu'avec leur somptueuse chevelure, leur teint de pêche et leurs grands yeux candides, elles paraissaient tout droit sorties d'un conte de fées. Pour sa part, elle ne s'était jamais sentie prête à jouer les ingénues ni à se faire passer pour ce qu'elle n'était pas.

— En tout cas, tu n'es pas obligée de jeter ton dévolu sur Holbrook. Il a l'air charmant, mais je ne suis pas certaine qu'il soit le mari idéal, remarqua-t-elle posément.

— S'il est suffisamment riche, il fera parfaitement l'affaire. Je ne peux pas épouser n'importe qui, tu comprends. J'ai des goûts dispendieux ! Je n'ai encore jamais eu l'occasion de les satisfaire, rétorqua Annabelle en sautant du lit pour se contempler dans la grande psyché, alors cela coûtera d'autant plus cher ! Note bien que je n'ai rien non plus contre le comte de Mayne, s'il est aussi riche que notre tuteur...

— Tu devrais avoir honte !

— Holbrook me paraît cependant un meilleur choix. Un duc vaut toujours mieux qu'un comte !

Dès que je serai mariée, je filerai à Londres, et je ne porterai plus que de la soie !

— Il y a un mot pour qualifier ce genre de femme, persifla Josie.

— Je sais ! Heureuse ! Heureuse ! chantonna Annabelle qui était difficile à vexer, même si sa plus jeune sœur s'y employait avec application. Je n'arrive pas à croire que nous sommes arrivées à nos fins, ou presque. Je peux bien vous l'avouer, maintenant : j'ai quelquefois désespéré ! Je n'ai jamais beaucoup cru aux promesses de papa de nous faire faire nos débuts dans le monde !

Tess observait sa cadette avec perplexité. En les voyant toutes les deux, personne ne pouvait douter qu'elles étaient sœurs. Or, l'impression qu'elles produisaient sur les jeunes gens était radicalement différente. Tandis que la gent masculine semblait frappée de paralysie à la vue d'Annabelle ou d'Imogène, c'était à peine si elle semblait remarquer l'aînée. Si toutes les quatre avaient hérité de la beauté et du charme de leur mère, jamais un homme n'était resté sans voix devant Teresa comme ils le faisaient tous devant ses deux sœurs.

Ce qui les distinguait, se disait-elle souvent, c'était qu'elle ne se contentait pas de ressembler à leur mère, mais qu'elle se la rappelait. Jamais Bella ne parlait d'elle. Quant aux deux plus jeunes, elles étaient encore trop petites quand elle était morte pour en garder un souvenir très précis. Et depuis qu'elles avaient perdu leur père, la vicomtesse manquait encore plus cruellement à sa fille aînée.

— Si j'épouse Holbrook, reprit Annabelle, l'une d'entre nous devrait épouser ce jeune comte que notre tuteur nous a si gentiment fourni.

28

— À tout prendre, je préférerais le comte! lança Imogène. Le duc n'a pas dû se peigner depuis le début de l'année, et il n'attendra pas la cinquantaine pour prendre du ventre. Mais de toute manière, aucun des deux ne m'intéresse.

— Moi je suis trop jeune pour me marier, remarqua Joséphine avec satisfaction. Et même si j'étais plus âgée, le comte de Mayne ne jetterait jamais un regard sur quelqu'un comme moi. Il a l'air plutôt arrogant, vous ne trouvez pas?

— Qu'est-ce que tu veux dire par «quelqu'un comme moi»? Tu es ravissante, Josie, protesta Tess. Celui que tu épouseras aura beaucoup de chance, crois-moi.

— Une petite caille toute ronde comme moi? marmonna l'adolescente.

— C'était une taquinerie affectueuse, comme papa les aimait, tu le sais bien! la rassura Tess en maudissant intérieurement leur père avant de se le reprocher.

— Vous avez entendu? Sa Grâce va demander à lady Maitland de nous servir de chaperon, coupa Imogène, revenant à son sujet favori. La mère de Draven! Nous allons le voir souvent, maintenant. Et si je plais à lady Clarice…

— Ce n'est pas sa mère qui compte, mais sa future épouse, avança posément la benjamine.

— Je suis sûr qu'il n'est pas amoureux d'elle! affirma sa sœur d'une voix tremblante. Cela fait deux ans qu'ils sont fiancés, et il ne parle toujours pas de passer devant le pasteur.

— Je ne voudrais pas être rabat-joie, intervint Annabelle, mais rompre une promesse de mariage entraîne certainement des dommages et intérêts importants. Maitland dépense beaucoup pour entretenir son écurie. Tu t'imagines qu'il te sacrifierait ses chevaux ?

— Ça suffit ! coupa Tess. Il est temps de nous changer pour le dîner.

— Je ferai une simple apparition au salon pour saluer notre futur chaperon, indiqua Joséphine. Mme Beeswick me servira mon dîner dans la salle d'étude. Je l'ai visitée pendant que vous dormiez, elle est pleine de livres. C'est merveilleux !

— Tant mieux pour toi ! sourit Teresa. Notre tuteur a dit qu'il allait engager une répétitrice pour que tu puisses commencer tes leçons rapidement. Toi au moins, tu auras une éducation convenable ! Imogène, il ne faut à aucun prix laisser lady Clarice deviner ton penchant pour son fils !

— Je ne suis pas complètement idiote ! s'insurgea sa sœur. Mais ne me demande pas d'épouser quelqu'un d'autre que Draven ! Ni le duc, ni le comte, ni...

— Tu ne peux donc pas te faire une raison, s'exclama Josie, et accepter le fait que lord Maitland n'est pas libre ?

— Tu te souviens quand je suis tombée du pommier et qu'il m'a portée jusqu'à la maison ? C'était merveilleux ! Il est tellement vigoureux ! Je m'étais résignée à ne plus le voir jusqu'à ce que nous allions à Londres, et voilà qu'il habite à deux pas et que sa mère va nous servir de chaperon ! C'est un signe du destin, j'en suis sûre ! Nous sommes faits l'un pour l'autre !

— C'est vrai, tu étais tombée sur la tête ! La chute a dû te laisser des séquelles importantes ! lança la benjamine en levant les yeux au ciel.

Tess ne pouvait pas lui donner entièrement tort. Il ne fallait pas être grand clerc pour comprendre que Draven Maitland se moquait d'Imogène comme d'une guigne. Et comme leur sœur refusait d'envisager n'importe quel autre parti, il lui incombait, à elle ou à Annabelle, d'offrir à leur cadette un foyer jusqu'à ce qu'elle renonce à sa lubie.

— Tu sais, ma chérie, remarqua Bella en prenant des poses devant la psyché, à mon sens, les mariages les plus réussis sont les mariages de raison entre deux personnes sensées ayant les pieds sur terre et des goûts assortis, surtout si elles possèdent des moyens confortables.

— Tu parles comme un clerc de notaire ! s'insurgea Imogène.

— Ou un comptable, rétorqua Annabelle. Papa a fait de moi une gestionnaire, ce qui signifie que je ne peux plus m'empêcher d'envisager la vie autrement que comme une suite de négociations. Et le mariage constitue la plus importante.

Dégoûtée, Imogène préféra s'éclipser avec un haussement d'épaules.

— Vous ne trouvez pas que je ferai une duchesse très présentable ? s'exclama Bella en enroulant ses cheveux en torsade au sommet de sa tête avant d'esquisser un pas de danse. Et dès que j'aurai la garde-robe adéquate… À moi Londres ! Le monde n'aura plus qu'à bien se tenir ! Ma présentation à la cour fera sensation ! Vous verrez, tous les journaux parleront de la duchesse Annabelle de Holbrook ! Allons, filles de peu de foi, faites place à Sa Grâce !

— Faites place à la Grosse ! s'écria Josie avant de prendre la fuite dans un éclat de rire.

4

Les mains d'Imogène étaient fermes, ce dont elle n'était pas peu fière. Elle était sur le point de rencontrer sa future belle-mère et, à sa place, n'importe quelle jeune fille aurait tremblé comme une feuille.

Elle se coiffa soigneusement, se pinça les joues et se mordit les lèvres jusqu'à ce qu'elles soient écarlates, puis passa le temps qu'il lui restait à essayer des poses devant son miroir. Elle soigna tout particulièrement son sourire. Il ne fallait surtout pas paraître impudente ou trop sûre d'elle, et elle avait opté pour un sourire adorablement modeste, un peu timide même.

Cela lui demanda un peu d'entraînement, la modestie et la timidité n'ayant jamais été son fort, mais elle jugea le résultat plus que satisfaisant.

La tête de Joséphine apparut à la porte au moment où elle passait aux révérences.

— Ce n'est pas la peine de te donner tant de mal, ton chéri est sûrement aux courses! lança ironiquement la cadette.

Imogène ne jugea pas utile de préciser qu'elle s'était fait la même réflexion. S'il y avait une course de chevaux à moins de cent lieues, lord Maitland ne serait certainement pas chez lui. Il n'était d'ailleurs pas du genre à traîner dans les jupes de sa mère.

C'était un homme de caractère, toujours par monts et par vaux dès qu'il entendait parler d'un animal prometteur, même dans les coins les plus reculés du pays. Il connaissait tous les éleveurs de Grande-Bretagne et d'Irlande, et les parieurs, même les plus modestes, étaient ses familiers. De cette façon, il était informé de tout ce qui se passait dans le monde du cheval. Malgré son jeune âge, il en savait beaucoup plus que leur père après toute une vie d'éleveur.

— Je ne vois pas ce que tu lui trouves, de toute façon !

Sans répondre, Imogène plongea dans une nouvelle révérence. L'opinion de ses sœurs lui était totalement indifférente, et les qualités de Draven bien trop nombreuses pour qu'elle perde son temps à les énumérer. Avec ses larges épaules, sa démarche féline, sa fossette au menton, son regard clair et son profil de médaille, il était beau comme un dieu, pour commencer. De plus, il montait à cheval comme un centaure, et un sourire de lui suffisait à vous couper le souffle.

— Tu es trop jeune pour comprendre ! Plus tard, quand tu découvriras l'amour, nous en reparlerons !

Après ce qui sembla à Imogène des heures d'attente dans le salon, la porte s'ouvrit enfin tandis que Brinkley annonçait cérémonieusement lady Clarice Maitland.

Une femme à l'élégance raffinée, au beau visage un peu froid et à la mine hautaine, fit une entrée tapageuse.

— Holbrook, mon cher ! s'exclama-t-elle d'une voix haut perchée en se précipitant vers le duc. Ce n'est pas la peine d'annoncer mon fils, ajouta-t-elle à l'intention du majordome, nous sommes en famille, ou presque !

Le cœur de la jeune fille s'arrêta de battre pendant quelques secondes. Le jeune homme qui faisait son entrée était effectivement un véritable Apollon, avec ses yeux en amande et sa mâchoire carrée adoucie d'une petite fossette au menton.

— Souviens-toi qu'il est fiancé, chuchota Tess à l'oreille de sa sœur.

Elle le savait bien, et un salut distant était largement suffisant. Les jambes en coton, Imogène arbora le sourire qu'elle avait si patiemment travaillé et plongea dans une révérence impeccable devant lady Clarice.

— Vous m'avez rattrapée juste à temps, mon ami, poursuivit la visiteuse tandis que son hôte lui baisait la main. J'allais partir pour Londres voir ma couturière. Enfin, votre situation m'a paru plus désespérée que la mienne ! Et voici vos pupilles, je suppose !

La robe en satin incarnat brodée d'une discrète guirlande à la grecque que portait lady Maitland était la plus élégante qu'Imogène ait jamais vue. Elle se sentait véritablement provinciale, dans sa robe de deuil coupée à la hâte par la couturière du village. Pourtant, elle ne put s'empêcher de penser que, sous ses bijoux et ses colifichets, leur futur chaperon avait l'air froid et dur. Elle chassa cette idée avec horreur. Il s'agissait de la mère de Draven !

— Permettez-moi de vous présenter mes pupilles, Mlle Essex et sa sœur Imogène. Comme moi-même, elles vous sont infiniment reconnaissantes de votre aide, chère amie ! dit le duc.

— Je me demande où leur père avait la tête, pour les envoyer ici sans… Oh! c'est vrai! Le malheureux n'est plus de ce monde! couina-t-elle en dévisageant les jeunes filles comme s'il s'agissait d'animaux de cirque. C'est aux vivants de régler ces petits détails! Mais où sont les deux autres? Vous ne m'aviez pas parlé de quatre sœurs, Holbrook?

— Elles sont effectivement quatre, précisa Raphaël.

Teresa décocha un regard impérieux à Annabelle, très occupée à flirter avec le comte de Mayne, et à Josie, qui se cachait derrière le piano.

— Mais elles sont exquises! Vous n'aurez aucun mal à les caser, s'exclama lady Clarice. Nous pouvons viser un lord, au moins! Peut-être même plus haut, mes chères petites, peut-être plus haut! Bien entendu, cela demandera un peu de travail. Ces robes sont positivement horribles. Il y a deuil et deuil, vous comprenez?

C'est le moment que choisit Joséphine pour esquisser une hâtive révérence, avant de se retrancher derrière le piano pour fourrager dans des partitions qu'elle était bien incapable de déchiffrer, le vicomte n'ayant jamais eu le temps ni l'idée d'engager de professeur de musique.

— Un bon régime d'œufs durs et de légumes à l'eau arrangera la silhouette de votre petite sœur, claironna lady Clarice. J'ai eu exactement le même problème à son âge, et cela ne m'a pas empêchée d'attraper un baron!

— Joséphine a une silhouette que beaucoup d'adolescentes lui envieront! trancha Holbrook avec une autorité véritablement ducale.

— Vous avez entièrement raison, Votre Grâce, susurra l'insupportable commère. Avec une dot convenable, vous l'établirez aussi bien que ses sœurs.

Imogène sentait fondre ses espoirs de voir lady Clarice accepter un mariage d'amour pour son héritier. Le mot ne faisait sans doute pas partie de son vocabulaire, et elle devait même réprouver un sentiment aussi inutile.

— Oh! mais il faut que je vous présente mon fils! Je dois vous prévenir, mes chères petites, qu'il est déjà promis! Nous nous efforcerons de vous trouver d'aussi beaux partis! Mlle Essex, Mlle Imogène, permettez-moi de vous présenter mon fils, lord Draven Maitland.

— Nous avons déjà fait la connaissance de lord Maitland. Il était ami avec notre père, le vicomte de Brydone, remarqua posément Tess.

— Je connais la famille Essex depuis plus de deux ans, mère, expliqua Draven sans quitter Imogène des yeux.

— Pardon? Oh, je vois! Vous vous êtes certainement rencontrés quand tu es parti chasser en Écosse.

Tess crut déceler dans le ton de lady Clarice une certaine contrariété. Les demoiselles Essex étaient ravissantes, après tout, et la dame n'était pas née d'hier. Si jamais elle avait vent de l'adoration de sa sœur pour son rejeton, elle risquait de changer d'avis et de refuser de leur servir de chaperon.

— Je suis allé en Écosse participer à des courses, pas chasser! corrigea lord Maitland en s'attardant un peu plus qu'il n'était convenable sur la main d'Imogène.

— Il faut dire que mon fils est un cavalier hors pair! Je n'ai pas souvent l'occasion de l'admirer, car je déteste les sports de plein air! Le grand air est une calamité pour le teint, mes chères demoiselles, et je ne m'y expose qu'en cas d'extrême nécessité ! Et parfois pour faire plaisir à mon fils… Une mère est vouée au sacrifice, n'est-ce pas ?

Dans ce cas, Teresa ne donnait pas cher de son teint et de celui de ses sœurs ! Leur père les avait traînées de course en concours d'obstacles depuis leur plus tendre enfance.

— Maintenant, mon cher duc, comment allons-nous procéder ? Je serai bien entendu ravie de cha-peronner vos protégées pendant un jour ou deux, mais la capitale et ma couturière m'appellent. Il faut trouver une solution durable !

Elles étaient donc à peine plus avancées !

— Voulez-vous que je vous montre la galerie des portraits en attendant le dîner ? proposa aimable-ment le comte de Mayne, sauvant ainsi Tess d'une migraine certaine.

— J'en serais ravie, mais…

Garret suivit la direction de son regard. Les yeux dans les yeux, Imogène et lord Maitland paraissaient seuls au monde, et la main du jeune baron s'attardait un peu trop sur le bras nu de la demoiselle.

— Raphaël, nos voyageuses doivent être affa-mées. Peut-être devrais-tu faire servir ? suggéra Mayne de sa voix chaude et basse qui dominait sans peine le timbre suraigu de lady Clarice.

— Mais bien sûr ! Où avais-je la tête ? répondit leur hôte en entraînant lady Maitland.

— Imogène !

Perdue dans on ne savait quel domaine enchanté, l'intéressée n'entendit pas, ou ne voulut pas entendre, l'appel impérieux de Teresa, qui jeta un regard déses-péré au comte.

— Mademoiselle, je suis votre serviteur, murmura-t-il en portant la main de la jeune fille à ses lèvres.

Mon Dieu ! Il n'était tout de même pas en train de flirter avec elle ? songea Teresa. Avant qu'elle ait eu le temps de s'interroger davantage, il lui décocha un clin d'œil complice et s'empara du bras de la cadette. Draven Maitland n'avait plus qu'à se contenter de l'aînée !

— Josie ! Tu peux te retirer dans la salle d'étude, maintenant.

— Ma chère Joséphine, vous êtes ravissante ce soir ! salua Maitland, qui avait ses défauts mais faisait preuve d'une courtoisie irréprochable.

— Gardez vos boniments pour mes sœurs ! lui lança la petite.

— Josie ! s'étrangla Tess.

— Oh ! je t'en prie ! Draven sait bien que je ne suis pas amateur de ce genre de fariboles !

Teresa se retint de la réprimander davantage. Josie avait dû entendre les remarques de lady Clarice sur la nécessité d'un régime, et elle était au bord des larmes.

— Vous savez, intervint le baron en prenant gentiment le bras de l'adolescente, j'ai une question à vous poser. Perfection, ma jument baie, a du mal à supporter la selle…

— Avez-vous essayé la lotion du Dr Goulard ? s'enquit Joséphine, soudain radoucie.

Leur père l'avait chargée de veiller sur la santé de son écurie, et ce qui constituait à l'origine une corvée était devenu avec le temps une véritable passion.

Il fallait bien admettre que Draven Maitland avait beaucoup de charme et savait parfaitement en jouer quand il le voulait, songea Tess. Mais même s'il était remarquablement beau garçon, il ne s'intéressait qu'aux chevaux et avait une réputation de joueur invétéré. On disait de lui qu'il aurait abandonné père et mère pour assister à une course.

Exactement comme le vicomte...

5

Tess était placée à la gauche du duc, tandis que lady Clarice trônait à sa droite. L'argenterie et la porcelaine ornée d'un filet d'or aux armes des Holbrook étincelaient de mille feux à la lueur des immenses candélabres. Pour ce petit souper «familial», les domestiques étaient plus nombreux que les convives.

Chez les Essex, le souper comportait au mieux deux plats et, quand le vicomte avait été malchanceux aux courses, un simple ragoût faisait l'affaire. On se contentait même parfois d'un peu de pain et de fromage. Ce soir, les mets étaient si nombreux et se succédaient si rapidement que Teresa en attrapait le tournis. Une soupe de tortue délicieuse pour commencer, puis des entrées froides, des entrées chaudes, des petits pâtés croustillants à souhait...

Pour la première fois de sa vie, elle buvait du champagne. Elle n'en avait même jamais vu avant ce jour. Le breuvage ambré picotait sur sa langue, et c'était tout simplement délicieux ! Lorsque le valet de pied remplit à nouveau sa coupe, la jeune fille sentit ses préoccupations s'envoler.

— Je suis vraiment ravi de vous accueillir à Holbrook Court, vous et vos sœurs, dit leur tuteur en se tournant vers elle, profitant de ce que lady Clarice avait cessé de babiller un instant.

Teresa lui rendit son sourire avec reconnaissance. Avec ses yeux gris-bleu et son air légèrement fatigué, le duc était plutôt séduisant, et la longue mèche brune qui lui retombait perpétuellement sur le front ajoutait à son charme une touche un peu canaille.

— C'est nous qui avons de la chance d'avoir trouvé une demeure aussi accueillante !

— Je ne sais pas si on peut parler de chance, puisque c'est la perte du vicomte qui vous a amenées ici.

— C'est vrai, mais mon père était pratiquement paralysé quand il est mort, et je suis sûre qu'il se trouve plus heureux là où il est. Il n'aurait jamais pu vivre sans monter à cheval.

— Oui, l'immobilité ne convenait certainement pas à un homme de son tempérament. Je me souviens encore de sa première lettre. Il revenait tout juste des courses de Newmarket, où son jockey s'était blessé. Il m'expliquait comme s'il s'agissait d'une chose toute naturelle qu'il avait tout simplement pris sa place !

— Il n'a pas dû gagner ! murmura Tess, émue.

Cette anecdote résumait bien son père : un homme plein de panache mais sans aucun sens pratique.

— Non, en effet. Il était arrivé bon dernier, m'expliquait-il avec beaucoup de faconde et d'humour. Sans doute était-il bien trop lourd… Il s'était cependant visiblement beaucoup amusé, et la foule l'avait acclamé !

— Je suis confuse qu'il vous ait demandé de devenir notre tuteur, reprit Tess. Vous vous connaissiez à peine, et c'est une grande responsabilité !

— Et moi, j'en suis très heureux ! répondit-il avec chaleur. À part mon héritier, un lointain cousin avec qui je n'ai aucune affinité, je n'ai plus de famille. Et comme je n'ai pas l'intention de me marier, je suis le seul à profiter de cette maison. Avec vous, elle va enfin revivre.

Tess détailla l'assistance en essayant de se mettre à sa place. À l'autre bout de la table, Annabelle, resplendissante, les yeux brillant comme des étoiles, flirtait outrageusement avec le comte. Imogène ne quittait pas lord Maitland des yeux et semblait au comble de la félicité. Apparemment, lady Clarice n'avait encore rien remarqué.

— Je crois que je n'ai jamais eu autant de monde à dîner depuis la mort de mes parents, remarqua pensivement le duc. J'ai un tempérament réservé, et je me suis peu à peu isolé, sans même m'en rendre compte. Je suis enchanté d'avoir des pupilles en âge de soutenir une conversation, je vous l'avoue.

— Pourquoi... pourquoi avez-vous dit que vous ne vouliez pas vous marier ? demanda Teresa après avoir rassemblé tout son courage.

En Angleterre comme en Écosse, une jeune fille bien élevée n'était pas censée poser de questions personnelles, surtout à un homme qu'elle connaissait à peine, et encore moins s'il s'agissait de son tuteur. Toutefois, il fallait qu'elle en ait le cœur net.

— N'y voyez aucun goût pour les commérages, ni aucune intention douteuse ! précisa-t-elle en rougissant jusqu'à la racine des cheveux.

Surtout, qu'il n'aille pas s'imaginer qu'elle avait des vues sur lui ! Mais l'intérêt affectueux que lui manifestait le duc paraissait tout fraternel, et Holbrook semblait à mille lieues d'envisager faire d'elle, ou de l'une de ses sœurs, une duchesse. Annabelle devrait se mettre en quête des sept autres pairs du royaume. Ou se contenter d'un comte, si elle poussait son flirt avec Garret.

— Certains ne sont pas faits pour le mariage, et je suis de ceux-là. Mais je n'ai rien d'un misanthrope, rassurez-vous, mademoiselle.

— Je vous en prie, appelez-moi Tess. Nous sommes en famille, maintenant.

— C'est entendu mais alors, appelez-moi Raphaël. Je déteste qu'on me donne du «Votre Grâce». Et je suis si heureux d'avoir retrouvé une famille !

Elle le remercia d'un sourire, et tous deux savourèrent cet instant de complicité amicale, comme s'ils se connaissaient depuis des années.

— J'ai perdu mes parents très jeune, et je n'ai jamais eu de sœur, poursuivit-il en faisant signe au valet de remplir leurs verres. J'ai eu un frère, mais ce n'est pas la même chose.

— Qu'est-il devenu ? Oh ! je suis désolée, Votre Grâce ! ajouta-t-elle en comprenant sa bévue.

— Raphaël, corrigea gentiment Holbrook. Il a eu un accident stupide lors d'une chasse à courre. Ils avaient débusqué un dix cors, qui leur a mené la vie dure. La meute avait perdu la trace du cerf, et Peter, qui était un cavalier hors pair, a distancé les veneurs et les autres membres du groupe. Il s'est retrouvé isolé dans un sous-bois avec un très jeune chien. On a supposé que le chien, dont le dressage était à peine achevé, avait suivi la piste d'un sanglier et égaré mon frère. Il s'agissait certainement d'un vieux solitaire, de ceux qui ne se laissent pas acculer facilement. Dans la soirée, une battue a été organisée, mais elle n'a pas pu aller bien loin, car il faisait nuit noire, et le terrain était très accidenté.

— Vous avez dû vivre des heures atroces ! murmura Tess, le cœur serré.

— J'étais chez des amis, et je me suis mis en route dès qu'on m'a prévenu. Quand je suis arrivé, au petit matin, nous avons repris les recherches. Nous avons trouvé Belle de Mai, la jument de Peter, alors qu'elle tentait de revenir à la maison. Elle avait une vilaine estafilade à un antérieur, et était épuisée. Nous n'avons trouvé le corps de mon frère qu'en milieu d'après-midi. Il s'était fracturé la jambe et démis l'épaule, sans doute en tombant de cheval, et n'avait pu se défendre face au sanglier qui chargeait. Le cadavre du chien, complètement éventré, gisait à côté de lui. C'était un chiot inexpérimenté, mais qui avait fait son devoir et défendu son maître jusqu'au bout. Cela a mis du baume au cœur de notre grand veneur, qui se faisait des reproches, conclut tristement le duc.

Tess avait déjà les larmes aux yeux, mais cette remarque la toucha plus que tout. Le chagrin de Raphaël, même après tant d'années, était évident. Et malgré sa douleur, il pensait avant tout à soulager la peine de son personnel ! Non, décidément, son père ne s'était pas trompé dans le choix de leur tuteur. Il aurait difficilement pu trouver un homme plus simple et généreux !

— Et vous n'avez jamais pu oublier ce spectacle horrible, j'imagine ?

— Il est resté gravé dans mon esprit, bien entendu, et cela m'a fait beaucoup souffrir. Heureusement, d'autres souvenirs ont fini par prendre le dessus. Nous étions tellement proches, et avions passé tellement de bons moments ensemble ! Pour tout vous dire, je pense à lui comme s'il était toujours de ce monde. Il s'est absenté, voilà tout.

— Je vous comprends parfaitement. J'ai toujours l'impression que papa va rentrer d'un moment à l'autre. Et j'attends souvent ma mère, qui nous a pourtant quittées depuis des années.

— Nous sommes faits pour nous entendre, tous les deux, affirma-t-il malicieusement.

La tristesse qui persistait au fond de son regard émut profondément Teresa qui soudain se sentit submergée de tendresse pour ce tuteur négligé et solitaire.

— Expliquez-moi donc les subtilités des relations entre sœurs, je vous en prie, reprit-il gaiement après un instant.

— Avoir des sœurs vous permet de partager vos petits secrets avec quelqu'un.

— Quel genre de secrets ?

— Les bêtises que l'on fait lorsque l'on est enfant, et les peines de cœur plus tard, expliqua étourdiment Teresa dont le champagne commençait à brouiller le jugement.

— Je dois m'attendre à voir arriver d'Écosse une armée de soupirants, si je comprends bien ?

— Pas pour moi, en tout cas, répondit en souriant Teresa à qui l'on venait de servir de la sole à la crème. Pour aucune de nous, d'ailleurs. Mon père ne voulait pas que les jeunes gens du voisinage nous fassent la cour. Il avait de plus hautes ambitions pour nous et désirait nous emmener à Londres faire nos débuts dans le monde. Une fois qu'il aurait gagné une grosse fortune aux courses, bien entendu.

— Pardonnez cette question indiscrète, mais aucune de vous n'a jamais eu de sentiments pour l'un de ces jeunes gens, avec ou sans la permission du vicomte ?

— Oh! nous avons bien eu des flirts, mais ce n'était pas facile, vous savez. Papa était très strict sur ce chapitre.

Raphaël l'écoutait avec un intérêt sincère qui la touchait profondément. À part ses sœurs, qui s'était jamais intéressé à sa vie ou à ses sentiments?

— Et vous, êtes-vous tombée amoureuse de l'un de ces indésirables? Cela fait-il partie de vos secrets?

— Si je vous le dis, répondit Teresa dont la tête commençait à tourner, vous aussi devrez me confier l'un de vos secrets.

— Ce serait bien volontiers, mais le seul ennui, c'est que je n'en ai pas. Je mène une vie casanière, et désespérément convenable, vous savez. Allons, avouez-moi tout! Avez-vous laissé un amoureux transi en Écosse?

— J'ai été très amoureuse une fois. Du fils du boucher! Il s'appelait Nebby, était très beau garçon et vraiment amusant, même si ce n'était pas le parti idéal.

— Et comment a réagi lord Brydone en apprenant cette romantique idylle?

— Il a été ravi! Il m'a même félicitée.

— Vraiment?

— Nebby m'offrait les meilleurs morceaux en gage d'affection, et comme nous n'avions pas plus de onze ans, papa n'a rien trouvé à redire à nos amours. Mais mon soupirant a fini par se lasser. Il s'est marié jeune et, aux dernières nouvelles, il était déjà père de deux futurs bouchers!

— Et depuis, aucun autre jeune homme n'a su mériter votre affection?

— Absolument personne.

— Nous sommes de la même espèce, vous et moi, lança Raphaël en levant son verre. Imperméables à l'amour !

— Hélas ! déclara théâtralement Tess. L'amour n'est pas pour moi ! Je m'ennuie à mourir quand on me fait la cour, pour ne rien vous cacher. Mais je n'ai rien contre le mariage, se hâta-t-elle de préciser pour ne pas affoler le duc, dont la tutelle devrait s'exercer jusqu'à ce qu'elle convole en justes noces.

— Vous me soulagez ! répliqua-t-il en éclatant de rire.

— À votre tour, maintenant. Dites-moi donc ce qui vous a rendu si farouchement réfractaire à toute union.

— Je ne vais pas vous ennuyer avec l'histoire de ma vie, temporisa Raphaël.

Visiblement, la jeune fille était un peu grise, et le devoir d'un tuteur n'était certainement pas d'initier ses pupilles à la boisson. Cela dit, il ne pouvait tout de même pas faire servir de la limonade à la table ducale ! De plus, il n'était pas de ce genre d'hypocrites qui imposent à leur prochain ce qu'ils sont incapables d'observer eux-mêmes ! Pour sa part, il n'était pas disposé à renoncer aux plaisirs de Bacchus.

Il vida sa coupe et reporta son attention sur sa voisine.

— Sinon, je laisserai Annabelle se bercer de l'illusion qu'elle peut devenir duchesse de Holbrook rien qu'en claquant des doigts ! disait-elle.

Effaré, il jeta un coup d'œil vers Annabelle. Lorsqu'il croisa son regard, elle lui adressa un sourire éblouissant. Avec sa chevelure d'ambre, son teint de lait et ses yeux profonds comme des lacs, c'était à n'en pas douter la plus belle femme qu'il ait jamais vue. Elle resplendissait, malgré cette horrible robe de deuil mal coupée mais, si séduisante fût-elle, il n'avait aucune envie de l'épouser.

— Elle ferait une duchesse magnifique, observa Tess.

— Vous avez le même aplomb que votre père, remarqua Raphaël, mi-figue, mi-raisin.

Annabelle avait certes l'éclat du diamant, mais dans les yeux azur de Teresa brillaient une intelligence, un humour et un courage qui valaient toutes les coquetteries du monde.

— Et vous, vous n'avez pas envie de devenir duchesse ? ajouta-t-il, en se demandant si le champagne ne lui montait pas à la tête, à lui aussi.

Elle fit un signe de dénégation véhément.

— Vous m'auriez vraiment terrifié ! reprit-il. Je crois que je me serais enfui jusqu'aux Shetlands, ou peut-être même au Pôle Nord !

— Merci du compliment ! s'exclama Teresa en riant.

— Voyons ! Vous savez bien ce que je veux dire !

— M. Felton vient d'arriver de Londres, Votre Grâce, murmura Brinkley, apparu derrière son maître comme par magie. Il va se joindre à vous pour souper. J'ai pensé l'installer à la gauche de Mlle Essex.

— Un vieil ami, expliqua Raphaël. Nous avons fait nos études ensemble.

— Mais cela ne fait pas si longtemps ! Vous êtes encore un jeune homme, mon cher ! intervint lady Clarice, visiblement fatiguée de l'intérêt exclusif que leur hôte portait à sa pupille.

Mayne avait sans doute raison : la mère de Draven devait avoir des vues sur son voisin. Peut-être toutes les jeunes filles et toutes les veuves du voisinage se voyaient-elles en duchesse, comme Annabelle ?

Avec un sourire complice à l'adresse de Teresa, Holbrook se pencha vers lady Clarice, qui avait manifestement une confidence de la plus haute importance à lui faire.

Le valet de pied finissait tout juste de dresser un couvert supplémentaire lorsque l'ami de Raphaël fit son entrée.

Décidément, le champagne était un breuvage dangereux ! Dans une sorte de demi-brouillard, Tess crut voir s'avancer un ange tombé du ciel.

La souplesse de sa démarche, sa grâce féline donnaient à la haute silhouette, aux épaules imposantes, à la carrure athlétique du nouveau venu une beauté inquiétante parfaitement incongrue dans cette salle à manger lambrissée. Des boucles soyeuses dont le blond cendré luisait doucement à la lueur des chandelles adoucissaient la sévérité d'un visage d'empereur romain au nez aquilin, au regard vert, à l'expression impérieuse.

Le sobre costume de soirée aux revers de velours, le gilet de soie, la cravate assortie impeccablement nouée, dénotaient une élégance discrète, sans pourtant suggérer un seul instant la moindre concession au dandysme à la mode dans la capitale.

L'image des pur-sang de son père traversa fugitivement la pensée de Teresa. Comme eux, il était plus grand, plus beau, plus racé que les autres, et les éclipsait immédiatement. Il émanait de lui une autorité princière, mais son sourire désabusé, son expression hautaine, vaguement ennuyée, son visage impénétrable, devaient mettre ses interlocuteurs mal à l'aise.

Un tel homme était au-dessus des basses contingences qui constituaient le lot du commun des mortels. Il ne devait pas beaucoup s'intéresser à ses semblables, sauf pour leur donner ses ordres, qu'il n'entendait certainement pas voir discutés.

Oui, il s'agissait peut-être d'un ange, tout compte fait, mais alors d'un ange déchu, et d'un homme dangereux, sans aucun doute.

6

Comme beaucoup d'hommes, Lucius Felton tenait à ses habitudes. Lorsqu'il se rendait à Holbrook Court, comme il le faisait chaque année en juin et en septembre pour les courses d'Ascott et de Silchester, il s'attendait à trouver le duc affalé dans le fumoir, un verre de cognac dans une main, *Les Nouvelles des courses* dans l'autre.

Même quand le comte de Mayne se joignait à eux, la conversation roulait invariablement sur leurs chevaux, les courses et leurs caves respectives. Tous les sujets ennuyeux, tels que les femmes, l'argent, la politique ou la famille, étaient soigneusement évités. À trente ans passés, ils avaient largement eu le temps d'apprendre que les dames, à quelques très rares exceptions près, n'apportaient que des complications.

L'argent n'avait jamais constitué un souci pour aucun d'entre eux. Quant à la famille... Lucius avait coupé les ponts avec la sienne depuis longtemps et quand Raphaël avait perdu son frère, ils avaient cessé d'aborder la question.

Aussi avait-il fait la grimace lorsque, dès son arrivée, le majordome l'avait informé que Sa Grâce venait d'hériter de quatre pupilles de sexe féminin, en âge de convoler qui plus est. Et quand Brinkley avait précisé que lady Clarice Maitland et son abruti de fils les avaient rejoints pour le dîner, sa contrariété s'était transformée en horreur.

La présence de Garret l'avait quelque peu réconforté. Le comte allait certainement présenter sa pouliche Plaisir dans le prix de l'Espoir, et cela lui permettrait de la comparer à son Menuet, qui débutait dans la cinquième course.

Pourtant, en se changeant dans une chambre inconnue, celle où il logeait d'habitude étant occupée par l'une des jeunes péronnelles, il envisagea sérieusement de laisser son écuyer et son jockey aller seuls à Silchester et de rentrer à Londres dès le lendemain matin, ou de se réfugier dans son domaine de Bramble Hill, qui se trouvait à moins d'une demi-journée de route d'ici, et où il n'avait pas mis les pieds depuis des mois.

Derwent, son valet de chambre, fit son entrée avec un broc d'eau chaude. La présence chez Raphaël d'un troupeau de filles à marier l'avait affecté encore plus que son maître. À coup sûr, Sa Grâce commencerait par chercher des prétendants autour de lui, et il viserait en priorité ses plus proches amis.

— Les jeunes demoiselles sont arrivées pratiquement sans bagages! annonça-t-il. Le duc va avoir le plus grand mal à les établir.

— Elles sont si laides?

— D'après Brinkley, elles ne sont pas sans attraits, mais elles n'ont pas de dot et sont fagotées comme l'as de pique. Elles sont écossaises, par-dessus le marché! L'accent écossais est un handicap rédhibitoire pour faire ses débuts dans le monde!

À l'époque où il était au service d'un marquis tout aussi passionné par la race chevaline que son employeur actuel, le valet de chambre avait adopté un vocabulaire digne d'un turfiste accompli, et il jugeait probablement les jeunes personnes en âge de faire leur entrée dans le monde à l'aune des pouliches qui débutaient sur les champs de courses.

Felton garda le silence, mais Derwent pressentait une catastrophe imminente : son œil gauche le démangeait, signe qui ne trompait pas. Quand le prince de Galles s'était grièvement blessé en tombant de cheval, il avait eu l'œil tout gonflé. Et l'année dernière, quand son maître avait entamé une liaison avec lady Geneviève Mulcaster, il avait eu une terrible conjonctivite, qui l'avait handicapé pendant des semaines !

— J'envisage de ne pas assister aux courses de Silchester, compte tenu de ces circonstances inattendues, expliqua Lucius tandis que son valet lui rafraîchissait le visage.

— C'est effectivement une période difficile pour le malheureux duc ! Il serait certainement préférable de partir immédiatement. Je ne vais pas défaire vos bagages !

— Je suis parfaitement capable de résister au charme des pupilles de ce vieux Raf pendant un jour ou deux ! assura Felton en souriant.

— Je ne me permettrais pas de prétendre le contraire, Monsieur ! assura dignement le laquais en tendant à son maître son habit de soirée.

— Je n'en doute pas, mais je tenais à vous rassurer, plaisanta Lucius. Et si jamais je me laisse prendre au piège un jour, ce ne sera pas par une godiche écossaise sans famille ni amis.

— Certainement, Monsieur ! acquiesça lugubrement Derwent.

Felton fit son entrée dans la salle à manger en espérant, sans trop y croire, ne pas être placé à côté de lady Clarice. Cette idée suffisait à lui faire dresser les cheveux sur la tête.

Assis au bout de la table, Raphaël ne semblait en rien différent des autres jours. Sa cravate était nouée n'importe comment, comme d'habitude, ses cheveux en désordre retombaient sur son front, et il portait à ses lèvres une coupe de champagne.

Il reporta son attention sur les autres convives, et crut rêver. Derwent lui avait dit que les pupilles de son ami «n'étaient pas sans attraits»... La créature resplendissante qui lui souriait au bout de la table avait tout d'une déesse descendue de l'Olympe. Vénus en personne, sans aucun doute. Quant à l'autre jeune personne à la chevelure de nuit, aux yeux de braise, son visage passionné de jeune vierge vouée au martyre aurait convaincu le plus endurci des mécréants de la rejoindre dans la fosse aux lions.

Il se ressaisit et se dirigea vers son hôte. Son valet de chambre avait raison : il fallait quitter au plus vite cette maison devenue par trop inhospitalière. Il n'avait nul besoin de venir se fourrer au milieu d'un essaim de filles à marier, même et surtout si elles étaient belles à damner un saint !

— Je suis désolé d'arriver à l'improviste ! J'ignorais que tu avais de la visite.

À la réflexion, son ami n'était plus tout à fait le même. Pour commencer, il n'était pas ivre, et Lucius crut lire dans son regard une note d'égarement parfaitement incongrue chez le duc. Le malheureux ne s'en tirerait pas sans épouser une de ces péronnelles, cela ne faisait pas le moindre doute. Et avec sa naïveté habituelle, il se retrouverait la bague au doigt avant même d'avoir compris ce qui lui arrivait.

— Aucun problème, et je suis très heureux de te voir! répondit Holbrook.

Il disait certainement vrai. Dans de telles circonstances, la présence d'un ami sûr et fidèle apparaissait toujours comme une bouée de sauvetage.

— Mademoiselle Essex, permettez-moi de vous présenter l'un de mes vieux camarades, M. Lucius Felton, ajouta Raphaël en se tournant vers la jeune fille assise à sa gauche.

Il devait s'agir de l'aînée des orphelines. Ébloui par sa céleste sœur, Lucius ne l'avait pas remarquée au premier abord. Pourtant, elle était très belle, elle aussi, avec sa chevelure auburn, ses pommettes hautes et son teint de nacre. Ce qui le captiva, cependant, ce fut son regard, ses yeux légèrement en amande, d'un bleu profond, pétillant d'intelligence...

Il resta pétrifié tandis qu'elle lui souriait aimablement.

— Mes hommages, mademoiselle, murmura-t-il enfin.

— Je suis ravie de faire votre connaissance.

En s'inclinant sur sa main, il remarqua une discrète reprise au poignet de sa robe noire. Sur leur pauvreté, au moins, Derwent avait dit vrai. Mais elles avaient bien d'autres atouts pour trouver un mari...

— Je vous présente toutes mes condoléances. J'ai eu le plaisir de rencontrer lord Brydone à plusieurs reprises. C'était un homme charmant, plein de gaieté.

Il vit s'embuer le regard de la jeune fille.

— Je vous remercie. Nous sommes... Papa était très apprécié par tous ceux qui l'ont approché, et cela nous est un grand réconfort.

— Assieds-toi, je t'en prie, dit Raphaël. Brinkley t'a placé à la gauche de Mlle Essex. Je ferai les présentations dans les formes après le dîner.

— Mon cher, je serais profondément mortifiée si vous ne veniez pas me saluer avant de prendre place ! minauda alors lady Clarice de sa voix de crécelle.

Résigné, Lucius fit le tour de la table pour aller baiser la main de la dame.

— Figurez-vous que j'ai rencontré votre mère, l'autre jour ! Elle se rendait au théâtre, tout comme moi, pour voir cette pièce dont tout le monde parle, *Tout pour l'amour*. La pauvre femme ! Comme elle a vieilli ! Je l'ai trouvée si maigre, si pâle, si triste, en un mot ! Mais sans doute lui avez-vous rendu visite récemment ? ajouta-t-elle perfidement.

Comme tout le monde à Londres, lady Clarice savait parfaitement que Felton préférerait rôtir en enfer plutôt que de franchir la porte de la demeure de ses parents. Lucius garda le silence. Si sa mère avait le teint bilieux, c'était certainement dû à un accès de méchanceté. C'était la seule maladie dont elle ait jamais souffert, et de façon chronique.

— À ce qu'on m'a dit, Mme Felton ne quitte pratiquement plus la chambre, poursuivit la baronne en agrippant la main de Lucius. Si seulement je pouvais vous dépeindre la détresse d'une maman lorsque son enfant quitte le nid... Cela vous déchire le cœur !

En retirant prestement sa main, Lucius croisa le regard quelque peu surpris de Mlle Essex, et ravala une bouffée de colère. Même s'il se moquait éperdument de ce qu'on disait de lui dans le monde, cette vieille commère n'avait pas le droit de colporter des ragots sur ses relations avec sa famille.

— Lucius a passé l'âge de s'accrocher aux jupes de sa mère, intervint Raphaël d'un ton sec qui tranchait avec sa nonchalance et sa courtoisie habituelles.

— Certainement ! Mais sans qu'il ait besoin de s'accrocher à ses jupes, comme vous dites, n'importe quelle femme a besoin de voir son enfant pour reprendre goût à la vie. Mon fils chéri, par exemple, qui est très jaloux de son indépendance, ne me laisse jamais sans nouvelles !

Lucius s'apprêtait à répondre une platitude quelconque, mais Raphaël ne lui en laissa pas le temps.

— Eh bien, Maitland, je ne vous connaissais pas ce talent ! Moi qui pensais qu'à part assister aux courses vous n'étiez bon à rien, j'apprends que vous êtes capable de redonner goût à la vie à votre mère !

Tout en battant en retraite pour aller enfin s'asseoir au côté de Mlle Essex, Felton se vit dans l'obligation de réviser son jugement. Le duc était bel et bien ivre, et curieusement agressif.

Par bonheur, lord Maitland avait au moins une qualité : il n'était pas susceptible, ce qui lui avait déjà évité bien des déboires. Il prit en riant la grossièreté de son hôte et retourna aux exploits de son cheval Blue Peter, dont il détaillait les innombrables qualités à l'orpheline aux yeux de braise qui buvait littéralement ses paroles.

— Il a les plus beaux paturons de mon écurie ! Ce n'est encore qu'un yearling, mais il est solide, et je compte le faire courir dès cette année. Il est aussi rapide qu'une puce sur le dos d'un chien !

— Quelle comparaison poétique ! s'exclama la blonde incendiaire.

La beauté à la voix de miel n'avait donc rien d'une sotte, et elle ne manquait pas d'esprit, apparemment ! C'était toujours bon à savoir.

— Un yearling a largement distancé un cheval de trois ans à Newmarket au printemps dernier, poursuivit Maitland sans lui accorder un regard.

La madone aux cheveux d'ébène le contemplait d'un air extasié. Apparemment, et aussi surprenant que cela puisse paraître, il constituait pour elle un objet d'adoration. Si tel était le cas, Raphaël allait se trouver dans de beaux draps.

Lucius se tourna vers l'aînée, qui conversait avec son tuteur. Elle portait la robe la plus laide qu'il ait jamais vue, un sac noir informe dont émergeaient un cou de cygne et des poignets délicats. Elle le surprit en train de la détailler, et une lueur menaçante traversa son regard saphir.

— Vous devez être très proche de votre mère ? s'enquit-elle d'une voix suave.

Le duc cacha son sourire dans sa coupe de champagne. Il fallait arriver tout droit du fond de l'Écosse pour oser aborder ce sujet avec Felton. C'était un trop gros poisson pour que quiconque prenne le risque de l'offenser, et depuis des années, toutes les jeunes filles à marier lui réservaient leurs sourires les plus enjôleurs.

— Tout dépend ce que l'on entend par « proche ». Ma mère et moi ne nous sommes pas adressé la parole depuis près de dix ans !

— Pardonnez mon audace, mais vous avez tort. Je n'ai plus mes parents et je donnerais beaucoup pour pouvoir leur parler, ne serait-ce qu'une fois, répliqua-t-elle avant de vider sa coupe de champagne.

— Vous changeriez d'avis si vous connaissiez ma famille.

— Et pourquoi donc ?

— C'est ma mère qui ne veut plus m'adresser la parole, confia-t-il, surpris lui-même de se laisser aller à pareille conversation avec une étrangère.

Même les plus incorrigibles commères, comme lady Clarice par exemple, étaient persuadées que c'était lui qui avait coupé les ponts. Jamais il ne s'était donné la peine de démentir. Pourquoi alors ne laissait-il pas la pupille de son ami croire ce qui lui chantait ? À cause de ces yeux profonds comme des lacs, certainement, qui l'interrogeaient sans malveillance aucune...

— Elle a peut-être changé d'avis, depuis tout ce temps. Peut-être se languit-elle de vous retrouver ! Si elle est clouée au lit la plupart du temps, vous ne devez pas avoir beaucoup d'occasions de vous rencontrer.

— Nous sommes voisins, et si Mme Felton ressentait la moindre envie de me voir, il ne lui faudrait pas plus de deux minutes pour me faire parvenir un message.

— Vous êtes voisins, et vous ne vous adressez pas la parole ?

L'innocente petite Écossaise paraissait stupéfaite. Cette naïveté charmante lui vaudrait certainement un grand succès dans le monde. On trouvait peu de jeunes filles aussi belles et au cœur si pur à Londres !

— Exactement. Mais vous avez peut-être raison. Sans doute un jour nous rencontrerons-nous accidentellement, et ce sera très bien ainsi, ajouta-t-il pour la rassurer.

Comment lui expliquer que, s'il avait acheté une maison à St James Square, c'était précisément pour permettre de telles rencontres? Il n'avait jamais confié à personne, pas même à Raphaël, combien de fois il s'était trouvé nez à nez avec sa mère, ni comment elle avait toujours ostensiblement détourné les yeux.

Mlle Essex, qui devait être du genre obstiné, s'apprêtait manifestement à insister, lorsque lady Clarice détourna leur attention.

— Nous attendons la visite de ma délicieuse future belle-fille, annonça-t-elle avec emphase. Vous devez la connaître, mon cher Felton, vous qui êtes si cultivé. Mlle Pythian-Adams est la jeune fille la plus au fait des arts et des lettres de tout Londres. Et son timbre pourrait rivaliser avec celui de la cantatrice Francesca Cuzzoni. C'est le directeur de l'Opéra en personne qui l'en a assurée!

— J'ai bien peur que ma réputation d'homme cultivé soit fortement exagérée, rétorqua Lucius en attaquant sa soupe de tortue.

Tess coula un regard discret vers son voisin de table. Il considérait avoir épuisé le sujet de sa famille, mais elle ne croyait pas un seul instant que sa mère pouvait refuser toute réconciliation. La pauvre femme devait certainement sangloter toutes les nuits en pensant à son fils dénaturé et à son cœur de pierre.

À son air autoritaire, à son regard impérieux, à sa mâchoire volontaire, il ne fallait pas être grand clerc pour deviner que ce M. Felton n'avait pas un caractère conciliant, ce qui pouvait aisément expliquer une brouille avec sa famille.

La voix stridente de lady Clarice la tira de ses réflexions. Elle s'aperçut avec horreur que la commère s'adressait plus particulièrement à Imogène, lui détaillant par le menu les innombrables qualités de sa future belle-fille. Les regards enamourés dont la jeune fille couvait son fils ne pouvant lui échapper éternellement, elle avait sans doute décidé d'y mettre bon ordre.

Selon elle, donc, Mlle Pythian-Adams était la fiancée idéale, d'une intelligence hors pair, d'une grâce irréprochable, et d'une sensibilité exquise.

— Elle semble effectivement charmante, remarqua courageusement Imogène.

— Elle l'est, n'en doutez pas, coupa Maitland d'un ton acide. Et ses cinq mille livres de rente y sont pour beaucoup !

— Une telle remarque est des plus mal venues, le reprit sa mère. Il est vrai que sa dot, qu'elle tient de sa grand-mère maternelle, la duchesse de Bestel, en fait un parti enviable, mais c'est loin de constituer sa seule qualité ! Mlle Pythian-Adams est une jeune fille extrêmement cultivée ! J'avoue être au supplice pour trouver comment je vais pouvoir lui offrir des distractions dignes d'elle et de son esprit ! Ses aquarelles du Colisée de Rome ont été publiées dans le *Journal des dames*, figurez-vous ! poursuivit-elle.

— Quel honneur ! commenta Imogène en reprenant une gorgée de champagne.

— Vous n'avez certainement pas eu la possibilité d'apprendre le dessin en Écosse, mais Mlle Pythian-Adams, en plus de ses dons exceptionnels, a reçu une éducation parfaite. On dit que ses dessins peuvent rivaliser avec ceux du grand Michevange !

— Vous voulez sans doute parler de Michel-Ange, corrigea son fils.

Il avait le même regard sombre et le même air impatient que lorsque son cheval refusait l'obstacle ou se faisait distancer aux courses.

— L'amour est un chemin semé d'embûches, semble-t-il, murmura M. Felton en se penchant vers Teresa.

Comme le couvert de son voisin avait été ajouté après coup, il se trouvait un peu plus proche d'elle qu'il n'aurait dû l'être, et cette proximité inhabituelle la mettait mal à l'aise.

— J'emmènerai la chère petite visiter les ruines romaines de Silchester, continuait imperturbablement lady Clarice. Je suis convaincue qu'elle pourra m'éclairer sur leur origine et sur les coutumes de cette époque. Elle est si cultivée !

— Vous n'avez rien d'un bas-bleu, j'espère ? coupa lord Maitland en s'adressant à Imogène. Il n'y a rien de plus ennuyeux qu'une femme perpétuellement occupée à étaler son savoir !

Tess sentait les yeux de M. Felton rivés sur elle. Ce fut plus fort qu'elle : elle tourna la tête et fut immédiatement captivée par l'intensité de ces iris verts brillant comme des escarboucles.

— Malheureusement, mes sœurs et moi avons eu peu d'opportunités… commença Imogène.

— Nous comprenons parfaitement, mon petit, l'interrompit lady Clarice. Cloîtrées au fin fond de l'Écosse comme vous l'avez été ! On ne peut pas vous comparer à une jeune personne aussi raffinée que Mlle Pythian-Adams, ce serait déloyal ! Je ne vais pas laisser mon fils mettre dans l'embarras une jeune fille aussi charmante que vous !

— On m'a raconté que votre voisin, lord Pool, avait monté sur ses terres un élevage de rennes ! intervint

Raphaël. Vous pouvez certainement m'éclairer sur cette incroyable nouvelle.

Il en fallait cependant plus pour démonter lady Maitland, qui accorda tout juste un regard distrait et un sourire poli à son hôte.

— Il faut prendre les gens comme ils sont, poursuivit-elle, et tenir compte de l'éducation et des opportunités qui leur ont été offertes !

— C'est très gentil de votre part, lady Clarice, remarqua courageusement Imogène dans un silence de mort.

— Je vous prie de m'excuser, coupa soudain Draven en se levant brusquement. Il faut que j'aille de toute urgence acquérir un vernis de culture. Peut-être aurai-je la chance de rencontrer une chanteuse d'opéra !

Sur cette insolence, il quitta la salle à manger en claquant la porte.

— Je suppose qu'il pensait faire une remarque spirituelle, chuchota M. Felton avec un dédain à faire rentrer sous terre un hérisson.

— Il avait peut-être un rendez-vous urgent, suggéra Teresa en souriant.

— À ce qu'on m'a dit, c'est sa mère qui tient les cordons de la bourse, et elle les tient extrêmement serrés. Elle lui a choisi une fiancée mondaine et cultivée pour essayer de le détourner des courses, mais la méthode ne me paraît pas probante.

— Mon fils, s'excusa lady Clarice, a un tempérament artistique, et une sensibilité à fleur de peau. J'espère que son mariage avec Mlle Pythian-Adams aura sur lui une influence apaisante. Elle sera à même de le comprendre, puisqu'elle est elle-même une artiste.

— Imogène m'a dit que vous connaissiez déjà Maitland, murmura Raphaël en se penchant vers Tess. Je suppose qu'elle ne compte pas rivaliser avec Annabelle pour devenir duchesse, ajouta-t-il malicieusement en observant l'intéressée, dont le sourire en coin était éloquent. Dans le cas contraire, mes devoirs de tuteur s'avéreraient extrêmement compliqués!

— Quel bon vent vous amène ici, mon cher Felton? s'enquit au même moment lady Maitland.

— Les courses qui commenceront dans quelques jours à Silchester. Deux de mes chevaux y sont inscrits. J'ai préféré les amener à l'avance, et les confier aux bons soins des palefreniers de Raf.

— Raf? répéta lady Maitland en haussant les sourcils. Oh! Vous voulez dire Sa Grâce? Décidément, je ne me ferai jamais à la désinvolture de la jeune génération! marmonna-t-elle.

— En l'espèce, ce sont mes manies qui sont en cause, et non les manières de Lucius, intervint le duc. Je déteste qu'on me donne du «Votre Grâce»!

— Lucius? Vous voulez parler de notre cher M. Felton, j'imagine?

Le ton mielleux de la commère surprit Teresa. Elle aurait juré que lady Clarice n'accordait d'intérêt qu'aux aristocrates.

— Lucius est l'un des hommes les plus riches d'Angleterre, lui chuchota Holbrook. J'ai bon espoir qu'elle jette son dévolu sur ses revenus et abandonne l'idée de devenir duchesse!

— Taisez-vous! pouffa Tess. Elle pourrait vous entendre!

— Que voulez-vous, je n'ai pas de sœurs avec qui échanger des secrets!

— Mon pauvre ami ! J'admire le courage avec lequel vous résistez à cette invasion de jeunes filles ! claironna lady Clarice.

— Les jeunes filles ne m'ont jamais dérangé, il n'y a que les douairières qui m'ennuient, répliqua son hôte.

— Vous connaissez votre tuteur depuis longtemps ? demanda Lucius à Teresa.

— Nous ne nous étions jamais rencontrés ! Vous êtes amis depuis des années, n'est-ce pas ?

— Ne vous inquiétez pas, il tient remarquablement l'alcool qu'il ingurgite, répondit Lucius en changeant de sujet. Mais il faudra vous habituer à le voir vider ses deux bouteilles de vin par repas, et pratiquement un flacon de cognac dans la soirée.

Tess se raidit. Elle avait retrouvé dans la voix de Felton l'ironie condescendante avec laquelle l'aristocratie locale parlait des échecs de son père.

— J'ai toujours trouvé les parangons de vertu ennuyeux, et l'abstinence un vice impardonnable, rétorqua-t-elle sèchement en vidant sa coupe de champagne par solidarité.

— Alors, vous êtes faits pour vous entendre, votre tuteur et vous !

Felton était bel homme, assurément, malgré son sourire sardonique. Ou à cause de lui, justement.

Pour avoir grandi au milieu des chevaux, Tess savait reconnaître un cavalier au premier coup d'œil. Celui-ci, avec sa haute stature et sa carrure d'athlète, était de taille à dompter les étalons les plus rétifs. Le meilleur moyen de résister au charme de cet Adonis et de mettre un terme à ses sarcasmes serait certainement de le lancer sur son terrain favori. Comme tous les passionnés d'équitation, il se révélerait intarissable.

— Vous avez une écurie importante ?

— Non, mais je suis très sélectif. J'ai bien peur d'accorder trop d'importance à mes chevaux.

— Parlez-moi d'eux, je vous prie, poursuivit-elle d'un air suppliant.

— J'en ai sept. Voulez-vous que je vous les énumère par âge, par sexe ou par couleur ?

— Comme il vous plaira !

— Commençons par les juments, alors. Prudence est une pouliche de deux ans, très bien bâtie, très gracieuse. Ses cils sont si longs que je me demande comment elle peut courir !

C'était bien la première fois que Teresa entendait un cavalier lui chanter les mérites des cils d'une jument ! Son père aurait détaillé sa généalogie et son palmarès…

— Menuet est une véritable beauté, avec sa robe noire et sa longue crinière qui flotte au vent quand elle court. C'est une voleuse, et elle n'aime rien tant que chaparder une botte d'herbe ou une mesure de blé.

— Vous laissez vos chevaux manger de l'herbe ?

— Lord Brydone avait un régime particulier pour ses bêtes ?

— Ils ne mangeaient que de l'avoine et des pommes. Nous leur en faisions une purée, mélangée avec un peu d'orge. Il était convenu que c'était bon pour leur estomac.

Lucius s'abstint de commenter les lubies de feu le vicomte de Brydone en matière d'alimentation équine et préféra reporter son attention sur les pupilles de son ami.

Annabelle resplendissait littéralement, avec sa chevelure d'or et sa voix douce comme le miel. Quant à Imogène, un seul de ses regards devait suffire à faire mûrir les fruits ! Toutefois, tant de passion lui paraissait effrayant, et il n'aurait pas voulu se trouver à la place de Maitland.

Leur aînée, Tess, comme l'appelait Holbrook, avait le même nez mutin, le même ovale parfait, les mêmes pommettes hautes et le même teint laiteux que ses sœurs, mais elle cachait derrière un respect des convenances irréprochable un humour caustique qui l'avait immédiatement séduit.

Et sa bouche ! Ses lèvres pleines, ourlées comme deux pétales de rose, étaient uniques au monde. Le grain de beauté qui en ornait le coin ajoutait une touche canaille à rendre fou de désir le moine le plus austère. Cette bouche était faite pour les baisers, pour l'amour. En d'autres temps, les poètes l'auraient chantée dans toutes les cours d'Europe.

Finalement, Derwent avait peut-être raison. Cette maison était devenue dangereuse, et mieux valait ne pas s'y attarder. Pourtant, pour rendre service à Raf, et pour un baiser de Mlle Essex…

Felton se ressaisit. Il avait décidé, l'année précédente, de ne jamais s'égarer dans les plaisirs douteux du mariage. De toute manière, il n'avait rien à offrir à une femme, surtout à une femme comme Teresa Essex.

Et voilà qu'elle riait maintenant à une plaisanterie de Raphaël, d'un rire chaud et sensuel qui alluma un brasier dans ses veines. Il préféra se détourner prudemment.

7

Tard dans la nuit.

— Ma décision est prise, je vais l'épouser! déclara Annabelle, pelotonnée au pied du lit de Tess.

— Le duc? s'enquit Joséphine, recroquevillée dans une couverture à l'autre bout de l'immense lit à baldaquin.

Visiblement, la petite avait passé une partie de la soirée à pleurer, mais ses sœurs faisaient comme si de rien n'était.

— Je suis sûre que tu peux trouver mieux! s'exclama Imogène. Il m'a l'air complètement abruti par l'alcool, et il a du ventre.

— Tu es injuste envers lui! protesta Teresa. De toute façon, Bella, je suis désolée de te décevoir, mais Raphaël n'a aucune envie de se marier, j'en suis sûre.

— Je ne parlais pas de notre estimé tuteur, mais du comte de Mayne! Quand j'ai vu Holbrook boire comme une éponge, je me suis dit que je ne tenais pas à un mari confit dans l'alcool.

— Mais le comte est charmant! Tu ne trouves pas qu'il mérite quelqu'un de plus gentil qu'Annabelle? demanda innocemment Josie à Tess.

— C'est toi qui n'es pas gentille, répondit Annabelle. Et crois-moi, si Mayne est aussi riche que le duc, je serai très gentille avec lui. Je n'aurai plus aucune raison de me plaindre, d'ailleurs. C'est la pauvreté qui me met de mauvaise humeur. La pauvreté et l'Écosse.

— Moi, l'Écosse me manque, murmura Joséphine.

— Comment peux-tu dire de telles sottises ? s'insurgea Annabelle. Cette vieille bâtisse pleine de courants d'air et ruisselante d'humidité te manque ? Mais est-ce que tu as déjà vu une aussi jolie chambre ? demanda-t-elle en désignant la pièce d'un geste théâtral. Et les draps ? Ils sont aussi fins que la soie ! Ici, au moins, le toit ne fuit pas !

— Ça, nous n'en savons rien, remarqua posément la benjamine. Il y a un autre étage au-dessus.

— À la maison aussi, il y avait encore un étage au-dessus de ma chambre, et même des greniers, mais ça n'empêchait pas les murs d'être tachés d'humidité ! Il pleuvait même dans la nursery ! Je ne comprends comment papa…

— Papa n'a rien à se reprocher ! rétorqua immédiatement Josie.

— Mais non, je sais bien… Ce n'est pas ce que je voulais dire. Ne monte pas sur tes ergots comme ça !

— Il n'est plus là pour se défendre, répliqua-t-elle d'une voix étranglée. Il me manque tellement ! S'il avait pu voir cette lady Maitland, il lui aurait éclaté de rire au nez !

— Ne te moque pas de ma future belle-mère ! s'exclama alors Imogène.

Cependant, maintenant qu'elles avaient rencontré la dame, la sempiternelle plaisanterie d'Imogène ne fit rire personne.

Teresa échangea un regard avec Annabelle et se rapprocha de sa cadette. Elles avaient toujours pensé que la tocade de leur sœur était sans espoir, mais comment le lui dire en face ? À part lui voler un baiser, Maitland n'avait jamais manifesté d'inclination particulière pour Imogène, et la jeune fille n'était pas de taille à lutter contre un dragon du calibre de lady Clarice et une fiancée richement dotée.

— Si Draven s'est conduit de cette façon ce soir, c'est parce qu'il est complètement désemparé, expliqua l'intéressée, l'air farouche. Il n'a aucune envie d'épouser cette demoiselle Pythian-Adams, aussi cultivée soit-elle. Je suis sûre qu'il commence à m'aimer.

— Il l'a toujours bien caché, dans ce cas, remarqua Josie. Qu'est-ce qu'il a donc fait de si terrible pendant le dîner ?

— Il était bouleversé, et il a quitté la table. De toute évidence, c'est sa mère qui a choisi sa fiancée, expliqua Imogène, les yeux pleins de larmes. C'est comme dans *Roméo et Juliette*, quand dame Capulet veut marier Juliette à Pâris, ou dans *Pyrame et Thisbé*... Le père de Pyrame veut qu'il épouse une jeune fille qu'il déteste, et finalement...

— Tout le monde finit par se suicider ! coupa Annabelle. Je suis bien contente de ne pas avoir un tempérament passionné ! Je n'ai aucune envie de me suicider ! L'amour fou, ce n'est absolument pas mon genre !

— J'aimerais être comme toi ! soupira Imogène en levant les yeux vers la magnifique soierie tendue au-dessus du somptueux baldaquin.

— C'est bien plus confortable, assura sa sœur en lui tapotant la cheville pour l'encourager à plus de bon sens. Je ne recherche pas l'amour, mais seulement à faire un riche mariage. Quand tu ne risques pas d'avoir le cœur brisé, tu peux prendre la vie du bon côté, je t'assure!

— Je devrai me contenter d'une vie sans amour, murmura Imogène d'une voix sépulcrale. Il faudra bien m'y résigner!

Un moment, elles gardèrent le silence. La jeune fille était obsédée par l'idée d'épouser Draven depuis si longtemps que ses sœurs avaient du mal à imaginer le jour où elle cesserait de griffonner «lady Imogène Maitland» sur le moindre bout de papier ou de se documenter sur ses parents les plus éloignés pour leur donner le titre qui convenait quand elle leur serait présentée.

— Nous n'aurions jamais dû te laisser te bercer d'illusions aussi longtemps, chuchota Tess en lui caressant les cheveux.

— Je crois que j'ai vécu sur un nuage. Mais alors, pourquoi m'a-t-il embrassée, l'autre fois? Pourquoi me regarde-t-il de cette façon? Il sait bien qu'il ne peut pas rompre ses fiançailles!

Cherchant la meilleure façon de la convaincre sans la blesser, Teresa s'éclaircit la gorge. Imogène ne lui laissa toutefois pas le temps de placer un mot.

— Ne me dis pas qu'il voulait simplement flirter, ce n'est pas du tout son genre! Il s'est toujours conduit très correctement! L'hiver dernier, et même celui d'avant, quand il est retourné en Angleterre, il devait connaître les projets de mariage de sa mère. De toute façon, il ne pouvait pas ignorer qu'elle ne le laisserait jamais épouser une Écossaise sans le sou!

— Il est sans doute un peu léger, avança prudemment Annabelle.

— Il n'a peut-être pas pu s'empêcher de flirter avec toi, suggéra Joséphine.

— Si Draven m'aimait vraiment, comme Roméo aimait Juliette, il se déclarerait. Ses fiançailles avec Mlle Pythian-Adams le rendent peut-être malheureux, mais il ne veut pas contrarier sa mère. Il l'a laissée se répandre en éloges pendant tout le repas. Le premier imbécile venu comprenait qu'elle me mettait en garde et me signifiait clairement de ne pas approcher son fils. En fait, je crois que s'il s'est mis en colère, ce n'était pas à cause de moi, mais pour une autre raison.

— Je suis de ton avis, approuva Tess, en la prenant affectueusement par les épaules.

— Au début, j'étais contente qu'il la rabroue. Mais ensuite, j'ai compris qu'il voulait simplement la défier. Il n'avait absolument pas l'intention de prendre ma défense.

— Un jour, tu rencontreras quelqu'un d'autre, la consola l'aînée.

— Non, assura Imogène en s'essuyant les yeux avec le drap. Si je ne peux pas épouser Draven, je ne me marierai jamais !

Ses cheveux, qu'elle n'avait pas encore tressés pour la nuit, retombaient en cascade sur ses épaules, sombres comme une nuit sans lune, brillants comme le jais. Elle était bien trop belle et trop charmante pour pleurer jusqu'à la fin de ses jours un gandin irresponsable et égoïste !

— Eh bien, tu viendras vivre avec moi et mon riche mari, répliqua Annabelle. Nous ne porterons que de la soie, et nous passerons toutes nos nuits à danser ! Tu n'auras pas besoin d'époux.

— Je ne me marierai jamais ! répéta Imogène. Je suis la femme d'un seul amour !

— Alors, c'est entendu, conclut Bella. Vous savez, je suis sérieuse quand je parle du comte. Pour tout vous dire, je n'ai pas l'impression que Holbrook soit l'homme le mieux placé pour préparer nos débuts dans le monde. Il n'a pas dû mettre les pieds dans un bal depuis quinze ans, au mieux, et je suis sûre qu'il ne connaît pas le dixième des partis intéressants de Londres.

Malgré l'affection naissante que Tess éprouvait pour Raphaël, elle comprenait le point de vue de sa sœur, et devait admettre que celle-ci avait probablement raison.

— Ma femme de chambre m'a dit que Mayne était libre. C'est visiblement un homme de goût, il vient d'une excellente famille, et il boit modérément. Il me semble parfait pour nous introduire dans la bonne société et vous permettre de trouver chaussure à votre pied, vous aussi.

— Et M. Felton, qu'est-ce que tu en penses ?

— Il n'est pas assez bien pour nous, trancha Annabelle. Souviens-toi de ce que lady Clarice a dit sur l'importance des titres. Elle nous a conseillé de ne pas descendre en dessous du baron.

— Là, c'est toi qui es naïve ! intervint Joséphine, qui exprimait ainsi tout haut ce que Teresa pensait tout bas. Ce n'est pas avec un titre qu'on chauffe une maison, tu l'as dit toi-même ! Je suis certaine que ce M. Felton de rien du tout est plus riche que le duc et le comte réunis ! C'est lui qui a acheté Pantalon l'année dernière, chuchota-t-elle comme une conspiratrice. Et il avait déjà Royal Oak !

— Justement ! rétorqua Annabelle. Je ne m'approcherai pas de lui, même si c'était le Grand Moghol en personne, avec tous les trésors de Golconde. Il n'est pas question d'épouser un autre passionné d'équitation pour le regarder dilapider sa fortune en achetant des juments boiteuses incapables de gagner une course. J'en ai par-dessus la tête, merci bien !

— Tu fais allusion aux achats de papa ? gronda la petite.

— Je me contente d'énoncer des faits, ma chère enfant, tout simplement ! trancha Annabelle en se levant pour regagner sa chambre. Je veux un époux qui m'achète des diamants et des rubis, pas des chevaux. Et je pense que le comte de Mayne est exactement ce genre d'homme !

— Alors, il te plaît ? s'enquit pensivement Teresa.

Elle avait parfois l'impression que sa cadette était son aînée de plusieurs années, tant elle montrait d'audace et de sens pratique. Le comte l'effrayait un peu, à vrai dire. Il était trop sophistiqué pour elle. Trop sophistiqué, trop élégant, trop beau parleur. Trop mondain, en un mot.

— Je l'ai regardé de près, expliqua malicieusement Bella sur le pas de la porte. Devant et derrière... Ça ira !

— Cesse de dire de telles horreurs ! Tu n'as pas honte ? s'insurgea Tess.

Mais la porte se referma sur l'éclat de rire de sa sœur.

8

Tard dans la nuit.

— L'homme qui épousera l'aînée de tes pupilles deviendra propriétaire de Wanton ? C'est vrai ? demanda Mayne.

— Il n'y a que quatre chevaux issus de Patchem en ligne directe dans tout le royaume, confirma Raphaël, et chacune de mes protégées en possède un en guise de dot. Wanton, constitue la dot de Tess, avec Thoroughbred. Les trois autres ne sont encore que des poulains, un mâle et deux pouliches.

— Des pur-sang comme dot, c'est original, commenta Lucius. Ce Brydone était un véritable excentrique.

— Je comptais vendre l'écurie et placer l'argent pour mes pupilles, poursuivit Holbrook, mais ses dernières volontés sont très claires. Ce sont les bêtes elles-mêmes qui constituent la dot. Il devait tenir à ce que ses filles épousent des passionnés d'équitation capables d'en prendre soin.

— Rien n'empêche le premier profiteur venu d'épouser une des filles et de vendre le cheval ensuite, remarqua Felton. Ces chevaux valent au moins huit cents guinées chacun aux enchères.

Sans doute plus pour Wanton, qui a manqué la victoire d'un cheveu l'année dernière à Ascott.

— L'heureux élu ne peut vendre la dot de sa femme avant un an, c'est bien spécifié dans le testament. Mais sur le fond, ça ne change rien.

— Wanton ! murmura rêveusement Mayne. Vous saviez que je suis en quête d'une épouse ?

— L'idée que l'un de vous pourrait épouser l'aînée m'a effleuré, je vous l'avoue. Teresa est très séduisante.

— Exquise, renchérit sobrement Lucius.

— Vous iriez très bien ensemble, reprit le duc en se tournant vers Felton. Elle est remarquablement intelligente, et pas du tout le genre de personne à faire des caprices. Tu n'as pas d'attaches particulières, en ce moment ?

— Notre conversation prend un tour vraiment peu orthodoxe, grommela son ami.

— Nous sommes entre nous ! Si tu ne veux pas te passer la corde au cou, tu n'as qu'à me le dire, ça n'est pas plus compliqué que cela !

— C'est ton jour de chance, Raf ! s'exclama Garret. Moi, j'y pense sérieusement, justement ! Et c'est même tout réfléchi ! Ta pupille est belle, pas autant que l'éblouissante Annabelle, mais très séduisante quand même. Ma sœur me harcèle depuis des mois pour que je cherche une épouse, et celle-ci est parfaite. Elle est ravissante et possède un cheval de course, deux même. Que demander de plus ? Elle manque un peu de sophistication, mais cela viendra vite, j'y veillerai.

Raphaël toisa le comte d'un œil soupçonneux. Mayne était un coureur de jupons invétéré. S'il se tenait tranquille depuis quelque temps, c'était parce que les rebuffades d'une comtesse blonde l'avaient plongé dans une morosité inhabituelle.

— Et tu es tombé amoureux d'elle ? s'enquit-il, visiblement sceptique.

Le mot ne faisait pas partie de son vocabulaire en temps normal, mais maintenant qu'il avait charge d'âmes, cela lui paraissait le genre de question qu'un tuteur soucieux de ses devoirs se devait de poser à un prétendant éventuel. Ou un frère aîné au soupirant de sa sœur.

— Quand même pas, admit Garret en s'absorbant dans la contemplation de son verre d'armagnac. Mais ce n'est pas indispensable. Je serai un mari fidèle, discret au moins, et Teresa ne me trompera sans doute pas, ou alors discrètement. Chacun appréciera paisiblement la compagnie de l'autre, jusqu'à ce que je me rompe le cou dans une chute de cheval.

— Comme son père, remarqua Lucius d'un ton acide.

— Ou que tu finisses tué en duel par un mari jaloux, avança le duc.

— C'est aussi une possibilité, acquiesça Mayne sans paraître troublé le moins du monde.

Holbrook ne savait plus comment aider Garret. Depuis l'adolescence, il papillonnait et sortait du lit d'une femme mariée pour entrer dans celui d'une autre. Il n'y restait jamais assez longtemps pour leur briser le cœur, c'était tout ce que l'on pouvait dire à sa décharge. Toutefois, depuis plusieurs mois, son regard désabusé et sa conversation dénotaient un cynisme que le duc n'aimait pas.

— Tu as beau être mon ami, si jamais tu la fais souffrir, reprit-il d'un ton farouche qui le surprit lui-même, tu auras affaire à moi ! Je sais que tu me prends pour un paresseux, mais..

— Paresseux ? ironisa Mayne. Disons que l'alcool te donne une certaine nonchalance.

— Tu m'as très bien compris ! Tu ne veux vraiment pas demander la main de Teresa ? insista Raphaël en se tournant vers Felton.

— Je vais finir par me vexer, protesta le comte. On dirait que tu n'as pas confiance en moi !

— C'est exactement le cas, figure-toi ! Lucius, par contre, ferait un bon époux pour Tess.

— Oublie-le, s'il te plaît ! C'est moi qui ai demandé sa main. Lucius n'a aucune envie de l'épouser ! Restons-en là, veux-tu ? Il t'en reste trois, tu n'as qu'à t'occuper de caser la suivante !

— C'est étrange qu'aucune ne soit mariée, compte tenu de leur âge, remarqua Felton. Les trois aînées sont presque des vieilles filles, selon les critères en vogue.

— Les Écossais sont toujours en retard ! plaisanta Mayne.

— Il y a eu d'autres deuils dans la famille ? poursuivit Felton sans prêter la moindre attention au comte. Leur mère est morte depuis longtemps ?

— Je crois que leur père a toujours manqué d'argent pour leur faire faire leur entrée dans le monde. D'après mon secrétaire, le domaine va à vau l'eau. Wickham y a passé quelques jours pour aider le nouveau vicomte, qui ne s'attendait pas à une telle pagaille. Toutes les terres qui avaient un peu de valeur ont été vendues depuis longtemps, et le manoir tombe en ruine. L'héritier a failli avoir une attaque quand il a découvert que les quatre sœurs héritaient des chevaux. Brydone avait englouti tous les revenus du domaine depuis dix ans dans son écurie.

— Sans se préoccuper de ses filles ? s'indigna Garret.

— Il les aimait profondément, mais n'avait plus rien à leur laisser, à moins de vendre ses chevaux. D'après ce que Tess m'a expliqué, il espérait gagner un jour de quoi les faire débuter à Londres.

— Et en attendant cet hypothétique miracle, il les laissait moisir dans une maison en ruine ? demanda Lucius.

— L'idée qu'il se faisait des devoirs paternels était assez éloignée de la tienne, il faut bien l'admettre, expliqua Raphaël en vidant son verre.

Décidément, il vieillissait. L'alcool commençait à lui donner des migraines. Peut-être devrait-il un jour envisager de boire moins…

— Leur deuil sera terminé quand la Saison débutera, et tu n'auras pas trop de mal à caser les trois autres, dit Mayne. J'ai l'impression que Maitland a un faible pour Imogène. C'est un beau parti…

— Son mariage avec Mlle Pythian-Adams est arrangé depuis plus de deux ans. De toute façon, depuis la mort de son père, Draven est devenu un véritable chien fou, et cela ne fait qu'empirer. Il ne vit que pour les courses, mise des sommes astronomiques et prend des risques énormes quand il court. Il se fera plumer ou il se tuera, s'il continue.

— Ce n'est pas une vilaine mort, remarqua le comte.

— Cesse de faire l'idiot ! rétorqua Raphaël. Si tu veux épouser Tess, il va falloir que tu te ranges ! Il faudra que tu renonces aux femmes mariées et que tu cesses de risquer ta vie à tout bout de champ !

— Je te promets de faire un époux modèle, soupira Garret. D'ailleurs, j'ai déjà renoncé aux femmes mariées. Tu n'avais pas remarqué ?

— Pas vraiment !

— C'est pourtant vrai. Lady Godwin, qui n'a jamais été ma maîtresse, comme tu le sais, restera la dernière. Et cela fait plus de quatre mois qu'elle m'a éconduit ! Tu vois, Teresa m'aura tout entier pour elle, si elle me prend tel que je suis.

— Si tu dis vrai, elle ne fera pas une mauvaise affaire, admit Holbrook.

— Mais essaie de leur trouver un autre chaperon avant dimanche, je t'en supplie ! Je vais devenir fou si Clarice Maitland reste dans cette maison. Cette commère malveillante me hérisse littéralement !

— Je vais écrire à ma tante Flora. Elle habite St Alban et pourrait être ici en début de semaine prochaine.

— J'ai ta bénédiction, alors ? Je peux commencer ma cour dès demain ?

— Tu ne préfères pas attendre que le deuil de Tess soit terminé ?

— Impossible ! La coupe des Dames de Lichfield a lieu dans moins d'un mois ! Si je veux monter Wanton, ou du moins le faire courir...

— C'est pour ça que tu es si pressé de te marier ? ironisa Lucius.

— Je t'en prie ! répliqua Mayne en vidant son verre. Tu me rappelles tous les hypocrites qui vont raconter partout que je suis un débauché, et qui n'osent pas me le dire en face.

— Tu n'en es pas un ?

— Non, trancha le comte après un instant de réflexion. J'aime les femmes... J'ai peut-être été un

84

coureur et j'ai couché avec un certain nombre de femmes mariées, mais je ne suis ni un suborneur ni un menteur, et je me demande bien pourquoi je suis obligé de me défendre devant un de mes meilleurs amis.

— Peut-être parce que tu t'apprêtes à épouser une jeune fille uniquement pour mettre la main sur un cheval...

— Il n'y a rien de répréhensible à ça! Un mariage est avant tout une transaction, et Teresa sera loin d'être perdante dans l'affaire. Et permets-moi de te faire remarquer, Lucius, que ce rappel des conventions et de la bienséance est plutôt mal venu de ta part!

— Et pourquoi donc?

— Tu ne t'embarrasses pas toujours des conventions sociales quand il s'agit de toi, il me semble! Tu ne te contentes pas de jouer à la Bourse occasionnellement, tu contrôles pratiquement tout le marché. Ma cour précipitée n'est qu'une broutille, à côté de tes activités financières. Un homme du monde n'est pas censé faire du commerce, enfin!

— J'ai l'impression d'entendre mes parents!

— Je me moque de savoir d'où tu tires ton argent et ce que tu en fais, et tu le sais bien, reprit le comte après un silence pénible. Et jusqu'à maintenant, tu ne t'étais jamais occupé de savoir avec qui je couchais. Alors pourquoi montes-tu sur tes grands chevaux parce que j'émets l'intention de devenir enfin respectable?

— En tout cas, malgré tous vos défauts, vous êtes restés minces, soupira comiquement le duc pour faire retomber la tension qui s'était installée entre ses deux amis.

Mayne saisit la perche que Raphaël lui tendait.

— C'est vrai que nous formons un fameux trio. Un ivrogne, un coureur et un financier ! Mais au moins, nous avons acquis nos vices honnêtement. Ils nous viennent de nos ancêtres !

— Ma mère t'en voudrait jusqu'à la fin de ses jours de lui rappeler les origines de mon père, remarqua mélancoliquement Lucius. Elle a décidé une fois pour toutes que mon sens des affaires était une disgrâce, et que celle-ci venait du côté paternel, bien entendu.

— Ta mère n'a pas deux sous de jugeote, trancha Garret sans aucune agressivité. Tu es le meilleur d'entre nous, et de loin ! Et tant pis si ton père t'a transmis un visage agréable et non une fortune. En tout cas, je suis bien décidé à m'amender et à devenir sérieux ! D'abord le mariage, ensuite des enfants ! Je vais finir par entrer à la chambre des Lords !

Raphaël en doutait sérieusement, mais il devait bien admettre que Teresa pouvait difficilement trouver un meilleur parti, sur le plan matériel du moins. Et le rôle d'un tuteur était précisément de veiller aux intérêts matériels des pupilles qu'on lui avait confiées…

— Vous ne pourrez pas vous marier en grande cérémonie. Elle est encore en deuil !

— Nous nous marierons dans l'intimité, et par dérogation. J'ai un oncle évêque ; il pourra signer une licence spéciale et célébrer la cérémonie ici même. Tu as bien une chapelle ?

— Il faut d'abord que Tess accepte de t'épouser. Si un mariage hâtif lui déplaît, ce n'est pas moi qui la forcerai.

— Ne t'inquiète pas, j'ai toujours su m'y prendre pour me faire aimer des femmes. Donne-moi deux jours. Quelques compliments, un peu de poésie, et le tour est joué !

— Pas de privautés avant de passer à l'autel ! intima sèchement Raphaël.

— Il n'en est pas question ! Nous parlons de ma future épouse, voyons !

— Notre chaperon laisse à désirer, et je préfère mettre les choses au point.

— J'ai une idée ! lança Mayne. Griselda séjourne à Maidenstow, pas très loin d'ici. Pourquoi ne pas lui demander de jouer ce rôle ? Une veuve joyeuse comme elle a largement le temps de chaperonner tes pupilles, et tu sais que ma sœur n'a jamais pu te refuser quoi que ce soit, mon vieux Raf.

— Ce serait merveilleux ! Tante Flora n'est pas la mieux placée pour conseiller des filles en matière de mode. Et puis, elle ne s'est jamais mariée, et ne sera pas d'un grand secours sur ce chapitre.

— Ma sœur est une véritable spécialiste ! Je suppose qu'arranger des mariages est un sport courant chez les jeunes veuves, surtout quand elles refusent obstinément de se remarier. Je vais lui faire porter un mot demain matin, et comme son goût pour la mode n'a d'égale que sa curiosité, je suis à peu près sûr que nous pourrons compter sur elle pour le dîner. D'ici là, j'aurai peut-être terminé ma cour.

— Eh bien, je te souhaite bonne chance, dit Raphaël avec un soupçon d'ironie.

— Je vais me coucher, intervint Felton en se levant.

— Pourrais-tu repousser un peu ton retour à Londres ? lui demanda le comte. Je voudrais que tu sois mon témoin. Je te promets qu'il ne me faudra pas plus d'une semaine !

— Entendu, acquiesça Lucius après une légère hésitation.

Le duc l'accompagna jusqu'à l'antichambre, mais il était bien en peine de déchiffrer le visage fermé de son ami. Impossible de deviner quelle importance il attachait à leur conversation, ni s'il approuvait ou non la décision de Garret. Il lui souhaita donc une bonne nuit et alla se resservir un dernier cognac.

9

Le lendemain matin.

Même si elle n'avait guère d'expérience en la matière, Tess savait deviner les intentions d'un homme au premier coup d'œil, et elle s'aperçut rapidement que le comte de Mayne avait décidé de lui faire la cour. Elle le comprit dès qu'il prit place à la table du petit-déjeuner où elle était occupée à beurrer un toast en guettant l'arrivée de ses sœurs.

Il arborait la mine anxieuse d'un homme qui cherche quelqu'un. Elle en conclut donc qu'il était en quête d'Annabelle mais ne tarda pas à comprendre son erreur.

— Enchanté! Je suis vraiment enchanté de retrouver la délicieuse demoiselle Essex! Mes hommages du matin, mademoiselle! lança-t-il cérémonieusement en prenant place à ses côtés.

Il était extrêmement élégant, avec son costume noir impeccablement coupé, son gilet de soie et sa cravate immaculée, et le regard enjôleur qu'il coula vers elle était sans équivoque. Restait à savoir ce qu'il voulait...

Tess le salua aimablement. Il était inutile de se montrer désagréable avant de savoir à quoi s'en tenir sur ses intentions, elle était assez grande, après tout, pour repousser ses avances s'il devenait importun. Comme si elle n'avait pas éconduit des douzaines de jeunes Écossais, qui imaginaient la fille d'un vicomte désargenté prête à vendre sa respectabilité pour quelques robes neuves!

— Chère mademoiselle! reprit Mayne en se penchant vers elle.

Si elle avait encore eu des doutes, ils se seraient dissipés aussitôt. Cet œil langoureux, cette façon de traîner sur le «mâââdemoiselle», cet air content de lui, comme si elle lui appartenait déjà, auraient mis la puce à l'oreille de la plus naïve des oies blanches.

Bien entendu, il y a toutes sortes de soupirants. Ceux qui apportent des ennuis, et ceux qui vous apportent un titre de comtesse, par exemple. On ne repousse pas les seconds, du moins pas sans de solides raisons, surtout quand ils ont un profil de médaille, une lueur canaille dans un œil de velours, et des manières parfaites. Teresa abandonna donc son toast beurré et adressa à son voisin le sourire réservé mais encourageant qui s'imposait.

Elle n'allait pas être déçue.

— Vous êtes encore plus exquise aux aurores qu'à la lumière des chandelles, poursuivit le comte en lui prenant la main pour l'effleurer de ses lèvres. J'espère ne pas me montrer impertinent si je vous dis que vous avez les plus beaux yeux du monde, mademoiselle. Leur couleur est aussi profonde et aussi mystérieuse que celle du lapis-lazuli!

Teresa se demanda comment faire pour terminer son petit-déjeuner. Certes, elle ne voyait aucun inconvénient à s'entendre débiter des compliments dès l'aube, mais ce n'était pas ce qui apaiserait sa faim, et ses œufs brouillés refroidissaient.

— Vous êtes trop aimable, murmura-t-elle en dégageant sa main pour reprendre sa fourchette.

Annabelle ne serait pas contente. Même si elle paraissait badiner la veille au soir, elle était sans doute parfaitement sérieuse en proclamant sa ferme intention d'épouser le comte.

— Je me rends bien compte que le moment est sans doute mal choisi, puisque nous sommes en tête à tête, sans chaperon... poursuivit Mayne en jetant un coup d'œil oblique à Brinkley, qui s'affairait à ranger la desserte.

Tess crut bon d'exprimer une légère surprise en haussant légèrement un sourcil. Tout ce qu'elle savait de son interlocuteur, c'était son nom. Si elle n'avait pas eu une mémoire d'éléphant, elle l'aurait sans doute d'ailleurs même déjà oublié. Il n'allait quand même pas lui demander sa main !

Heureusement, tout ce que voulait le comte, pour le moment, c'était lui proposer une promenade dans le parc. Sans chaperon, puisque lady Clarice ne se montrait jamais avant midi.

— Nous resterons en vue de la maison, bien entendu, l'assura-t-il.

Elle se garda bien de lui expliquer qu'elle avait passé son enfance et son adolescence à parcourir leurs terres dans tous les sens avec qui il lui plaisait. Leur gouvernante, quand elles en avaient une, ne pouvait surveiller quatre démons à la fois.

— J'en serais ravie, dit-elle sans enthousiasme excessif, elle s'en aperçut un peu tard.

— À moins que vous ne préfériez rester au château, bien entendu. Raf ne se lèvera pas avant le déjeuner.

— Pourquoi l'appelez-vous Raphaël ? On m'avait dit qu'entre hommes, les Anglais n'utilisaient jamais leur prénom.

— Il déteste qu'on l'appelle Holbrook. Il n'est duc que depuis la mort de son aîné, il y a cinq ans.

— Je comprends. C'est comme s'il reprenait le nom de son frère après avoir pris son titre !

Il acquiesça. Visiblement, il éprouvait pour leur hôte une affection sincère, ce qui le rendit immédiatement plus sympathique aux yeux de Teresa. Lorsqu'il se pencha de nouveau sur sa main, elle éprouva une certaine compréhension pour le brutal refus de Josie de laisser Maitland lui faire un baisemain. Dieu merci, cela faisait plus d'un an qu'elle ne s'occupait plus des chevaux de son père, et ses doigts avaient retrouvé toute la blancheur et la douceur requises chez une jeune fille du monde.

Mayne la contempla en connaisseur, comme il l'aurait fait d'une cravate qu'il souhaiterait acheter. Il était certainement en quête d'une épouse avant son arrivée à Holbrook Court, et l'arrivée de quatre demoiselles à marier avait dû tomber à pic. Il avait porté son choix sur l'aînée, ce qui dénotait logique et sens de la méthode.

— Votre compagnie me paraît dangereuse, mademoiselle, dit-il avec un petit sourire.

— Je vais donc faire de mon mieux pour vous en soulager rapidement, répliqua Tess.

— N'en faites rien, je vous en supplie ! Mais en présence d'une telle beauté, on ne peut s'empêcher de ressentir une souffrance exquise, voyez-vous !

— J'espère que ce n'est pas contagieux !

— La beauté véritable engendre souvent une certaine mélancolie, assura le comte en portant de nouveau à ses lèvres la main de Teresa. Comme celle que l'on éprouve devant les marbres grecs ou les œuvres des grands maîtres italiens.

Elle se dégagea aussi prestement que possible.

— Je n'ai pas eu la chance de voyager ni d'admirer les chefs-d'œuvre de l'art, répondit-elle en se levant. J'ai une légère migraine, vous me pardonnerez certainement si je repousse notre promenade, milord.

— Je m'incline devant votre choix, au propre et au figuré, mademoiselle, assura le comte en joignant le geste à la parole. Vous ne m'en voudrez pas, j'espère, si je vous baise une fois encore la main. Nous autres Anglais avons parfois tendance à nous montrer trop cérémonieux.

Une lueur sardonique dansait au fond de ses yeux sombres. Il devait la prendre pour une petite campagnarde mal dégrossie, dont on pouvait tourner la tête avec quelques baisemains et ronds de jambe.

— Cette conversation était des plus instructives, ironisa-t-elle. Je vais maintenant me retirer dans ma chambre et tenter d'en méditer la teneur, afin d'acquérir la même élégance de style, milord.

Elle ne se retourna pas pour voir quelle figure il faisait. Il était trop beau pour être honnête, et certainement habitué à ce que les femmes lui tombent dans les bras tels des fruits mûrs, comme Annabelle semblait prête à le faire la veille au soir.

Une fois seul, Garret Langham, comte de Mayne, contempla sa tasse de thé refroidi. La demoiselle était extrêmement séduisante, avec sa chevelure auburn et ses lèvres pulpeuses, mais apparemment, elle ne l'aimait pas beaucoup.

Elle n'appréciait pas les sornettes qu'il lui débitait, et il ne pouvait pas lui en vouloir. Depuis dix ans qu'il servait les mêmes platitudes à toutes les élégantes de Londres, il commençait à être fatigué de radoter.

Peut-être les jeunes Écossaises étaient-elles particulièrement rétives aux compliments ? Pourtant, il avait sans se donner trop de mal ensorcelé des femmes bien plus expérimentées que Teresa Essex. Jamais cependant d'une telle beauté, admit-il à contrecœur.

La silhouette gracile d'une comtesse blonde vint fugitivement danser devant ses yeux, et il la chassa avec détermination. Lady Godwin ne s'était jamais vraiment intéressée à lui, et il n'était parvenu qu'à se ridiculiser en la poursuivant de ses assiduités.

Il était grand temps d'oublier ces sottises, et le meilleur moyen était de se marier. Sa sœur ne cessait de le lui répéter : il avait déjà trente-quatre ans et grand besoin d'un héritier. Or, le mariage lui semblait le seuil de la vieillesse...

Cette Mlle Essex était ravissante. Et intelligente de surcroît, suffisamment fine pour ne pas se laisser impressionner par ses compliments tout faits.

Leur union n'aurait rien de passionné, mais elle lui apporterait le meilleur pur-sang d'Angleterre et de toutes les îles britanniques, une monture qui avait pratiquement remporté le Derby l'an dernier à Ascott, et il était sûr d'éprouver un attachement passionné pour le cheval au moins.

Ce serait toujours un début.

10

L'après-midi.

— Une couturière va arriver demain après le déjeuner, annonça le duc à Teresa quand il la croisa dans l'escalier.

— Oh! vous ne devriez pas vous donner tant de mal! protesta-t-elle timidement.

Sa sollicitude la touchait, tout en l'embarrassant profondément. Il avait dû réaliser au premier coup d'œil l'état lamentable de leur garde-robe.

— Ne dites pas de bêtises, la rassura-t-il avec ce sourire qui le rajeunissait subitement de dix ans. Maintenant que j'ai une petite sœur toute neuve, elle ne va pas passer sa vie en tussor noir. Je déteste ce tissu! Il me rappelle une de mes institutrices, celle qui nous tapait sur les doigts avec une règle.

Tess avait beau être de son avis à propos du tussor noir, cela ne l'empêchait pas de se sentir humiliée de se trouver sans le sou et de devoir dépendre de la charité des autres, même si la gentillesse et la délicatesse de Raphaël rendaient cette pauvreté plus légère.

— Cela fait plus de trois mois que votre père nous a quittés, poursuivit le duc, vous n'êtes plus obligées d'observer un deuil complet. Pour changer de sujet, lady Clarice m'a demandé si vous et vos sœurs aimeriez vous joindre à elle demain matin pour une visite des ruines romaines de Silchester. Mlle Pythian-Adams, le fiancé de son fils, nous rejoindra là-bas. Ce sera l'occasion de la rencontrer et de visiter le site.

La seule idée d'affronter l'érudition de la future lady Maitland lui donnait la chair de poule, mais Tess savait pertinemment qu'Imogène ne voudrait pour rien au monde abandonner la partie sans combattre.

— C'est très gentil de la part de lady Maitland, remarqua-t-elle avec un léger froncement de nez.

— Je vous ai vue ! la taquina son tuteur en lui tapotant gentiment le bout du nez. Lady Clarice dirait que vous manquez de manières.

— Elle aurait entièrement raison, admit Teresa. Notre éducation comporte de sérieuses lacunes, et j'ai bien peur de ne pas vous faire honneur en société.

— Eh bien, nous en reparlerons demain soir, quand nous aurons pu juger Mlle Pythian-Adams sur pièces, répondit malicieusement Raphaël. Je vous promets que si vous souhaitez l'imiter dans quelque domaine que ce soit, je trouverai les professeurs appropriés dans les meilleurs délais.

— C'est une critique très joliment tournée, même si je ne sais pas trop si elle s'adresse à elle ou à moi ! lança Tess depuis le pas de sa chambre. Je veillerai à ne jamais vous contredire, monsieur mon tuteur !

Holbrook éclata de rire, comme il ne l'avait plus fait depuis des années.

— Il t'a demandé ta main ? questionna Annabelle qui l'attendait derrière la porte.

— Qui ?

— Le duc, bien entendu !

— Bien sûr que non, rétorqua Tess en enlevant ses gants tout doucement pour ne pas les déchirer.

— Allons donc ! Vous aviez l'air de vous entendre comme larrons en foire, hier soir, et je viens de l'entendre rire aux éclats !

— Il dit n'avoir aucune intention de se marier, et je ne vois pas pourquoi il mentirait.

— Heureusement qu'il reste le comte ! Je me voyais déjà en duchesse, mais je me contenterai de devenir comtesse !

Teresa ne put s'empêcher de rougir jusqu'à la racine des cheveux.

— Tu ne vas pas me dire que tu as volé le meilleur parti de la maison ? s'insurgea Annabelle.

— Je ne l'ai pas fait exprès !

— Heureusement que je ne m'étais pas entichée de lui ! Je crois que je n'ai absolument pas la fibre sentimentale. C'est une chance, d'ailleurs ! Regarde dans quel état cette mégère de lady Maitland a mis Imogène hier soir.

— À propos… J'ai dit à Raphaël que nous accompagnerions lady Clarice et Mlle Pythian-Adams pour une visite des ruines romaines demain matin.

— Quelle purge ! J'aurai la migraine, décréta Annabelle. Je ne veux pas me montrer dans ces oripeaux !

— Nous pouvons toujours trouver un prétexte pour refuser. Si cette Pythian-Adams est aussi parfaite que le proclame lady Maitland, ce sera une humiliation supplémentaire pour Imogène.

— Nous ne pouvons pas abandonner le champ de bataille à l'ennemi! réfléchit tout haut Annabelle.

— Et pourquoi pas? Imogène ne saura plus où se mettre quand elle se trouvera face à cette incarnation de la perfection mondaine.

— La perfection? Qu'est-ce que nous en savons, après tout? Peut-être que cet imbécile de Draven ouvrira les yeux quand il verra ce bas-bleu à côté de notre adorable petite sœur.

— Mais c'est ce qu'il faut à tout prix éviter! Je ne veux pas voir Imogène épouser ce fou de Maitland!

— Ce que tu veux n'a aucune espèce d'importance, ma chérie! Imogène veut à tout prix l'épouser et même si c'est une idiotie, il ne sert à rien d'aller contre la volonté des gens. Tu te rappelles la fille de Mme Bunbury?

— Lucy? Bien sûr! Elle est morte d'une mauvaise fièvre.

— Mais non! Je ne t'avais pas raconté? Elle attendait un enfant, et elle est morte en le mettant au monde! C'est Mme Megley qui me l'a dit! Tout ça à cause de sa mère, qui ne voulait pas qu'elle épouse Ferdie Mac Donough!

— Pauvre Lucy! Ferdie Mac Donough était pourtant quelqu'un de très bien, je ne vois pas ce que lui reprochait Mme Mac Arthur. Mais ce n'est quand même pas sa faute si sa fille est morte en couches!

— Je n'ai jamais dit ça! protesta Annabelle. Seulement, quand une fille aussi têtue que Lucy, ou qu'Imogène en l'occurrence, s'est mis quelque idée en tête, ça ne sert à rien de la contrarier. Si Draven veut épouser cette bibliothèque ambulante, la cause est entendue. Mais après son éclat d'hier soir, il ne me paraît pas fou amoureux de Mlle Pythian-Machin. J'aurais plutôt tendance à penser que lady

Clarice a arrangé ce mariage, et qu'il s'est laissé séduire par la dot de la belle.

— Mais s'il rompait, il y aurait manquement à une promesse de mariage, et tu as dit que cela impliquait des dommages et intérêts importants.

— Les Maitland peuvent se le permettre. Tu as vu la toilette de lady Clarice ?

— Je ne veux pas qu'Imogène épouse Draven Maitland, répéta obstinément Teresa. Il est incapable de rendre une femme heureuse. Tu l'as vu, hier soir ? Pour rien au monde je ne voudrais d'un mari aussi coléreux !

— Mais tout le monde n'a pas comme nous la chance d'avoir le choix ! Tu te rends compte, quand nous serons mariées, nous ne porterons plus jamais de bas reprisés !

— Personne ne peut deviner que tes bas sont reprisés ! Tu es tellement habile couturière, la consola l'aînée.

— Peut-être, mais c'est un talent que je n'ai aucune envie d'exercer plus longtemps. Pas plus que la comptabilité, l'administration d'un domaine ou le jardinage. Et je ne parle pas de l'art d'économiser le moindre sou, comme il fallait le faire avec papa !

— À propos, j'aimerais que tu cesses de critiquer notre père devant Joséphine.

— Pour le moment, elle n'est pas là ! Et ce n'est pas parce qu'il est mort que je vais l'affubler d'une auréole, alors qu'il ne s'est jamais occupé de nous !

Il y avait tant d'amertume dans ses paroles que Tess en resta sans voix. Une telle rancœur ressemblait si peu à Annabelle !

— Il nous aimait profondément, dit-elle enfin. Mais...

— Mais il préférait ses chevaux ! compléta sa sœur. Enfin, tu as raison, je ferai attention à ce que je dirai devant Josie.

— Il n'aurait pas dû se décharger sur toi comme il l'a fait, admit l'aînée.

— Je ne lui en voudrais pas s'il s'était occupé de nous un tout petit peu, s'il avait pensé à notre avenir…

— Mais il y pensait ! protesta Teresa.

— Pas suffisamment !

Annabelle avait raison, Tess le savait bien. Le vicomte avait utilisé ses filles pour se faciliter la vie. Il les avait empêchées d'avoir des soupirants sous prétexte qu'il leur trouverait de meilleurs partis, mais il s'agissait de chimères.

— Il nous aimait sincèrement ! répéta fermement Teresa.

— Tout ce que je demande à un homme, c'est de ne pas être capable de faire la différence entre un cheval et un âne ! reprit Annabelle. Si Mayne a envie de te faire la cour, je n'y vois pas d'inconvénient. Son enthousiasme dès qu'il s'agit de courses m'a inquiétée, hier soir. Je veux un mari qui s'intéresse à mes chevilles, pas aux paturons de ses bêtes ! Et si tu veux l'épouser, dépêche-toi, je t'en prie, pour qu'il puisse nous emmener à Londres ! Il doit avoir une demeure splendide !

— Probablement.

— Et il a un goût exquis. Tu as remarqué les pampilles sur ses chaussures ? C'était ravissant. Il doit connaître les meilleures couturières de la capitale.

— Je ne comprends pas pourquoi tu ne l'épouses pas toi-même, puisque tu lui trouves si bon goût !

— Ses goûts vestimentaires sont effectivement irréprochables et pour ne rien te cacher, je trouve que ses culottes noires mettent en valeur des jambes très appétissantes, mais je suis certaine que Londres fourmille de messieurs dotés des mêmes qualités. Et puisqu'il semble te préférer, il ne faut surtout pas le contrarier !

— Le mariage paraît si trivial quand tu en parles ! soupira Tess.

— Bon, je te laisse ! Il faut que j'essaie d'apprendre la coiffure à ma femme de chambre. Elsie aurait peut-être fait une excellente bonne d'enfants, mais elle est incapable de faire un chignon.

— Ce doit être la sœur de Gussie. J'attends en général qu'elle soit partie pour défaire ce qu'elle a fait et recommencer moi-même ! renchérit Teresa en riant.

— Je ne veux plus me coiffer moi-même ! Plus jamais ! Tant pis pour Elsie si elle doit recommencer deux douzaines de fois !

Ladite Gussie arrivant sur ces entrefaites, Annabelle laissa son aînée aux mains maladroites de cette robuste paysanne, qui avait aidé sa mère à élever ses onze petits frères et sœurs, mais qui la veille encore n'avait jamais vu une épingle à cheveux.

— Mme Beeswick m'a dit de vous mettre une compresse de camomille sur le front.

Tess sentit un liquide glacé lui dégouliner sur le visage et retint une remarque acerbe. Comme la soubrette s'était lancée dans son passe-temps favori, le bavardage, elle n'eut pas le courage de lui couper la parole.

— Femme de chambre, c'est tellement de travail, Mademoiselle ! Le pire, ce n'est pas ce qu'il y a à faire dans votre chambre, c'est tout le reste ! Du repassage, des montagnes de repassage !

— Je suis désolée ! murmura Tess tandis que la compresse lui tombait sur le nez.

— Ce n'est pas votre faute, Mademoiselle. C'est le poste qui veut ça. Et c'est une promotion inespérée pour moi !

— Tant mieux, soupira sa maîtresse tandis que l'eau froide s'insinuait dans son corsage. Tant mieux.

11

Le lendemain matin.

Raphaël s'éveilla avec un goût amer dans la bouche, et le sentiment qu'une catastrophe imminente menaçait. Il ne lui fallut pas plus de deux minutes pour se souvenir de quoi il s'agissait. Aujourd'hui arrivait Mlle Pythian-Adams, l'Encyclopédie vivante, et il avait promis d'accompagner ses pupilles voir quelques pans de murs attribués aux Romains. Si Maitland accompagnait sa fiancée, ils risquaient une autre dispute entre lady Clarice et son fils. Cela constituait un motif suffisant pour inciter n'importe qui à enfreindre la règle qu'il s'était fixée de ne jamais boire d'alcool avant que le soleil ait atteint le zénith.

Il se sentait de très mauvaise humeur quand il s'extirpa du lit pour faire sa toilette. Jusqu'à présent, l'arrivée des quatre sœurs l'avait réjoui, surtout à cause de Tess, avec qui il s'entendait très bien. Mais Imogène était d'une tout autre farine. À dire vrai, il ne l'aimait pas beaucoup ; elle avait un tempérament trop passionné pour son goût. Elle se mettait à trembler comme une feuille dès que cet abruti de Draven apparaissait... Cette fille n'avait donc aucune fierté ?

Une telle adoration constituait de toute manière un mystère pour lui. Maitland consacrait tout son temps, tout son argent et toute son énergie aux chevaux, pas aux demoiselles. Il ne vivait que pour les courses et la vitesse.

L'association d'une exaltée telle qu'Imogène et d'une tête brûlée comme Maitland serait vouée à la catastrophe.

Lorsque son valet lui apporta son remontant habituel, il le vida d'un trait. Il faudrait un de ces jours qu'il ralentisse sa consommation de cognac, songea-t-il. Mais pas aujourd'hui...

Il grimpa stoïquement dans une baignoire remplie d'eau froide, s'y immergea totalement et en sortit peu après en claquant des dents. Lorsque ses tremblements se furent calmés, il se sentait nettement mieux.

Il avait certainement déjà rencontré Mlle Pythian-Adams, cependant il n'en gardait aucun souvenir. Depuis la mort de son frère, il avait fait de son mieux pour éviter soigneusement toute représentante du sexe féminin susceptible de vouloir l'épouser, et ses efforts avaient la plupart du temps été couronnés de succès.

Bien entendu, il n'était pas le seul à Holbrook Court à penser à Mlle Pythian-Adams.

— Je ne comprends pas comment elle a pu séduire Draven! gémissait Imogène.

Elles avaient renvoyé Gussie sous un prétexte fallacieux, et la jeune fille s'employait à défaire la coiffure de Tess pour la refaire ensuite.

— Draven n'a jamais dû lire un seul vers de poésie, ni regarder un tableau de sa vie! Tu ne crois pas que sa mère l'a obligé à se fiancer à Mlle Pythian-Adams?

— J'en doute.

— Pourquoi? Cela arrive souvent, tu sais. Tu penses qu'elle est plus belle que moi?

Teresa croisa dans le miroir le regard anxieux de sa sœur. Elle ne savait quel parti adopter. Il était cruel d'encourager Imogène et de la laisser nourrir de folles illusions, mais elle n'avait pas le cœur de lui ouvrir les yeux, ce qui ne manquerait pas de la plonger dans un désespoir dont elle redoutait les conséquences.

— J'en doute, mon ange. Mais tu sais, la beauté ne joue qu'un rôle secondaire dans ce genre de mariage. C'est une riche héritière, et lady Clarice la veut pour belle-fille.

— Tu veux dire que Draven l'épouserait pour son argent? s'indigna Imogène.

— Je veux dire que nous ne savons pas pourquoi Maitland a demandé sa main, expliqua posément Teresa. Ce qui est certain, c'est qu'il l'a fait. Tu ferais sans doute mieux de t'y résigner.

— J'en ai assez de me résigner, justement! C'est de moi qu'il devrait être amoureux, pas d'elle!

Comme il est impossible de répondre de façon sensée à de telles sottises, Tess préféra garder le silence.

— Si seulement papa avait été un peu plus prévoyant! Nous aurions eu une véritable éducation, et j'en saurais autant qu'elle sur la poésie, les Romains, le dessin, et tout ça! Je ne savais même pas quelle fourchette utiliser, hier soir, et c'est sa faute! Il aurait pu se douter que nous devrions rivaliser avec des femmes de ce genre!

— Papa n'avait pas ce genre de préoccupations, tu le sais bien.

— Quand Draven nous verra toutes les deux ensemble, c'est moi qu'il préférera, j'en suis sûre.

Teresa fut soudain convaincue qu'entretenir les illusions de sa sœur était le plus mauvais service qu'elle pouvait lui rendre.

— J'en doute, répondit-elle donc en prenant son courage à deux mains.

— Pas moi ! rétorqua Imogène en plantant les épingles à cheveux comme des banderilles. Draven ne l'aime pas : il ne peut pas aimer un bas-bleu. Leurs fiançailles cachent quelque chose ! C'est lady Clarice qui a tout manigancé !

Une heure plus tard, la jeune fille n'était plus aussi sûre d'elle.

Gillian Pythian-Adams n'avait rien d'un dragon moustachu. Elle ne louchait pas, ne portait pas de pince-nez, ni de petit chignon serré tout en haut du crâne. De jolies boucles cuivrées s'échappaient d'un mignon chapeau à la dernière mode, assorti à des yeux verts qui affrontaient le monde avec assurance, avec humour même.

Glacée, Imogène sentit son cœur s'arrêter de battre. N'importe quel homme normalement constitué serait ravi de passer la journée entière à la contempler, même si elle se mettait à déclamer des vers latins.

— Je suis enchantée de faire votre connaissance, mademoiselle.

Elle possédait un sourire charmant, une voix mélodieuse, et un manteau vert amande bordé de fourrure à faire mourir de jalousie n'importe quelle jeune Écossaise fraîchement arrivée des Highlands et habillée n'importe comment dans un tussor noir taillé à la hâte par une couturière de province.

— Tout le plaisir est pour moi, souffla Imogène d'une voix mourante.

Elle comprenait maintenant pourquoi Draven n'avait jamais voulu aller plus loin qu'un baiser. Comment une petite campagnarde mal dégrossie, fagotée comme l'as de pique, pourrait-elle se montrer digne de lui, même si elle l'adorait ? Il l'avait certainement embrassée comme on visite les malades, par pure charité.

— J'ai tellement envie de voir ces ruines ! reprit Mlle Pythian-Adams. Et je suis enchantée de trouver dans le voisinage quatre jeunes filles qui deviendront certainement des amies.

Imogène croisa le regard de Tess par-dessus l'épaule de Mlle Pythian-Adams. La demoiselle était peut-être un peu trop petite selon les critères en vigueur chez les Essex, mais c'était vraiment tout ce qu'on pouvait lui reprocher.

— Désolée, articula silencieusement Teresa à l'adresse de sa sœur qui, encore sous le choc, la remercia d'un pauvre sourire.

— Nous avons été très impressionnées, et très envieuses, lorsque lady Clarice nous a dit que vos dessins ont été publiés dans le *Journal des dames*, intervint l'aînée pour faire diversion. Vous devez avoir un très joli coup de crayon.

— À vrai dire, non, sourit avec embarras le parangon de culture. Lady Clarice a peut-être oublié de vous dire que mon père siège au conseil d'administration du journal. Je dessine passablement, c'est tout.

Elle était modeste et franche, vraiment sympathique, en un mot, au grand désespoir de Tess.

— Est-ce que lord Maitland se joindra à nous ?

— J'en doute fort, expliqua gaiement Mlle Pythian-Adams. Vous ne l'avez sans doute pas remarqué, puisque vous ne le connaissez pas depuis longtemps, mais lord Maitland souffre d'une véritable obsession, ses chevaux, et...

Draven entra sur ces entrefaites, et Teresa observa attentivement ses compagnes. À la vue du jeune homme, Imogène s'illumina comme un feu de la Chandeleur, abandonnant toute discrétion. Mlle Pythian-Adams lui donna sa main à baiser sans enthousiasme excessif. Quant à Maitland, il ne manifesta aucune préférence, ni à vrai dire aucun véritable intérêt, pour qui que ce soit. Tess aurait juré qu'il la saluait avec autant de chaleur que sa future épouse.

Les présentations faites et les civilités d'usage terminées, tout le monde s'entassa dans les voitures et prit la direction des ruines. Au grand soulagement de Josie, les demoiselles Essex montèrent avec leur tuteur.

— Promets-moi de garder ton chapeau et de ne pas t'exposer au soleil, sinon tu deviendras noire comme un pruneau ! demanda Teresa à Joséphine.

— Qu'est-ce que ça peut faire ? s'esclaffa celle-ci. Nous ressemblons déjà à des corbeaux !

— Mais les corbeaux respectables ne quittent jamais leurs chapeaux ! plaisanta Raphaël, en sortant de sa poche une petite flasque en argent que Tess considéra d'un œil réprobateur.

— Visiblement, vous préférez l'humour à la flatterie, et nous vous en sommes reconnaissantes, remarqua Teresa sans pouvoir s'empêcher de lui sourire. Dois-je en conclure que vous n'avez pas l'habitude de débiter des compliments comme certains de vos amis, Votre Grâce ?

— Ne m'appelez pas « Votre Grâce », par pitié ! Je n'ai jamais aimé les ronds de jambe, et je ne suis jamais devenu chèvre pour une femme, si c'est ce que vous voulez savoir.

— Et pourquoi ? s'enquit Josie. Vous n'êtes pas tellement vieux.

— Joséphine ! Excusez l'impolitesse de ma sœur, intervint Teresa. Nous avons toujours entre nous des conversations de la plus grande franchise, et souvent impertinentes.

— Mais cela me plaît beaucoup, rétorqua Raphaël, impavide. Je ne suis peut-être pas encore très vieux, ma chère Joséphine, mais je me sens vieux, et je n'ai jamais rencontré la femme qui aurait fait de moi son esclave.

— Si vous n'êtes pas tombé aux pieds de Bella ou de Tess, lança l'adolescente avec conviction, vous risquez de finir vos jours célibataire.

— Je me ferai une raison !

— Vous me décevez beaucoup, intervint Annabelle.

— Vous n'êtes pas la première ! soupira comiquement le duc.

— J'imagine que vous êtes passé maître dans l'art d'éviter les attentions féminines, remarqua Tess.

Leur tuteur considérait Annabelle avec le sourire amusé d'un frère aîné devant sa petite sœur.

— Je crois savoir que les mères de famille londoniennes me surnomment « le courant d'air », et cela me convient parfaitement. Ah ! nous sommes arrivés à destination, constata-t-il en rangeant son flacon de cognac. Allons donc nous cultiver !

— Pour votre peine, je vais demander à Mlle Pythian-Adams de vous expliquer tout ce qu'elle sait de l'Empire romain depuis sa fondation jusqu'à sa chute ! plaisanta Annabelle.

Les ruines se dressaient au beau milieu d'un champ où le foin venait d'être coupé. M. Jessop, le fermier, vint leur ouvrir la barrière et leur indiqua une sorte de talus couvert d'herbes folles.

— C'est par là ! Le foin est presque sec, vous n'aurez pas de boue, mais vous risquez quand même d'abîmer vos chaussures, remarqua-t-il en considérant d'un air sceptique les délicats escarpins que portaient lady Clarice et sa future belle-fille.

Les solides chaussures de campagne de Tess ne craignaient rien, mais le foin coupé lui picotait désagréablement les chevilles. Raphaël partit devant en compagnie de M. Jessop. Le fermier gesticulait en parlant de son père et de son grand-père, qui avaient possédé ce champ avant lui, vitupérant « les Londoniens » qui ne connaissaient rien à la fenaison et voulaient faire des trous partout, ce qui semblait désigner une société archéologique désireuse d'entreprendre des fouilles dans son pré.

— C'est mon pré ! répétait-il obstinément, tandis que le duc acquiesçait poliment.

Au grand dam de Teresa, qui aurait souhaité distraire Imogène, Mlle Pythian-Adams, qui paraissait éviter soigneusement son fiancé et sa future belle-mère, ne la quittait pas d'une semelle.

Ils atteignirent enfin une prairie parsemée de pâquerettes et de boutons-d'or, où coulait un mince ruisseau dominé par un saule pleureur.

Lady Clarice ordonna aux valets d'étendre sous ses branches les couvertures qu'ils avaient apportées et de préparer le pique-nique.

— Il faut absolument que je prenne un peu de repos ! gémit-elle. La faiblesse de ma constitution ne me permet pas d'aller plus loin. Je n'ai pas l'habitude de marcher en terrain accidenté, et cette chaleur m'accable. Bien entendu, les Écossaises sont différentes et vous, vous pouvez arpenter ces champs sans vous sentir incommodées, vous avez l'habitude ! Il y a tellement de champs en Écosse !

— Il me semble pourtant que l'Angleterre compte beaucoup plus de fermes et de fermiers, remarqua le comte de Mayne.

— Mais vous n'avez rien d'un fermier ! répliqua-t-elle avec entrain. Je compte sur vous pour me tenir compagnie pendant que toute cette jeunesse arpentera ces vieilles pierres. J'insiste !

Garret, qui venait d'offrir son bras à Tess, s'exécuta avec une mine qui en disait long sur son enthousiasme.

— Quel dommage que vous ne puissiez pas venir avec nous ! Mais je comprends que vous ayez besoin de repos, dit Mlle Pythian-Adams en agrippant le bras de Teresa pour l'entraîner d'un pas décidé.

Le reste de la troupe partit à leur suite, mais comme la demoiselle marchait au pas de charge, les deux jeunes filles arrivèrent les premières devant les ruines. Gillian Pythian-Adams examina attentivement les pans de mur couverts de mousse et sortit de son réticule un petit carnet de croquis sur lequel elle nota quelques mystérieuses remarques, tandis que Tess observait le ciel. Deux alouettes voletaient au-dessus de leurs têtes, décrivant de grands cercles dans le ciel.

— Elles vont s'accoupler, commenta l'Encyclopédie vivante.

Teresa réprima un léger sursaut. Elle connaissait le terme, bien entendu, mais ne l'avait jamais entendu prononcer à haute voix.

— Pardonnez-moi si je vous ai choquée, mais comme vous arrivez d'Écosse et que vous avez été élevée à la campagne, j'ai pensé que je pouvais parler sans circonlocutions. Je déteste les afféteries de salon.

— Je vous en prie, répondit faiblement Tess, de plus en plus étonnée.

Décidément, la fiancée de Draven réservait bien des surprises. Choquer ne l'effrayait pas, peut-être même y prenait-elle un certain plaisir. En tout cas, elle était bien différente du portrait qu'en faisait lady Clarice.

Teresa ne voyait dans ces vestiges que quelques murets écroulés et les restes d'un escalier, mais le regard de sa compagne brillait d'enthousiasme tandis qu'elles enjambaient les tas de pierres.

Elles atteignirent enfin une fosse moussue qui aurait fait une merveilleuse cachette quand elles étaient enfants.

— Voilà une pièce intacte ! s'extasia Gillian.

— Une salle à manger ? suggéra Tess pour l'empêcher de regarder derrière elles et de voir Imogène pendue au bras de Draven sous le fallacieux prétexte d'escalader un muret de trente centimètres de haut.

— Un bain, plutôt, trancha le puits de science en entreprenant de descendre le long d'un éboulis.

— Vous croyez que…

Elle croyait. Teresa lui emboîta donc le pas avec mille précautions. Les jolis gants vert pâle de Mlle Pythian-Adams étaient dans un triste état, tandis que ceux de Tess résistaient admirablement.

— C'est effectivement un bain ! s'exclama-t-elle triomphalement. L'arrivée de l'aqueduc doit être de ce côté.

— L'aqueduc ? répéta Tess.

— Les conduits par lesquels les Romains amenaient l'eau jusque chez eux. Des tuyaux, si vous préférez.

— Comme c'est étrange de se trouver dans la salle de bains de gens morts depuis des siècles !

— Ce serait plus étrange encore s'ils étaient toujours de ce monde ! La pièce n'est pas grande, c'était certainement un bain de vapeur. Les Romains avaient l'habitude de s'y asseoir complètement nus pour faire la conversation.

Tess considéra avec désespoir la fiancée de Draven Maitland. Elle semblait la parfaite incarnation de la jeune fille anglaise idéale, même si sa conversation était beaucoup moins conventionnelle que son apparence, et elle était ravissante, avec ses boucles cuivrées et ses yeux pétillant de malice. Pauvre Imogène !

— Votre sœur est vraiment absolument folle de lord Maitland, n'est-ce pas ? demanda tout à trac Mlle Pythian-Adams.

— Je vous demande pardon ? s'étrangla Teresa.

— J'aimerais savoir si Mlle Imogène est véritablement amoureuse de Draven.

— Cela me paraît plus qu'improbable !

— Je suis bien de votre avis, mais il serait hâtif de conclure que personne ne peut tomber amoureuse de lui. On dit que chacun a une âme sœur quelque part.

Tess ouvrit la bouche, et la referma aussitôt.

— Vous n'êtes pas de mon avis ?

— C'est effectivement une possibilité qu'on ne peut écarter, hasarda-t-elle prudemment.

Il fallait bien l'admettre, songea Tess, si les circonstances avaient été différentes, elle aurait beaucoup aimé Gillian Pythian-Adams. Malheureusement, pour le moment, la plus élémentaire solidarité fraternelle le lui interdisait.

Sa compagne vérifia d'un coup d'œil qu'elles étaient seules et s'approcha de Teresa.

— Pardonnez ma témérité, mais puis-je raisonnablement nourrir quelque espoir de voir votre sœur me débarrasser de mon futur époux ?

— Dois-je comprendre que…

— *Ce serait pour moi un événement des plus heureux. Hamlet,* acte IV.

— Grand Dieu !

De près, Gillian Pythian-Adams était encore plus jolie, mais son regard exprimait une détresse sans nom.

— Voyez-vous, j'ai fait tout ce que j'ai pu pour décourager mon fiancé. J'ai appris par cœur des pages entières de Milton et de Shakespeare pour les lui réciter. Je lui ai même infligé *Henri VIII* sans lui épargner un seul vers. Vous n'avez peut-être pas lu la pièce, mais elle est très longue, et j'ai failli mourir de découragement ! Mais Draven a tout juste bâillé discrètement deux ou trois fois !

Teresa s'était attendue à tout, sauf à cela, et elle eut le plus grand mal à rassembler ses idées.

— Dois-je me laisser marier à ce sauvage illettré, ou puis-je espérer que Mlle Imogène m'épargne ce triste sort ?

— Mais… si vous ne souhaitez pas épouser lord Maitland, pourquoi ne rompez-vous pas vos fiançailles, tout simplement ? On m'a toujours appris

114

qu'une jeune fille pouvait le faire sans encourir le scandale, remarqua Tess, évitant ainsi de répondre directement.

— Pas quand la mère du fiancé possède une hypothèque sur les biens du père de la fiancée.

— Je croyais que vous étiez une riche héritière ?

— J'hériterai effectivement de ma grand-mère une petite fortune le jour où je me marierai, mais les lois sont ainsi faites que c'est mon mari qui en bénéficiera, pas mon père. Vous voyez, lady Clarice a tous les atouts en main.

— Je comprends !

— J'ai pensé qu'en faisant continuellement étalage de ma culture j'assommerais lord Maitland, et qu'il finirait par rompre nos fiançailles. Ma famille aurait demandé la levée de l'hypothèque en guise de dédommagement, et tout se serait arrangé pour le mieux. Malheureusement, chaque fois que j'ennuie le fils, je suscite l'enthousiasme de la mère !

— Coucou !

M. Felton apparut au-dessus de leurs têtes, suivi de Holbrook et de lady Maitland en personne.

— *Bienvenue, amis, Romains, chers compatriotes !* s'écria théâtralement Gillian, avec un regard complice à Teresa.

— *Jules César*, commenta sobrement Lucius.

— Vous trouvez toujours le mot juste, ma chère petite ! s'exclama lady Clarice. Je me sens plus intelligente rien qu'en vous écoutant. Faut-il absolument que nous descendions ? Ce qu'il y a en bas présente-t-il un intérêt culturel ? Un vase, une fresque, une mosaïque ?

— Malheureusement, non, répliqua Gillian en entreprenant de remonter.

M. Felton s'avança pour l'aider, puis descendit pour aider Teresa.

Dès qu'il la rejoignit, la jeune fille eut l'impression que la pièce rétrécissait, comme s'il la remplissait entièrement. Il se pencha pour examiner le reste de conduit que Mlle Pythian-Adams avait découvert, effleurant au passage le bras de Tess.

— Je suppose qu'il s'agissait d'un bain, remarqua-t-il.

— Nous étions arrivées à la même conclusion.

Les autres avaient disparu, et elle entendait leurs voix s'éloigner. Il était temps pour elle de remonter, elle le savait, mais... elle choisit de rester encore un peu.

Il fit lentement le tour du petit enclos en tâtant les parois avec sa canne à pommeau d'argent. Teresa avait l'impression d'étouffer. Comment faisaient donc les Romains pour rester dans un aussi petit espace, même sans vêtements ?

Si M. Felton était nu...

— Mlle Pythian-Adams pense qu'il devait s'agir d'un bain de vapeur, avança-t-elle pour chasser les pensées indécentes qui lui venaient à l'esprit.

— Elle a probablement raison. Cette longue pierre était sans doute une banquette pour s'allonger.

Les joues de la jeune fille s'empourprèrent à cette image.

— Je crois qu'il est temps de rejoindre les autres, suggéra-t-elle.

— Je ne voulais pas vous effrayer, mademoiselle, dit Lucius.

Teresa détestait les hommes qui ne se départent jamais de leur calme et considèrent le monde entier avec la même expression impénétrable. Elle préférait de loin les caprices d'un Maitland à cette figure de marbre.

— Pourquoi serais-je effrayée ?

Elle fit malgré tout un pas en arrière. Il était si grand ! Et ce sourire en coin !

— Parce que je suppose que les jeunes Écossaises ont exactement la même réaction que les Anglaises à la seule évocation de la chambre à coucher et de tous les détails de la vie intime.

Ce sourire sardonique et cette mine hautaine cachaient apparemment le désir d'embarrasser les demoiselles. C'était vraiment charmant !

— Pas du tout. Je m'intéresse beaucoup à l'histoire. J'imagine les Romains allongés…

— En train de grappiller du raisin ?

Il était tout près, maintenant. Le vent avait dérangé sa coiffure si bien ordonnée, et les mèches cendrées qui retombaient sur son visage lui donnaient un air moins sévère.

— Bien entendu ! Et de composer des poèmes, comme tout Romain qui se respecte !

— Des poèmes ? Vous connaissez la poésie antique ? Quels sont donc vos poètes préférés ?

— Catulle ! C'était le plus célèbre poète du monde antique, répondit-elle avec défi.

— Vous auriez fait une institutrice remarquable, remarqua-t-il, visiblement surpris.

S'il savait ! Avec Annabelle, elles avaient décidé de lire tous les livres de la bibliothèque avant que son père ne les vende, afin de ne pas être aussi ignorantes que des Hurons le jour où il les emmènerait enfin à Londres.

— Découvrir qu'une jeune fille a lu Virgile m'aurait surpris, mais Catulle !

— Son nom commence par «C», se crut obligée d'expliquer Teresa. Annabelle et moi avions décidé de lire tous les livres de la bibliothèque, mais nous ne sommes jamais arrivées au «V».

— Et jusqu'où êtes-vous allées?

— H!

— Vous n'avez pas lu Shakespeare, alors?

— Si. Il était classé à «Dramaturges anglais».

Felton éclata de rire. Il se trouvait dangereusement près d'elle, à présent.

— Je suppose qu'une demoiselle aussi désespérément convenable que vous n'a pas lu le poème de Catulle que je préfère. *Tu me demandes combien de tes baisers il faudrait pour me satisfaire.*

Tess sentit ses joues s'empourprer. Il était penché vers elle avec autant d'impudeur qu'un Romain au bain. Elle aurait dû le repousser, crier peut-être...

Les lèvres de Felton effleurèrent les siennes avec tant de légèreté qu'elle se demanda un instant si elle avait rêvé. Son geste était presque chaste, comme s'il voulait juste éprouver le velouté de sa bouche, mais il était si proche...

Elle se cabra.

— Je doute qu'une gouvernante convenable vous ait laissée lire ce poème, mademoiselle.

Une lueur malicieuse dansait au fond de ses yeux de jade.

— *Tu me demandes, Lesbia, combien de tes baisers il faudrait pour me satisfaire*, reprit-elle, surprise par une note rauque que sa voix n'avait jamais eue. *Il en faudrait autant que de grains de sable dans le désert de Libye, autant que...*

Elle s'arrêta. Ce regard de tigre la troublait tant qu'elle avait perdu le fil. Qu'y avait-il ensuite?

118

— Malheureusement, j'ai oublié la suite. Nous poursuivrons donc cette séance de poésie un autre jour, lança-t-elle en rassemblant ses esprits et ses jupes pour remonter.

— *Autant qu'il y a d'étoiles au firmament pour observer, dans la tranquillité de la nuit, les désirs les plus secrets des pauvres humains*, acheva-t-il sur le ton de la conversation en l'aidant galamment à escalader l'éboulis.

— C'est cela !

Quand ils reprirent pied sur la prairie, Tess se rappela soudain que le comte de Mayne lui faisait la cour, et qu'elle avait décidé de l'encourager. Accorder un baiser à M. Felton n'était pas du tout indiqué en la circonstance.

Un valet impassible les attendait à la limite des ruines. Impossible de deviner s'il avait regardé ce qui se passait dans les anciens bains, ou s'il avait entendu quoi que ce soit.

— Ces dames et ces messieurs vous attendent pour déjeuner, mademoiselle, annonça-t-il gravement en s'inclinant.

Lucius offrit son bras à Tess, et ils se dirigèrent vers le saule comme si de rien n'était.

Elle s'était comportée comme une fille de peu en laissant Felton l'embrasser. Les jeunes personnes qu'il fréquentait d'ordinaire avaient certainement de meilleures manières, et il allait se faire une mauvaise opinion d'elle.

À vrai dire, Lucius Felton se débattait entre des émotions contradictoires. Pour commencer, il se demandait ce qui l'avait poussé à agir ainsi. Il avait toujours mis un point d'honneur à respecter toutes les règles régissant l'existence d'un parfait gentleman, à l'exception de celle interdisant d'exercer une profession. Pourquoi diable avait-il soudain jeté ses principes par-dessus les moulins ? Non seulement il venait d'embrasser une jeune fille, mais il s'agissait par-dessus le marché de la personne que son ami avait décidé d'épouser.

Il aurait dû assumer les conséquences de sa conduite inqualifiable. Quand un homme du monde se laisse aller à de telles privautés dans des vestiges de bains romains avec une représentante du beau sexe, il se doit de la demander en mariage.

Certes, Mlle Essex ne semblait pas se préparer à ce genre de proposition solennelle. Elle ne lui jetait pas de petits coups d'œil anxieux par en dessous, et ne lui avait pas paru spécialement enchantée quand il lui avait offert le bras.

Il s'avisa tout à coup que Garret serait profondément blessé si elle acceptait de l'épouser. À moins, bien entendu, qu'il ne lui offre un de ses chevaux en compensation. Il était certain que le comte préférerait l'animal à une fiancée.

— Mademoiselle, j'ai l'honneur de vous demander votre main, lança donc Lucius, qui avait toujours été un homme d'action, et détestait tergiverser.

Teresa continua imperturbablement à avancer comme si elle n'avait rien entendu.

— Mademoiselle !

Elle tourna enfin la tête, et il se trouva de nouveau confronté à cette bouche pulpeuse. Ce baiser n'avait peut-être pas été une si mauvaise idée, après tout.

— Voulez-vous me faire l'honneur de devenir Mme Felton ?

Mlle Essex ne rougit pas, et ne parut pas particulièrement enchantée.

— Je suppose qu'une telle question est la conséquence de ce qui vient de se passer entre nous ? demanda-t-elle posément.

— Votre compagnie est un véritable enchantement pour moi.

— Parce que je me suis conduite comme une écervelée ?

— Vous n'avez rien d'une écervelée. Tout est ma faute. J'ai perdu l'esprit.

— Vos assurances me soulagent, mais je ne peux accepter de vous épouser pour d'aussi minces raisons.

Lucius aurait dû se sentir soulagé. Cependant, il ne put se retenir d'éprouver une certaine déception. Pourquoi donc ne voulait-elle pas de lui ?

— Vous n'avez pas de souci à vous faire, monsieur, ce baiser m'est déjà sorti de l'esprit. Et puisque personne ne nous a vus, il n'y a aucune raison de prendre des décisions extrêmes pour une vétille.

Une vétille ? Lucius aurait utilisé un autre mot.

— *Beaucoup de bruit pour rien*, puisque cette excursion semble dédiée à la littérature ! tranchat-elle sur un ton excluant toute discussion.

Très contente de son attitude blasée et de son air sarcastique, Teresa accéléra le pas. Elle en était convaincue, Felton ne s'y serait pas pris différemment. Bien entendu, les dames ne demandaient pas les messieurs en mariage, mais si cela avait été l'usage, il aurait certainement adopté le même comportement ironique.

— Vous voilà enfin ! grinça lady Clarice quand ils les rejoignirent. Je ne comprends pas ce que vous trouvez de si passionnant à ces ruines. Tout ce que j'ai vu, ce sont quelques trous dans le sol et un amas de pierres que ce pauvre Jessop aura le plus grand mal à enlever.

Le comte bondit pour accueillir Teresa.

— Puis-je vous aider, mademoiselle ? proposa-t-il avec son sourire le plus enjôleur.

— Les Anglais sont tellement galants ! s'exclama Tess en prenant place à ses côtés.

Felton avait retrouvé sa mine impassible. Il s'installa à côté d'Annabelle et lui offrit poliment un sandwich au concombre.

— Ces pans de murs sont absolument sinistres ! reprit lady Clarice.

— Ces ruines n'offrent effectivement pas grand intérêt, renchérit Lucius. Pourtant, par endroits, on ne peut s'empêcher de se laisser emporter par un enthousiasme romantique proche de l'ivresse, ajouta-t-il en coulant vers Tess un regard impénétrable.

— Lesquels ? s'enquit Bella. Cet escalier à moitié écroulé, ou les murets ?

— Ni l'un ni l'autre, murmura-t-il, les yeux rivés à ceux de Teresa, avant de se consacrer à sa voisine.

Mayne en profita aussitôt pour accaparer l'attention de l'aînée. Lorsqu'il se pencha vers elle pour lui tendre une assiette de petits pâtés, elle put tout à loisir admirer ses longs cils et ses mains impeccablement manucurées. Quand ils seraient mariés, elle devrait veiller à avoir des mains aussi soignées que celles de son mari, se promit-elle.

Il était impossible de deviner ce que M. Felton chuchotait à l'oreille d'Annabelle, qui paraissait aux anges. Tess se tourna vers le comte et lui décocha son sourire le plus enjôleur.

— Vous me semblez au fait de tous les usages du monde, et vos conseils me seront précieux. Je vous en remercie par avance, dit-elle de façon à ce que M. Felton puisse entendre.

Lucius se rapprocha encore de Bella et lui murmura une remarque certainement fort spirituelle, car elle éclata de rire.

— Faites-nous donc partager votre hilarité, pria sèchement lady Clarice.

— Il n'y avait rien qui vous amuserait, croyez-moi, rétorqua froidement Felton.

Teresa mangea une fraise. Annabelle avait découvert un jour que les fraises donnaient aux lèvres une teinte rouge des plus seyantes. Malheureusement, Lucius Felton ne parut rien remarquer. Tess en mangea donc une autre, puis une autre encore. Que ce M. Felton remarque ou non ses lèvres, quelle importance après tout ? Pourquoi donc se donnait-elle tant de peine ?

Parce qu'il l'avait embrassée, et qu'elle gardait sur la bouche le goût de ce baiser...

La voix de Mlle Pythian-Adams la tira de ses pensées.

— Comment ne pas s'intéresser au système de gouvernement qui a permis aux Romains de conquérir la moitié du monde ? Il faudrait être totalement inculte ou dégénéré !

Pendant ce temps, lord Maitland, parfaitement indifférent aux envolées culturelles de sa fiancée, était fort occupé à nourrir Imogène de grains de raisin qu'il lui offrait un par un. La possibilité de se montrer inculte ou dégénéré ne le troublait visiblement pas le moins du monde.

Le soleil jouait à travers le feuillage, illuminant d'un éclat doré le teint de pêche d'Imogène, nimbant sa chevelure de jais d'un halo lumineux. La jeune fille savait d'instinct que les Romains avaient autre chose en tête que les institutions de l'Empire quand ils échangeaient des grains de raisin, et les sourires dont elle remerciait Draven à chaque bouchée auraient fait fondre le cœur le plus endurci.

Teresa retint un soupir. Regarder sa sœur perdue dans son rêve avec Maitland ne faisait que renforcer sa conviction. Elle avait raison de refuser la proposition de Felton. Même sans être éperdue d'amour comme Imogène, on pouvait être à son aise avec un homme, se sentir en confiance. Et justement, elle était tout sauf à l'aise en compagnie de Lucius Felton. Son visage impénétrable et son sourire sarcastique ne lui inspiraient pas la moindre confiance. Il n'était bon qu'à embrasser malgré elles les jeunes filles sans défense.

Elle leva les yeux et croisa le regard de Lucius braqué sur elle.

Le comte lui tendit une autre fraise, et elle se retourna précipitamment vers son chevalier servant. Au moins, les yeux de velours de son soupirant ne la mettaient-ils pas mal à l'aise, et il ne paraissait pas désireux de pénétrer ses pensées, de deviner ses désirs les plus intimes.

De plus, il était vraiment bel homme, avec ses traits marmoréens mais sans rien de sévère, son élégance aristocratique et son sourire charmeur. Beaucoup plus que le ténébreux Lucius... Tout son visage respirait la gaieté et la joie de vivre. Ils formeraient un couple bien assorti, elle en était convaincue. Ils se disputeraient rarement, peut-être même jamais, partageraient les mêmes plaisanteries, seraient pleins d'attentions l'un pour l'autre et, avec le temps, une affection sincère les unirait, à défaut de l'amour.

Tandis que ce M. Felton...

Le regard de cet homme était indéchiffrable. Il n'avait pas au coin des yeux les joyeuses petites rides d'expression du comte. Son sourire avait toujours une note sarcastique, et quand il se mettait en colère, ses remarques devaient être plus cinglantes que la bise du nord.

Il l'avait embrassée, pourtant, et ce baiser...

Comme il aurait embrassé n'importe quelle jeune fille avec qui il se serait trouvé seul, à n'en pas douter !

C'était un personnage inquiétant, redoutable probablement, qui ne cherchait qu'à mettre son prochain mal à l'aise pour mieux le dominer, et dont elle ne comprenait pas les intentions. Que cachait-il sous sa politesse irréprochable et ses manières policées ?

Rien de bon, très certainement.

Et que lui importait, de toute façon ?

Elle se tourna vers le comte de Mayne et mit dans le sourire qu'elle lui décocha toute la séduction dont elle était capable.

12

Le lendemain après-midi, les demoiselles Essex eurent la divine surprise de voir Mme Chace, la couturière du village, apporter à chacune d'entre elles une superbe robe de dîner, ainsi qu'un mot de la sœur du comte de Mayne, disant qu'elle arriverait à temps pour les accompagner le lendemain aux courses de Silchester.

Tess avait bien compris que la venue aussi rapide de lady Griselda n'avait qu'une seule raison : son frère avait dû lui faire part de son désir de convoler enfin, et elle venait inspecter la future comtesse. Les attentions de Garret se faisaient de plus en plus insistantes. Il n'avait pas besoin d'assurer Tess du sérieux de ses intentions ; elle savait qu'il visait le mariage. Il rayonnait littéralement, et la couvrait de compliments. Ils avaient passé la soirée de la veille à plaisanter et à badiner. Mayne paraissait également très porté sur la poésie, et lui avait cité plusieurs poètes dont malheureusement les noms commençaient après « H ». Elle se promit de les lire tous dès qu'elle serait mariée.

— Je suis sûre qu'il va demander ta main dès l'arrivée de lady Griselda ! s'exclama Annabelle, aux anges, en enlevant sa robe neuve. Je peux essayer la tienne ?

Sans attendre la réponse, elle enfila la robe de Teresa, qui se dépêchait de se coiffer avant que Gussie ne vienne sévir.

— Tu m'entends ? insista Bella. Mayne va sans doute faire sa demande ce soir, ou alors demain, aux courses. Tu devrais emprunter le chapeau d'Imogène pour aller à Silchester, c'est le plus joli que nous ayons. Tu dois absolument soigner le moindre détail de ta toilette, on ne sait jamais. S'il demandait ta main pendant qu'il est derrière toi ?

— Certainement. Tant d'hommes ont été séduits par mes omoplates !

— Quel dommage que Mme Chace n'ait pas pu terminer les robes d'amazone ! Oh, mais j'ai l'impression que tu as pris de la poitrine. Tu en as plus que moi, maintenant !

— C'est le décolleté qui est plus profond, c'est tout, remarqua Tess.

— Tu ne veux pas échanger ? J'adore ta robe ! Regarde, ces fronces sous le corsage me font une poitrine colossale !

— « Colossale » s'applique généralement à une architecture monumentale ! commenta ironiquement Teresa.

Elle était intimement convaincue que le comte la demanderait en mariage même si elle portait un sac de pommes de terre, mais elle se garda bien de faire part de ses réflexions à sa sœur. Qu'elle soit habillée de telle ou telle façon n'avait donc aucune importance, mais une idée inquiétante germa soudain dans son esprit.

— Tu as l'intention de séduire M. Felton avec ta poitrine pigeonnante ?

— Mais non ! assura Annabelle en pensant visiblement à autre chose.

Pour une obscure raison que Tess n'avait pas l'intention d'éclaircir, l'idée de porter une tenue banale tandis que Bella exhiberait ses charmes lui déplaisait.

— Je regrette, mais je préfère porter ma robe. Le comte va peut-être demander ma main ce soir, et je me dois d'être élégante, c'est la moindre des choses.

Annabelle ne pouvait pas deviner que le ténébreux Lucius lui avait fait une proposition similaire la veille, alors qu'elle portait son horrible sac noir. Contrairement à leurs habitudes, elle avait soigneusement gardé pour elle ce qui s'était passé avec Felton.

— Tu as raison, soupira la cadette en dégrafant la jolie robe lavande. Mais je compte sur toi et ton nouvel époux pour m'offrir des centaines de vêtements en soie, avec des décolletés vertigineux propres à séduire le noceur le plus blasé!

— Un viveur blasé? C'est ce que tu cherches comme époux?

— Si tu prêtais un peu plus d'attention aux commérages de village, expliqua Annabelle avec un sourire coquin, tu saurais que le mari idéal doit non seulement avoir une certaine expérience pour satisfaire sa femme, mais aussi être suffisamment fatigué pour se satisfaire à la maison! Les viveurs sur le retour font donc les meilleurs époux!

— Josie a raison! Tu rêves d'un vieux duc de soixante-dix ans, c'est ça?

— Parfaitement! Mais je ne sais pas exactement quel pair du royaume réunit toutes ces qualités. Il faut que je pense à demander à Brinkley le Bottin mondain pour faire des recherches plus sérieuses.

Tess étrenna donc sa robe toute neuve pour le dîner, mais le seul événement notable et heureux de la soirée fut l'annonce par lady Clarice de son départ le lendemain matin, puisque lady Griselda venait prendre le relais en tant que chaperon. Le comte de Mayne couvrit Teresa de compliments, mais ne lui demanda pas sa main.

Lady Griselda Willoughby rappelait à Tess une petite bergère de porcelaine que son père avait offerte à sa mère dans les premières années de leur mariage. La figurine avait une coiffure bouclée, de grands yeux bleus, un sourire figé et une masse de rubans et de fanfreluches sur sa robe et ses minuscules escarpins. Teresa avait tout juste huit ans à la mort de sa mère, et elle avait pris l'habitude de se glisser dans la chambre désertée pour tout simplement toucher les objets qui lui avaient appartenu, sa brosse à cheveux, son livre de prières, et la fameuse bergère. Puis, au fil des mois, tous les objets de valeur, tous les bibelots, avaient peu à peu disparu de la chambre. Un beau jour, elle n'avait plus trouvé la petite bergère sur le manteau de la cheminée. Son père avait probablement vendu à un brocanteur les grands yeux peints et le sourire de porcelaine qui lui réchauffaient le cœur.

Bien entendu, il y avait une différence de taille entre lady Griselda et la statuette. La sœur de Garret était dotée de la parole, et en usait abondamment. Ils prenaient le thé dans le salon dit « du matin », sans doute parce que les fenêtres étaient orientées à l'est, une petite pièce aux murs tendus d'une tapisserie lilas que la nouvelle venue décréta immédiatement « mortelle pour le teint ». Languissamment accoudée sur une méridienne, juste à l'endroit qu'inondaient les rayons du soleil, vêtue d'une somptueuse robe de crêpe ambré qui mettait en valeur son teint de lait et le bleu changeant de ses yeux, elle ressemblait à l'une de ces statues grecques que se disputaient les musées.

— Chéri, va donc chasser le lapin ou fumer un cigare avec Raphaël ! Nous avons à parler de choses sérieuses, ces demoiselles et moi.

« Chéri », alias le comte de Mayne, semblait porter à sa sœur une profonde affection.

— Tu ne vas pas corrompre ces demoiselles en leur inculquant tes principes absurdes sur ce qu'une dame doit ou ne doit pas faire, j'espère ? dit-il en souriant.

— Il se trouve que j'ai acquis une certaine expérience dans ce domaine, et si je dois parrainer ces jeunes filles dans le monde, il est naturel que je les en fasse profiter.

— Je ne doute pas que cela soit fort instructif, commenta le duc.

Lui non plus ne semblait pas prendre lady Griselda très au sérieux, mais elle ne paraissait pas s'en offusquer, et le traitait avec la même familiarité affectueuse qu'elle réservait à son frère.

— Nous avons peut-être tort de nous absenter, Mayne. Nos oreilles risquent de tinter, si nous laissons ces dames entre elles !

— Allez vaquer à vos occupations ! répliqua en riant lady Willoughby. Et ne me provoquez pas, mon cher Holbrook ! Dès que j'aurai marié Garret, je m'intéresserai à vous, je vous préviens !

— Vous n'entamerez pas mon optimisme, ma chère Grissie ! Votre frère aura longuement et largement profité du célibat avant de convoler !

Lady Griselda attendit que la porte se soit refermée sur eux et se tourna vers les quatre sœurs. La plus intéressante était Teresa, bien entendu, celle qui allait enfin emmener le célibataire le plus endurci de toute sa famille à l'autel. Elle était ravissante, même vêtue de ce sac de tussor noir. Vraiment charmante.

Tout allait donc pour le mieux.

Griselda se redressa sur son siège. Elle évitait le plus possible la station assise, qui ne mettait pas en valeur sa silhouette, mais puisque les représentants du sexe fort avaient quitté les lieux…

— Nous vous sommes extrêmement reconnaissantes d'accepter de nous servir de chaperon, hasarda nerveusement Tess.

La sœur de Garret l'impressionnait beaucoup, elle devait bien le reconnaître. Du coin de l'œil, elle voyait Annabelle enregistrer le moindre détail de la tenue de lady Griselda, depuis les minuscules pampilles qui ornaient ses escarpins jusqu'à sa coiffure piquée de rubans assortis.

— Mais c'est un plaisir pour moi, je vous assure ! Je désespérais de voir mon frère se marier un jour, et voilà que je reprends espoir ! s'exclama-t-elle avec un sourire chaleureux, comme si subitement la bergère s'animait.

Tess rougit jusqu'à la racine des cheveux. Mayne ne lui avait rien demandé, après tout, et la joie de lady Willoughby lui semblait prématurée.

— Nous sommes naturellement ravies de voir le comte s'intéresser à notre aînée, intervint la cadette.

— Annabelle, voyons ! s'insurgea Teresa.

— Je préfère que nous parlions franchement, remarqua Griselda. D'ailleurs, puisque je dois vous aider à vous établir, nous devrons nous montrer très claires entre nous, même si nous devons évoquer des vérités qui ne sont pas toujours agréables. Il n'est pas facile de trouver quatre époux simultanément, même si nous comptons mon frère parmi les quatre. Mais vous êtes peut-être un peu jeune, mon petit, corrigea-t-elle en se tournant vers Joséphine. Excusez ma question, mais avez-vous fini vos études ?

— Non ! répondit précipitamment la benjamine. Notre tuteur a engagé une institutrice, qui arrivera demain.

Tess ouvrit la bouche, puis se ravisa. Si sa petite sœur n'avait pas envie de faire son entrée dans le monde, pourquoi la contrarier ? Elle n'avait que quinze ans, après tout.

— Parfait ! Parce qu'il faut que je vous dise, ma chérie, avec votre silhouette, les jeunes gens vont se bousculer à notre porte. Il serait préférable pour vos sœurs d'entrer sur le marché sans vous avoir comme concurrente.

— Mais je suis trop grosse ! s'écria Josie, incrédule.

— Oh, mais pas du tout ! assura Griselda. Les messieurs voient mince mais pensent maigre, vous pouvez me croire ! Et ils détestent les maigres ! Heureusement, c'est un défaut que vous n'avez pas, et moi non plus ! Mais dites-moi, Juliette… C'est bien Juliette, n'est-ce pas ?

— Joséphine, mais en famille, on m'appelle Josie.

— Nous sommes en famille ! Maintenant, ma chère Josie, dites-moi si vous me trouvez grosse ?

— Certainement pas ! s'étrangla la jeune fille.

Griselda arborait les courbes qui font la beauté des statues de la Renaissance, une époque où le costume mettait en valeur les tailles étroites et les hanches généreuses avec des corselets ajustés et une profusion de jupons. Bien entendu la mode actuelle des robes fluides à taille haute favorisait plutôt les femmes filiformes.

— Certains mauvais esprits peuvent me trouver dodue, mais je vous assure qu'aucun homme doté de bon sens ne partagerait cet avis !

Visiblement, lady Willoughby avait longuement étudié la question, et pour rien au monde n'aurait renoncé à un seul centimètre de son tour de taille.

Ces remarques réconfortantes pour sa petite sœur avaient définitivement gagné à Griselda le cœur de Tess.

— Donc, qui vient après Josie, puisqu'elle préfère attendre l'année prochaine pour faire son entrée dans le monde ? Vous, je suppose, mademoiselle ? Quel âge avez-vous ?

— Je vous en prie, appelez-moi simplement Imogène.

— C'est entendu mais alors, appelez-moi Griselda. Surtout pas Grissie, je vous en prie ! J'ai la chair de poule chaque fois que mon frère utilise ce diminutif ridicule.

— J'ai dix-neuf, mais je ne souhaite pas non plus faire mon entrée dans le monde.

— En voilà une idée ! Vous ne sortez pourtant pas vraiment de l'œuf !

— Comme je ne compte pas me marier, expliqua Imogène sans se vexer le moins du monde, faire mes débuts en laissant entendre que je suis désireuse de convoler constituerait une tromperie.

— Et pourquoi ne voulez-vous pas vous marier ?

— J'ai déjà accordé mon cœur, affirma Imogène d'un air de défi.

— Vous avez bien de la chance. J'ai eu beau essayer à maintes et maintes reprises, je n'y suis jamais arrivée. Les hommes ne sont que des hommes, vous savez.

134

Annabelle pouffa, tandis que Tess manquait s'étrangler.

— Je n'ai eu aucun effort à faire pour vouer mon cœur à Draven, rétorqua Imogène en montant sur ses ergots. Je l'aime !

— Et ce jeune homme partage-t-il vos sentiments ? s'enquit lady Griselda.

— Lord Maitland est fiancé, coupa Teresa, évitant ainsi d'aborder l'épineuse question des sentiments du jeune homme envers sa sœur.

— Maitland ? Vous parlez de Draven Maitland ?

Aussi raide et tendue que si elle affrontait le tribunal de l'Inquisition, Imogène acquiesça silencieusement.

— Pour parler franchement, Draven Maitland n'a rien pour faire un bon époux. Sa passion pour les chevaux et les courses frise la folie, et... (Griselda toussota délicatement :) Ce sont peut-être des médisances, mais il semble qu'il n'ait pas tout à fait le niveau d'intelligence minimal habituellement requis. Enfin, ça encore, ce n'est pas trop grave, c'est même parfois une qualité chez un mari. Mais si je ne me trompe pas, il passe bien la plus grande partie de ses journées aux courses, et il y engloutit beaucoup d'argent ?

— Oui, admit à contrecœur Imogène.

— C'est suffisant, vous ne trouvez pas ? Je ne connais rien de plus ennuyeux que ces discussions interminables sur la généalogie ou le palmarès de tel ou tel pur-sang. Il faut que je vous prévienne, ajouta-t-elle en se retournant vers Tess, quand il commence, Garret est intarissable sur son écurie de course !

— Cela ne me gêne pas. Mon père faisait pareil.

135

— Il faudra que vous me parliez de lord Brydone, un de ces jours. Vous savez que ce sont des chevaux qui constituent votre seule dot, n'est-ce pas ?

Teresa fit signe que oui.

— Et vous, vous cachez aussi un amoureux dans votre manche ? demanda Griselda en se tournant vers Annabelle.

— Certainement pas ! répondit chaleureusement Annabelle, heureuse de trouver une interlocutrice qui parlait le même langage qu'elle. Je suis ouverte à toutes les suggestions, mais je préférerais un aristocrate.

— C'est la première fois que je chaperonne des jeunes filles sur le marché matrimonial, mais je ne vous cache pas que je serais extrêmement vexée si l'une de vous épousait un simple M. Tout-le-monde.

Visiblement, ces deux-là étaient faites pour s'entendre.

— N'allez pas croire, reprit lady Willoughby en revenant vers Teresa, que je ne prendrais pas votre parti si vous décidiez de refuser mon frère. Il n'a pas que des amis, je suis la première à le reconnaître. En fait, depuis qu'il a essuyé cette rebuffade l'année dernière...

Elle s'arrêta net, comme si elle venait d'avaler une araignée.

— Une rebuffade ? Le comte a déjà été fiancé ?

— Non, non, pas du tout, corrigea en hâte Griselda, en jetant un coup d'œil éloquent en direction de Josie. Le passé n'a plus aucune importance, de toute façon, puisqu'il est sur le point de vous faire sa demande, ma chère.

— Bien entendu, admit Tess.

Elle ne savait trop si le fait qu'il ait été repoussé par une autre femme augmentait ou diminuait sa séduction. Une femme mariée, certainement, à en juger par l'embarras de lady Willoughby. Aussi belle qu'elle ?

— Que pensez-vous de Felton ? poursuivit Griselda. On ne peut rêver meilleur parti ! Je connais des douzaines de mères qui rêvent de lui pour leurs filles, et nous l'avons justement sous la main.

— Qu'a-t-il de si remarquable ? demanda Annabelle.

— On ne vous a pas dit qui est Lucius Felton ?

Quatre paires d'yeux interrogateurs s'ouvrirent tout grands.

— Vous ne savez pas ? Mais c'est le plus beau parti d'Angleterre ! Mieux que n'importe quel pair du royaume ! Plus de deux mille livres de rentes, et je ne parle que des terres. On raconte qu'il possède les deux tiers de Bond Street, pour ne rien dire de ses titres en Bourse. Il fait des affaires, ajouta-t-elle en baissant la voix, comme si elle faisait une remarque osée.

— Je vois… murmura Annabelle, dont le visage s'était illuminé.

— Exactement ! renchérit Griselda. Felton nous a été envoyé par la Providence ! Il n'a pas de titre, mais il a reçu une excellente éducation, et il possède des manières exquises ! Je serais éminemment soulagée de vous voir casées, Tess et vous, avant de m'attaquer au petit casse-tête que constituent Mlle Imogène et lord Maitland.

— Il n'y a rien du tout à attaquer, protesta l'intéressée, qui paraissait insensible au charme de lady Griselda. J'aime Draven, et je n'épouserai personne d'autre. Et puisqu'il n'a aucune envie de m'épouser, je resterai vieille fille !

— Si tel est votre choix, tout ce que je vous demanderai, c'est de ne pas entrer en concurrence avec vos sœurs !

— Je peux vous promettre que cela n'arrivera jamais !

— Parfait ! Je vais cependant vous demander de reconsidérer votre décision de ne pas faire votre entrée dans le monde. Si vous n'avez pas de succès, il n'y aura aucun obstacle à ce que vous n'apparaissiez pas l'année prochaine. Mais si vous ne faites pas vos débuts cette année, cela excitera la curiosité.

Imogène s'apprêtait à faire des objections, mais Griselda l'arrêta d'un geste impérieux.

— La curiosité excite l'imagination. Dès que l'on saura que les sœurs Essex sont en âge de chercher un mari, l'absence de l'une d'entre elles suscitera des questions. Les questions entraînent des spéculations, et en moins de temps qu'il n'en faut pour le dire, on racontera que vous avez un bec-de-lièvre, que vous êtes unijambiste, ou pire.

Stupéfaite, Imogène ne trouva rien à répondre, et lady Griselda revint à Annabelle.

— Nous sommes bien d'accord sur les remarquables qualités matrimoniales de M. Felton ?

— Entièrement !

— C'est un homme fascinant, très controversé ! Certains l'accusent d'être sans scrupule en affaires. Il est exact qu'il n'a jamais observé avec le monde du commerce et de la finance la distance qui convient à un homme du monde, et sa mère ne le lui a jamais pardonné.

— Que voulez-vous dire ? s'enquit Tess.

— C'est un bruit qui court. Mme Felton est très à cheval sur les convenances, car elle s'est mariée en dessous de sa condition. Elle est fille de comte, et son mari n'est que le troisième fils d'un baron, ou quelque chose de ce genre.

— Ils sont fâchés parce qu'il fait des affaires ? Ses parents doivent être très riches, j'imagine ?

— Ils sont très à l'aise et possèdent un grand domaine dans le Derbyshire. Je pense que leur brouille vient des activités financières de Lucius, mais je n'ai jamais pu avoir le fin mot de l'histoire. Cela n'a d'ailleurs aucune importance. Un époux qui n'adresse plus la parole à sa mère vous évite une belle-mère, et c'est une véritable bénédiction, vous pouvez me croire !

Teresa trouvait cela extrêmement triste, et s'apprêtait à demander des précisions, mais une remarque de Griselda l'arrêta.

— Ils sont voisins, et refusent de se parler ! C'est amusant, dans un certain sens. Mais passons à un sujet plus intéressant.

— Je crois que nos affaires ne se présentent pas trop mal, commenta Annabelle. Tess a toutes les chances d'épouser votre frère, et il se peut que j'épouse M. Felton, s'il n'y voit pas d'inconvénient. Je vais faire de mon mieux pour l'informer de mes intentions, et ce dès cet après-midi, quand nous nous rendrons aux courses.

— J'attends de voir ça avec impatience, mon petit. Il n'est jamais trop tard pour prendre des leçons, l'assura leur mentor.

— Vous me flattez ! répondit modestement Bella avec un petit sourire.

— Lord Maitland et lady Clarice se joindront à nous, intervint Imogène qui, comme à son habitude, n'accordait pas la moindre importance au sujet de la conversation. Mlle Pythian-Adams suivra en voiture, car elle ne monte pas à cheval.

— Moi non plus, précisa lady Griselda, que la moue dédaigneuse d'Imogène n'impressionnait pas le moins du monde. Je n'ai jamais compris cette manie de vouloir se faire secouer dans un nuage de poussière alors que l'on peut voyager confortablement. Et puis, les chevaux ont les dents jaunes, comme mon beau-père! C'était très laid, et j'ai toujours eu peur que ce pauvre Willoughby ait les dents qui jaunissent avec l'âge. Dans un sens, c'est heureux qu'il soit mort jeune!

— Il y a longtemps que vous avez perdu votre mari? demanda Tess.

— Plus de dix ans, et il me manque un peu plus chaque jour. Mais laissons de côté ce triste sujet! Je ferai de mon mieux pour être le chaperon idéal, c'est-à-dire que je vous perdrai de vue le plus souvent possible et vous laisserai harponner gracieusement et discrètement le soupirant de votre choix. Je m'arrangerai pour vous procurer l'occasion de valser le plus souvent possible. Un geste indécent, comme serrer une jeune fille contre sa poitrine, constitue à mon avis le plus sûr moyen d'encourager un mâle rétif à s'engager sur le chemin de la vertu, c'est-à-dire le mariage.

Griselda se leva et toisa Imogène d'un air sévère.

— Et le seul moyen d'amener un jeune homme à rompre de fâcheuses fiançailles, c'est de jouer serré, très serré. Vous me comprenez?

Imogène acquiesça silencieusement.

— Eh bien, les jours qui viennent s'annoncent bien remplis et fort intéressants! Je ne sais pas ce qui sera le plus amusant, voir mon frère courtiser une charmante demoiselle ou observer un célibataire endurci comme Lucius Felton tomber dans les rets d'une jeune personne non moins charmante! Toutes les mères de Londres qui ont essayé de lui faire épouser leurs filles boiront chaque mot du récit que je leur ferai!

Elle s'arrêta un instant pour réfléchir, le doigt sur les lèvres, offrant aux quatre sœurs l'image de la plus parfaite élégance, depuis la gracieuse fanfreluche ornée d'un bouton de rose qui retenait ses cheveux jusqu'à la pointe de ses escarpins de soie.

— Je crois que le plus amusant sera d'observer M. Felton! décida-t-elle finalement. Heureusement, j'ai apporté beaucoup de papier à lettres!

— Tu vois à quoi tu as échappé en acceptant que le comte te fasse la cour? chuchota Annabelle à l'oreille de son aînée. Je vais apparemment provoquer une idylle qui fera sensation dans tout Londres dès le premier baiser!

— M. Felton n'est pas le genre d'homme à embrasser une jeune fille sans lui demander sa main, remarqua Teresa, mi-figue, mi-raisin.

— Tant mieux! Un véritable gentleman me rendra la tâche beaucoup plus facile. J'ai toujours pensé que les messieurs qui ont l'obsession des convenances sont les plus faciles à mener par le bout du nez.

Le visage de Tess s'allongea soudain et elle sentit que la migraine la guettait.

13

Dans la cour du château.

Étant fils unique et doté de parents qui n'avaient jamais vu la nécessité de rencontrer leur héritier plus d'une douzaine de fois dans l'année, Lucius ignorait le temps que peut mettre une famille nombreuse à se rassembler. Il n'avait jamais non plus imaginé que les représentantes du beau sexe puissent être si longues à se préparer au moindre déplacement, aussi insignifiant soit-il, et à plus forte raison quand il s'agissait de leur première sortie depuis plusieurs mois.

Bien entendu, il s'en était vaguement douté, et avait donc toujours soigneusement évité les réunions familiales et tout ce qui pouvait y ressembler.

En fait, ce qui le hérissait n'avait rien à voir avec l'ennui d'attendre depuis plus d'une demi-heure. Les dames, comme le savait n'importe quelle personne dotée de deux sous de bon sens, étaient censées utiliser des montures convenant à leur constitution délicate, de paisibles juments, ou d'inoffensifs poneys.

Or, apparemment, les demoiselles Essex, les trois aînées du moins, Joséphine ayant préféré rester à la maison avec sa nouvelle préceptrice, prétendaient monter de fougueux pur-sang qui n'avaient cessé de piaffer depuis qu'on les avait amenés que pour hennir farouchement, comme pour défier la terre entière.

— Nous sommes des cavalières confirmées, ne vous inquiétez pas, avait lancé Imogène, la première à faire son apparition, en croisant son regard plein d'inquiétude et de doute. Ma Violette est arrivée placée au Derby, mais elle s'est froissé un muscle il y a deux ans. Je ne monte plus qu'elle depuis qu'elle est rétablie.

La jument ruait de côté. On aurait dit qu'elle avait un essaim de guêpes aux trousses et s'apprêtait à sauter par-dessus le portail.

— Pourquoi s'appelle-t-elle Violette ? Elle n'a rien de modeste ! remarqua Lucius en faisant un bond de côté pour éviter d'être renversé.

— Par antiphrase, justement ! C'est une poseuse. Elle se donne des airs farouches, alors qu'elle est douce comme un agneau !

— C'est une bête magnifique ! s'exclama Raphaël du perron. Je l'ai vue courir à Ascot, un an avant qu'elle ne se blesse.

Felton trouvait l'attitude de son ami bien désinvolte. Un tuteur est censé se préoccuper de la sécurité de ses pupilles ! Annabelle, qui suivait le duc, se dirigea vers un hongre qui aplatit les oreilles en soufflant férocement.

— Voici Pois de Senteur ! annonça-t-elle avec son plus chaleureux sourire. Il est de mauvaise humeur, ce matin. Je crois qu'il est un peu dépaysé. Il a toujours eu un tempérament casanier.

Pour tout commentaire, Pois de Senteur hennit en montrant une denture impressionnante et s'ébroua comme un dogue prêt à se ruer sur sa proie.

— Le plus beau de tous, c'est le cheval de Tess, expliquait Imogène à Raphaël. La voici, elle vous en parlera mieux que moi.

Lucius se retourna. La mince silhouette de Teresa paraissait une vivante incarnation de la fragilité féminine.

— C'est la meilleure écuyère de nous trois, poursuivit sa sœur. Elle monte Carillon de Minuit, qui est issu de Belworthy.

— Carillon de Minuit? se récria Felton. L'alezan qui s'est emballé et qui a tué son cavalier il y a trois ans à Newmarket?

— Lui-même, acquiesça Imogène. Pensez-vous que les Maitland vont encore tarder? Violette commence à s'impatienter.

On ne pouvait dire moins. La jument hochait frénétiquement la tête en frappant furieusement du pied les pavés de la cour, faisant jaillir des gerbes d'étincelles. Lucius se pencha pour flatter son encolure, et elle se calma aussitôt.

— On dirait qu'elle vous aime bien! s'étonna Imogène.

— Les chevaux m'aiment bien, en général, assura-t-il en regardant un palefrenier aider Tess à se hisser sur un immense alezan.

— Tu ne devrais pas laisser ta pupille monter ce pur-sang! Il a tué son jockey, il y a quelques années! s'indigna Felton en se tournant vers le duc.

— Vous vous faites du souci pour Tess? s'amusa Imogène en haussant le sourcil. Il n'y a aucune raison, je vous assure. De nous toutes, c'est elle la meilleure cavalière. Papa disait qu'elle avait les chevaux dans le sang.

— Je suis sûr que ces demoiselles connaissent leurs montures et savent les tenir en main, assura tranquillement Raphaël.

— Un bon tuteur doit se montrer prudent ! grommela Lucius.

Carillon de Minuit gardait une immobilité de statue. Seules ses oreilles frémissaient doucement tandis que sa maîtresse lui flattait tendrement l'encolure.

Bouillant d'indignation, Felton sauta en selle et se plaça juste un peu en avant de Teresa. Il pourrait ainsi arrêter son cheval s'il venait à s'emballer.

C'est le moment que choisit Draven Maitland pour arriver à fond de train. Il s'arrêta net, faisant cabrer haut sa monture.

— Quelle tête pleine de vent ! murmura Tess en le regardant sauter à terre pour saluer Imogène.

— C'est un écervelé parce qu'il est imprudent à cheval ? s'enquit Lucius. Vous ne croyez pas qu'on pourrait vous retourner le compliment ?

— Vous pensez que Carillon de Minuit est une bête trop difficile pour moi ?

— Pour moi aussi, vraisemblablement.

— Je ne crois pas. Votre cheval n'a rien d'un poney docile, remarqua-t-elle en se penchant pour caresser la monture de Felton.

— Pantalon, issu de Hautbois.

— Il est magnifique.

Pantalon ferma les yeux de plaisir tandis que Tess le grattait doucement derrière les oreilles.

Le reste de la tribu Maitland arriva enfin, lady Clarice sur une petite jument, Gillian Pythian-Adams dans la voiture qui allait les suivre, au cas où les dames se fatigueraient.

— Car on se fatigue vite ! claironna la mère de Draven. Et la fatigue n'est pas bonne pour le teint ! Mlle Pythian-Adams l'a bien compris : elle ne monte jamais !

Lord Maitland se dirigeait vers Teresa, mais il n'avait d'yeux que pour sa monture. On pouvait lui trouver beaucoup de défauts, mais il avait un œil infaillible pour les chevaux.

— Cela fait plus d'un an que je n'ai pas vu Carillon de Minuit ! J'ai failli le gagner à votre père, vous savez. Il venait de remporter la course de Banstead Downs. J'aurais voulu l'emmener à Ascot.

— Je suis heureuse que vous ayez perdu ce pari, répliqua Tess, dont les joues s'étaient empourprées.

— Mais je l'avais gagné ! assura le baron en bombant le torse. Le vicomte était sûr que les coqs chantent toujours du haut d'un perchoir. Je n'ai eu aucun mal à lui prouver le contraire.

Felton faillit éclater de rire. Maitland n'avait pas remarqué la lueur meurtrière qui brillait dans le regard de Teresa. En fait, il avait entrepris d'inspecter la denture du cheval, comme si l'animal était à vendre.

— Laissez-moi deviner, siffla-t-elle. Vous avez dressé un coq à chanter au fond d'un trou, et vous avez fait votre démonstration à mon père.

— Mieux que ça ! s'exclama triomphalement le jeune homme. Je lui ai coupé le tendon des pattes ! Comme il ne pouvait plus sauter, il chantait n'importe où. Mais je n'ai pas accepté Carillon, vous pensez bien ! Lord Brydone prenait les paris au sérieux, et je ne lui aurais jamais enlevé un cheval sur une tricherie. Cela dit, je me suis bien amusé, et j'étais très content de la plaisanterie !

— Je suis certaine que papa vous a été très reconnaissant de votre générosité, remarqua-t-elle aigrement.

— Certainement. Maintenant, si cette bête me laissait regarder ses molaires...

La patience du pur-sang était manifestement à bout, et les familiarités de Draven ne lui plaisaient pas du tout.

Il hennit sauvagement, et se cabra pour écarter l'importun.

— Du calme, mon grand ! ordonna sa maîtresse, visiblement amusée.

Lucius s'était dressé sur ses étriers, prêt à prendre la bride de Carillon, mais sa cavalière n'avait nul besoin d'aide. Pas une seconde elle n'avait paru perdre l'équilibre. Elle était aussi frêle qu'un roseau, mais tenait d'une main ferme ce grand pur-sang, qui lui obéissait comme un poney docile.

Lady Clarice fit le tour de la cour pour saluer chacun de sa voix haut perchée qui énervait les chevaux.

— Ma chère demoiselle, s'écria-t-elle en s'arrêtant devant Teresa, cette bête me paraît bien grande et effrayante pour vous ! Voyons, Holbrook, vous devriez être plus attentif à vos petites pupilles ! Elles sont en danger sur de tels monstres !

Lucius avait peut-être fait les mêmes remarques quelques instants plus tôt, mais Raphaël ne pouvait supporter la commère. Il ne résista pas au plaisir de la contredire.

— Mlle Essex est de taille à maîtriser sa monture ! répondit-il presque malgré lui.

Puis, ignorant les jérémiades de son invitée, il se mit en selle.

— Tout le monde est prêt, finalement ? En route, alors !

Felton réprima un sourire. Le duc non plus n'était pas habitué aux réunions de famille et aux mondanités.

— Un instant !

Sans se presser, Mayne descendait les marches du perron en enfilant ses gants. Il portait une culotte de cheval qui moulait ses cuisses comme une seconde peau, des bottes brillant comme des miroirs, et une redingote bleu de Prusse des plus élégantes. Ses amis n'en croyaient pas leurs yeux. Généralement, quand ils partaient en promenade ou à la chasse, ils ne faisaient pas tant d'embarras, et mettaient des culottes de peau et des vestes de velours côtelé ou de tweed. Mais cette tenue impeccablement coupée lui donnait une allure princière, Felton fut bien obligé de l'admettre.

Mayne inspecta l'aimable compagnie, qui commençait à s'ébranler, et se dirigea droit vers Tess.

Lucius réprima un mouvement de contrariété. Il avait oublié les projets matrimoniaux de Garret, encore une fois.

— Carillon de Minuit… Je suis heureux de vous décerner le titre de meilleure écuyère de votre génération, mademoiselle ! s'exclama le comte, la voix vibrant d'émotion.

Teresa lui adressa un sourire radieux, tandis que le soleil nimbait d'or ses cheveux cuivrés. Elle était tout simplement éblouissante.

La troupe franchit enfin les grilles armoriées au petit trot, pour ne pas distancer la voiture de Mlle Pythian-Adams.

Felton pressa son cheval et partit en avant.

Il ne pouvait plus contenir son agacement, maintenant. Jamais il n'aurait dû céder à la demande de Mayne et accepter de prolonger son séjour à Holbrook Court ! Ses premières impressions étaient toujours les bonnes, et un essaim de jeunes filles, si charmantes fussent-elles, était nécessairement synonyme d'ennuis.

En l'espace de deux jours, ses vieux amis étaient devenus méconnaissables. Il ne les reconnaissait plus ! Raphaël allait finir gâteux s'il continuait à transformer sa maison et à bouleverser sa vie sous prétexte qu'il se prenait pour le grand frère de quatre demoiselles qui ne demandaient qu'à le faire tourner en bourrique. Quant à Garret, si Lucius approuvait sa décision de se ranger enfin, il ne pouvait raisonnablement souscrire à son choix, et encore moins aux raisons qui l'avaient dicté...

Malheureusement, son ami n'était pas disposé à écouter qui que ce soit.

Felton aspirait au calme, à la solitude. Il avait besoin d'air, de vent, d'espace. L'année dernière, ils étaient allés tous les trois à Silchester. Les palefreniers les avaient précédés la veille pour tout installer, et leur chevauchée avait été des plus joyeuses ! À ce moment-là, Mayne ne se sentait pas obligé de singer les gravures de mode. Bien entendu, Raf leur avait fait faire quelques haltes copieusement arrosées, qu'il avait vigoureusement désapprouvées sur le moment, mais qu'il regrettait maintenant.

Ils avaient parlé de leurs écuries, discuté des espoirs qu'ils pouvaient raisonnablement fonder sur les chevaux qu'ils faisaient courir, profité de la nature et de ce que leur offrait la vie !

La journée était magnifique, et les environs toujours aussi beaux. La longue foulée de Pantalon avait fini par apaiser Lucius. Il aspira l'air frais à pleins poumons, contemplant les collines boisées qui commençaient à se teinter d'or et de roux.

Il aimait la campagne et possédait une propriété dans les environs, confortable et somptueusement meublée, mais il n'y allait quasiment jamais. Il l'avait achetée justement à cause de cette proximité avec Holbrook Court, mais il était aussi bien chez son ami.

Cette idée le ramena à Garret et à ses projets matrimoniaux.

S'il avait vu juste, Mayne venait enfin d'éprouver l'émotion véritable qui donnerait à sa cour la sincérité dont elle manquait jusqu'ici. Son respect et son admiration n'étaient pas feints.

À n'en pas douter, ils formeraient un beau couple et s'entendraient à merveille. Le comte était plein de qualités, même s'il avait couché avec toutes les femmes mariées de la haute société. Il s'amenderait après leurs noces. L'homme qui aurait la chance d'avoir Teresa Essex dans son lit n'aurait nul besoin d'aller chercher son plaisir ailleurs.

Comment pourrait-il ne pas tomber amoureux de Tess, de son regard pétillant, de son humour caustique, de ses talents de cavalière, de son inimitable élégance ?

Quand il aimerait enfin, ce serait profondément, passionnément, sans restriction aucune. Lucius le savait pour l'avoir vu souffrir puis se remettre de son amour malheureux pour lady Godwin, la seule femme qui lui ait jamais inspiré une affection véritable.

Bien sûr, cet amour n'avait jamais été partagé, mais il avait dégoûté l'incorrigible séducteur de ses idylles superficielles, et lui avait laissé entrevoir des sentiments plus profonds.

Felton était convaincu que cet échec avait préparé son ami à tomber véritablement amoureux. Et Tess, Tess à la bouche sensuelle, au regard si tendre, Tess aux yeux comme des étoiles, finirait par lui rendre son amour, le moment venu. Il lui faudrait peut-être du temps, mais elle ne pouvait qu'aimer un mari aussi séduisant.

Mais que lui importait, après tout ? Ce n'était pas son affaire !

Ils seraient heureux, formeraient une véritable famille, l'antique lignée des Mayne aurait enfin un héritier, Raphaël et lui seraient les parrains de leurs enfants...

Lucius esquissa une grimace à cette pensée. Ce n'était pas le rôle qu'il avait envie de tenir, ni auprès de Garret, ni auprès de Tess !

Pantalon aussi avait apprécié cette petite équipée solitaire. En s'ébrouant joyeusement, il avait repris leur petit trot de départ.

Comme il n'aurait pas été courtois de s'isoler plus longtemps, Lucius regarda en arrière. Les silhouettes de ses compagnons n'étaient plus si loin maintenant, et il ralentit l'allure pour les laisser le rattraper.

Tess et Garret avaient pris la tête, et Felton les entendait déjà plaisanter joyeusement. Le rire cristallin de la jeune fille montait dans le calme de la campagne, haut et clair comme un chant d'alouette.

Elle appartenait au comte, et il ferait en sorte de s'en souvenir, désormais.

14

Tess n'aurait su dire comment elle s'était retrouvée à inspecter les écuries du Queen's Arrow seule avec M. Felton. Le comte de Mayne l'avait comblée d'attentions tout l'après-midi et c'est lui qui aurait dû être à ses côtés. Lucius Felton, pour sa part, aurait dû être pendu au bras d'Annabelle, qui lui avait témoigné un intérêt soutenu.

Or, ils s'étaient trouvés à côté l'un de l'autre, ils avaient tourné à un moment donné, et les autres ne les avaient pas suivis. À moins que ce ne soit le contraire... Toujours est-il qu'ils étaient maintenant seuls tous les deux. Sans bien savoir pourquoi, Tess éprouvait le sentiment de jouer un bon tour, comme une écolière qui fait l'école buissonnière.

La chaude odeur de foin qui flottait dans les écuries lui rappelait tant de souvenirs, bons et mauvais ! C'était toute son enfance qui lui revenait en mémoire, mais aussi tout ce qui avait éloigné son père de sa famille et de la maison, tout ce qui l'avait conduit à négliger ses filles.

— Voici Ramaby, qui appartient à lord Finster, remarqua Felton en s'arrêtant devant un box. Je ne savais pas qu'il allait l'engager dans une course de province. J'ai bien peur qu'il ne l'emporte facilement sur mes chevaux.

— Pas aujourd'hui, répliqua Tess en grattant doucement le grand cheval bai derrière les oreilles. Tu n'es pas d'humeur combative aujourd'hui, n'est-ce pas, mon grand ?

— Vous êtes sorcière ? s'amusa Lucius en regardant le pur-sang souffler doucement, comme s'il voulait répondre. Vous lui avez jeté un sort ?

— Ce n'est pas la peine ! expliqua-t-elle en riant. Quand on a grandi au milieu des chevaux, on apprend vite à déchiffrer leurs humeurs. Et aujourd'hui, Ramaby n'est pas d'humeur à vaincre.

Sans aucune hâte, ils longèrent la longue allée de boxes. Au fur et à mesure que les grandes portes se rapprochaient, Felton ralentissait le pas. Il n'avait aucune envie de retrouver la lumière et la foule du dehors, ni surtout d'abandonner Mlle Essex à la cour pressante de son ami.

— Vous pouvez deviner quand une bête a faim ? demanda-t-il.

— Parfois. Mais je ne suis pas voyante extralucide.

— On dirait bien que si, pourtant.

— Mais non ! Les chevaux ne sont que des animaux, après tout. Des animaux intelligents et affectueux, mais des animaux tout de même. Ils ne dissimulent pas ce qu'ils éprouvent, c'est pour cela qu'ils ne vous trahissent jamais.

— Et ils ne parlent pas suffisamment bien anglais pour vous le dire.

Tess s'arrêta devant un autre box. Pourquoi prenait-elle si mal cette innocente taquinerie ? Parce qu'encore une fois, elle ne savait pas ce que Felton pensait vraiment.

— Celui-ci non plus ne gagnera pas aujourd'hui.

154

— J'aurais pu le deviner tout seul. Cette jument attend un poulain.

— Je n'avais pas remarqué, murmura Teresa, très embarrassée.

— Et qu'aviez-vous remarqué ? insista-t-il en l'attirant un peu plus près de lui.

— Qu'elle a sommeil. Regardez, ses yeux se ferment tout seuls !

Effectivement, lorsque la petite main de Tess lui flatta doucement l'encolure, la jument poussa un profond soupir, et ses yeux se fermèrent complètement.

— Voilà un talent extrêmement utile ! s'exclama Lucius.

— Ne voyez là aucun talent ! C'est tout simplement une question d'habitude et d'attention. Je crois qu'il est temps de rejoindre les autres, vous savez.

— Vous avez raison, mademoiselle.

L'instant d'après, ils avaient retrouvé la foule, le brouhaha des paris, les odeurs de bière et de saucisses grillées.

— Voici mes chevaux ! constata Felton.

Un garçon d'écurie menait par la bride deux splendides pur-sang enveloppés d'une couverture. Lucius ne demanda rien, et Tess se garda de tout commentaire.

— Un jour, expliqua-t-elle sans regarder son compagnon, j'ai assuré mon père qu'un cheval nommé Highbrow allait remporter la victoire. Et comme jusque-là je ne m'étais jamais trompée, il a misé sur lui tout l'argent qu'il destinait à notre dot.

— Et si je me souviens bien, cette année-là, une jument nommée Pétunia, dont personne n'avait jamais entendu parler, a remonté tous ses concurrents et remporté la course au finish.

— Et Highbrow n'a jamais atteint la ligne d'arrivée, murmura Teresa.

— Il a trébuché et s'est cassé une jambe. Il a fallu l'abattre.

— C'est pour cette raison, cher monsieur, que je ne m'aventurerai pas à vous donner mon opinion sur vos chevaux, ou à risquer des pronostics. Ce ne seraient que des plans sur la comète. On ne sait jamais ce qui peut arriver dans une course.

— Faites-moi plaisir !

Elle le regarda dans les yeux. L'expression de Felton était absolument indéchiffrable, comme d'habitude, mais parfaitement sereine. C'était le visage d'un homme qui ne perdait jamais confiance en lui, qui n'avait besoin de personne.

— Allons rejoindre les autres, proposa-t-elle avec une pointe d'irritation.

Après tout, Mayne lui faisait la cour, et ses intentions étaient visiblement sérieuses. Il comptait peut-être faire sa demande ici, et voilà qu'elle perdait son temps à échanger des fadaises avec M. Felton, au lieu de rester disponible.

— Mademoiselle ! insista-t-il.

— Retournons aux écuries, mes sœurs doivent se demander où je suis passée. Très bien ! soupira-t-elle, comme il ne bougeait pas d'un pouce. Je ne sais comment se sent votre bai, mais regardez comment celui-ci...

— Royal Oak...

— Regardez comment marche Royal Oak. Il a trop chaud, il paraît mal à l'aise. Je me demande s'il n'aurait pas faim. Est-ce que votre entraîneur le fait transpirer ?

— Il prétend que c'est nécessaire pour combattre la mauvaise graisse.

156

— Je trouve cette pratique barbare, comme de les purger. À mon avis, c'est comme ça qu'on rend un cheval malade.

Elle se dirigeait déjà vers les écuries, mais il l'arrêta.

— Il me semblait que votre père était un adepte fervent des purges pour ses chevaux. Nous en avions parlé au Derby il y a deux ans.

— C'est exact, admit-elle, mais qui vous dit que je partageais son avis?

Tess se sentit pâlir sous le regard perçant de Felton. Elle ferma les yeux un instant pour reprendre ses esprits, et s'éloigna vers les écuries.

Ils n'y trouvèrent qu'Annabelle et le comte, qui devisaient comme les meilleurs amis du monde.

— Lady Clarice a rencontré une de ses connaissances, une certaine Mme Homily, qui lui a vanté le jambon d'York et les sandwichs au concombre, expliqua Bella. Alors ils sont tous partis à la buvette.

— Tous? s'étonna Lucius.

— Sauf lord de Mayne, bien entendu, précisa la jeune fille avec un sourire enjôleur. Voulez-vous vous joindre à nous, ou préférez-vous essayer les fameuses collations?

Le regard de Garret s'anima d'une flamme ardente dès que Teresa prit place à ses côtés. Depuis qu'il l'avait vue à cheval, il la considérait différemment, et elle comprit que ses talents de cavalière avaient achevé de le séduire.

Il avait changé de ton avec elle, et abandonné le badinage et les sujets superficiels pour une conversation plus sérieuse, plus sincère également. Il lui livrait de petits détails sur ses occupations, sur son écurie, lui dévoilant peu à peu sa véritable personnalité. Il attendait ses réponses avec impatience et les écoutait avec attention. Bref, il s'intéressait réellement à elle.

Et il était mille fois plus séduisant quand il ne jouait pas les Don Juan! Cependant, Tess ne pouvait s'empêcher de prêter l'oreille aux bavardages d'Annabelle et de M. Felton qui se tenaient à côté d'eux. Sa sœur aussi était une redoutable séductrice, et elle devrait commencer à penser à Lucius comme à son futur beau-frère.

— Ma mère avait un tempérament impétueux, et elle galopait comme le vent, même en amazone, dit le comte. En Angleterre, les femmes montent toujours en amazone, mais je sais qu'en Irlande, les dames montent parfois à califourchon. Pardonnez mon ignorance des coutumes écossaises, mais montez-vous parfois à califourchon?

— Certainement pas! protesta Tess.

Cela ne lui était pas arrivé depuis plus d'un an, mais pour rien au monde elle n'aurait admis qu'elle et ses sœurs montaient toujours de cette façon quand elles étaient chez elles, et en famille.

M. Felton se retourna tout d'une pièce pour plonger son regard de loup dans le sien, un petit sourire ironique aux lèvres, et elle ne put s'empêcher de rougir. Comment avait-il deviné qu'avec Annabelle et Imogène, elles sautaient en selle comme des garçons et galopaient à perdre haleine tout leur content? Uniquement sur les terres paternelles, bien entendu, où personne ne pouvait les voir...

Sans faire de commentaires, il reporta son attention sur le champ de courses, mais elle sentait à côté d'elle la chaleur de ses épaules, qui la faisait frissonner de la tête aux pieds. Lorsque le comte lui effleurait la main en lui tendant un programme ou en lui désignant un cheval, ce contact la laissait de marbre…

— Les collines qui entourent mon château dans le Yorkshire sont magnifiques, lui expliquait-il. On peut galoper des heures sans rencontrer âme qui vive. On se sent libéré du monde et de ses obligations. J'aimerais beaucoup vous faire visiter cette région, mademoiselle, murmura-t-il en portant la main de Tess à ses lèvres. Je suis sûr qu'elles vous feraient oublier les landes d'Écosse.

La prière muette qu'elle lisait dans son regard était éloquente. Impossible de s'y méprendre.

— Il y a un ravissant petit verger, qui ressemble beaucoup au mien, derrière le champ de courses. Voulez-vous que nous allions y faire quelques pas ?

Incapable de lui répondre, Teresa l'écoutait comme en rêve. Avait-elle ou non envie d'accepter ? Annabelle lui lança un coup d'œil complice par-dessus l'épaule de M. Felton. Elles avaient parfaitement compris. Mayne allait la demander en mariage dans ce verger, et la sagesse lui commandait d'accepter. Personne d'autre ne lui avait demandé sa main, pas sérieusement du moins, et elle devait assurer son avenir ainsi que celui de ses sœurs.

— En fait, j'allais demander à Mlle Essex la permission de l'escorter jusqu'au paddock, intervint Lucius. Je voudrais lui présenter l'un de mes chevaux, si elle n'y voit pas d'inconvénient.

— Ne te donne pas tant de mal, Mlle Essex n'a pas besoin qu'on lui présente qui que ce soit, rétorqua le comte en adressant à son ami un regard plein de méfiance. Je lui ai déjà proposé d'aller faire quelques pas.

— Restez donc avec moi, susurra Annabelle à M. Felton d'une voix suave comme le miel.

Teresa fit de son mieux pour dissimuler un certain agacement. Sa sœur et le comte ne voyaient-ils donc pas que Lucius ne s'intéressait pas véritablement à elle, pas en tant que femme en tout cas ? C'était pourtant l'évidence ! Alors que Mayne n'avait pas prêté la moindre attention aux quatre courses qui venaient de se succéder, Felton n'avait pas quitté l'hippodrome des yeux, malgré tous les efforts d'Annabelle. Il ressemblait à leur père : devant un cheval, plus rien ne comptait !

— Je te rendrai Mlle Essex dans deux minutes, promit Lucius avec un regard rassurant à son ami. J'envisage d'acheter un cheval, et notre amie a un jugement infaillible en la matière.

Malgré sa contrariété, le comte dut admettre que la proposition de Felton ne présentait aucun danger pour ses visées matrimoniales. Pour Tess, la seule différence entre la passion de son père pour les équidés et celle de cet homme impassible, c'était que le second attachait quelque importance à son opinion.

Et puis, après tout, il valait mieux que Garret apprenne dès maintenant qu'une épouse n'était pas un chien que l'on siffle et mène à sa guise !

— J'en ai pour un instant, assura-t-elle en prenant le bras que Lucius lui offrait.

Il la remercia d'un sourire éblouissant qui illumina son visage d'ordinaire si austère.

Le comte lui avait souri des douzaines de fois en une heure, mais le sourire de Lucius la chavira. Elle dut faire un effort pour se rappeler qu'il n'avait aucune intention de l'épouser. Comme pour le lui prouver encore une fois, il marcha droit vers le paddock.

— Que pensez-vous de cette bête ?

C'était un splendide cheval gris pommelé. Ils observèrent ses longues foulées élégantes, sa façon de s'arrêter net dès que son cavalier tirait sur les rênes.

Un sourire se dessina sur les lèvres de Tess.

— C'est bien ce que je pensais, remarqua Felton avec satisfaction.

— Mais je n'ai rien dit !

— Votre visage parlait pour vous !

Un instant, leurs regards se croisèrent, puis elle détourna les yeux. Le pommelé était parti pour gagner, elle en était convaincue.

Ils retournèrent à leurs places. Lucius ne lui offrit pas le bras, et ne lui adressa plus un seul sourire, plus le moindre signe qui aurait pu la laisser s'imaginer que...

— Allons donc voir ce verger ! offrit Garret dès qu'ils s'approchèrent.

Instinctivement, Teresa chercha le regard de M. Felton. Pour une fois, il n'avait pas les jumelles braquées sur les chevaux, mais les observait tous les deux. De toute évidence, il avait parfaitement saisi les intentions du comte, et n'avait aucune intention de s'y opposer.

Il prit tranquillement place près d'Annabelle, qui lui décocha son sourire le plus langoureux, ce qu'il parut visiblement apprécier.

— J'en serais ravie ! accepta Tess en passant son bras sous celui du comte.

Sans un regard pour M. Felton, elle suivit son soupirant. Elle avait l'impression de jouer une pièce de théâtre.

Ils s'arrêtèrent sous un pommier, et Mayne lui offrit une pomme cueillie sur l'arbre, qu'elle accepta avec grâce. Il porta la main de Tess à ses lèvres, et elle leva les yeux vers lui. Il lui fit sa demande, et elle accepta. Puis il lui demanda la permission de l'embrasser et déposa un baiser sur sa joue. Elle lui sourit et il l'embrassa de nouveau, sur les lèvres cette fois.

Un baiser très agréable, ma foi…

Après quoi elle reprit le bras que Garret lui offrait, et ils s'en retournèrent fiancés, futurs mari et femme.

Ou plutôt, comte et future comtesse.

15

Toutes quatre étaient pelotonnées sur le lit de Teresa. Comme à son habitude, Josie tenait un livre grand ouvert sur ses genoux.

— Je n'arrive pas à y croire, répétait Imogène en regardant sa sœur comme si elle n'était soudain plus la même. Tu vas te marier ! Nous qui avions tellement peur de rester vieilles filles, nous ne sommes pas en Angleterre depuis une semaine, que te voilà déjà fiancée à un comte ! C'est un vrai triomphe !

Tess ne se sentait pas le moins du monde triomphante. Elle non plus n'arrivait pas à s'imaginer en femme mariée. D'ailleurs, elle oubliait sans cesse que Garret lui avait demandé sa main, et qu'elle avait accepté.

— Notre inquiétude venait de l'incapacité de papa à nous emmener faire nos débuts à Londres, remarqua Annabelle. Nous n'avons jamais douté de nous-mêmes, ni de nos capacités à faire des fiancées désirables.

— Mon institutrice, Mlle Flecknoe, trouverait cette remarque parfaitement déplacée, remarqua Joséphine sans lever les yeux de son livre. Elle m'a expliqué que toute allusion aux relations entre hommes et femmes était inconvenante.

— J'ai quelque chose à vous dire… avança Imogène, toute rose d'émotion.

Josie interrompit sa lecture.

— Draven m'a embrassée ! Il m'a embrassée !

— Tu parles de l'histoire du pommier, ou tu lui as encore fait des avances ?

— Il m'a embrassée au champ de courses, reprit Imogène, trop heureuse pour relever l'ironie de sa petite sœur. Comme ça, tout d'un coup ! Je crois qu'il commence à m'aimer.

— Tu accordes beaucoup trop d'importance aux baisers, remarqua la benjamine d'un ton acide. Mlle Flecknoe dit que lorsqu'un homme se montre aimable, ça cache quelque chose. Mais je ne suis pas convaincue qu'elle sache très bien quoi, ajouta-t-elle pensivement.

— Tu sais que lord Maitland est fiancé à Mlle Pythian-Adams, rappela gentiment Tess.

— Vous pouvez dire tout ce que vous voulez ! répliqua Imogène avec obstination. Je lui ai demandé de m'escorter jusqu'à la piste pour voir les chevaux de plus près, et il a tout de suite accepté.

— Je me doutais bien que c'était toi qui avais tout manigancé ! s'exclama Joséphine.

— Pourquoi nous étions là n'a aucune importance !

— Tu ne vas pas nous faire croire que tu n'avais pas une idée derrière la tête ! reprit la petite. Pourquoi n'es-tu pas allée dans les écuries, pendant que tu y étais ? Tu aurais pu tomber dans ses bras du haut d'une botte de foin.

— Josie, je n'aime pas tes insinuations ! intervint Teresa.

— Draven n'ignore rien des chevaux, poursuivit Imogène. Il m'a fait des remarques tellement pertinentes, vous ne pouvez pas savoir ! Il a décidé de parier cinquante livres sur une pouliche, et il a gagné. C'est à ce moment-là qu'il m'a embrassée. Il m'a dit que je lui portais bonheur !

— Draven Maitland est exactement comme papa, remarqua Annabelle. Tu es sûre de vouloir passer le reste de tes jours à discuter des mérites de chaque pouliche et à regarder ton époux gaspiller l'argent du ménage aux courses ?

— Ce n'est pas vrai, il ne lui ressemble pas du tout ! protesta sa sœur. Il…

— Tu as raison, coupa Joséphine. Papa n'aurait jamais embrassé qui que ce soit alors qu'il était fiancé à maman. C'était un homme d'honneur.

— Draven aussi, mais il était transporté d'émotion, à ce moment-là. Et contrairement à notre père, il sait très bien ce qu'il fait quand il parie. Il est très méthodique, et il comprend les chevaux comme papa n'a jamais su le faire.

Devant le regard brillant d'Imogène, Tess se demanda si leur mère avait jamais éprouvé envers son mari les mêmes sentiments de fierté et d'adoration. Même Joséphine paraissait impressionnée.

— Tu comptes toujours poursuivre lord Maitland de tes assiduités, maintenant que tu as rencontré Mlle Pythian-Adams ? s'enquit Annabelle.

— Nous sommes faits l'un pour l'autre !

— Dans ce cas, essaie de te montrer un peu plus discrète, conseilla Teresa. Évite de le regarder fixement, ça doit le mettre mal à l'aise.

— Fais de l'œil à quelqu'un d'autre ! suggéra Bella. À Raphaël ou à M. Felton, par exemple. La jalousie peut constituer une puissante motivation, chez un homme.

— J'essaierai, marmonna Imogène bien que visiblement pessimiste sur ses capacités à le faire.

— Tout va pour le mieux ! constata Annabelle. Tess va épouser le comte, Imogène poursuit Draven Maitland, et Josie est parfaitement heureuse dans la salle d'étude…

— Parfaitement heureuse me paraît exagéré, corrigea Joséphine. On ne peut pas être heureuse quand on a Mlle Flecknoe sur les talons du matin au soir. Elle veut à tout prix rattraper les années que j'ai passées sans gouvernante et corriger toutes mes mauvaises habitudes.

— Quelles habitudes, par exemple ? demanda l'aînée.

— Lire, entre autres ! Pour elle, c'est un vice. Et si elle apprenait qu'Imogène se laisse embrasser par lord Maitland, elle pratiquerait sûrement un rituel d'exorcisme !

— Il faut bien que l'une de nous au moins apprenne à se conduire en jeune fille comme il faut. Comme pour nous trois il est trop tard : tu n'as donc plus qu'à te dévouer, expliqua Annabelle. Quant à moi, j'ai beaucoup réfléchi à ce que nous a dit lady Griselda au sujet de M. Felton. À sa fortune, pour être plus précise. J'ai le plaisir de vous informer que je pense avoir fait des progrès dans son estime.

— Tu n'as pas besoin d'épouser ce monsieur ! lança Tess. Je suis certaine que Mayne sera ravi de vous parrainer dans le monde, si Raphaël et lady Willoughby ne vous suffisent pas.

— Je sais, mais Lucius Felton présente l'avantage d'être ici. Et si lady Griselda dit vrai et qu'il est le meilleur parti d'Angleterre, autant ne pas perdre de temps.

166

— Mais il n'est pas noble, insista Teresa, et tu répètes depuis des années qu'un titre est essentiel pour toi !

— J'étais trop exigeante ! L'argent est beaucoup plus important, de nos jours.

— Tu ferais mieux d'attendre le début de la Saison. Tu n'as pas besoin de te sacrifier, il n'y a aucune urgence !

— Mais je ne me sacrifie pas du tout ! Je ne suis pas du genre à tomber éperdument amoureuse d'un gringalet romantique, et M. Felton est tout à fait…

— Mlle Flecknoe désapprouverait vigoureusement les termes de cette conversation ! remarqua Joséphine derrière son livre.

— Tu n'as pas besoin de la lui répéter ! Ce que je voulais dire, c'est que j'aurais certainement du mal à m'enticher d'un freluquet, et que Lucius Felton n'a justement rien d'une mauviette. Il est grand, athlétique, et il a tous ses cheveux. J'aime bien ce blond cendré un peu roux, d'ailleurs, murmura Annabelle. Ce sera comme avoir un lion apprivoisé à la maison !

— C'est ridicule ! Je n'en ai jamais vu, et toi pas davantage, mais je peux t'assurer qu'il n'a rien d'un lion. Une panthère, à la rigueur. Il a le même regard inquiétant.

Tess se mordit les lèvres.

— À moins que tu n'aies des objections… ajouta la cadette en regardant son aînée d'un œil inquisiteur.

— Pourquoi veux-tu qu'elle en ait ? s'enquit Imogène.

— Elle pourrait parfaitement le trouver à son goût. Je crois avoir remarqué…

— Tu n'as rien remarqué du tout ! coupa Teresa. M. Felton m'est parfaitement indifférent. Mais il a l'air d'un homme très convenable et agréable, tu as raison de vouloir l'épouser.

— Mais s'il t'avait embrassée, par exemple…

— Comme Josie l'a fait remarquer à Imogène, un baiser ne veut rien dire. Et s'il avait commis une telle incongruité – je dis bien « si », Josie, inutile de faire de commentaire ! –, donc si M. Felton m'avait embrassée, cela ne voudrait rien dire. C'est le comte de Mayne qui m'a demandée en mariage, n'est-ce pas ?

— Et j'ai remarqué qu'il indiquait très clairement ses intentions à son ami, ajouta Annabelle.

— Lequel ami n'a rien fait pour s'y opposer et n'a manifesté aucune contrariété !

— C'est visiblement un célibataire endurci. Il ne se mariera sans doute jamais, regretta Bella. Je ferais aussi bien d'y renoncer.

Teresa aurait aimé partager cette conviction, qui lui paraissait bien hasardeuse, mais à vrai dire, le mystérieux Lucius restait une énigme pour elle.

— Si Lucius Felton avait embrassé Tess sans lui demander sa main, reprit la cadette en observant attentivement sa sœur, je refuserais même de lui adresser la parole.

L'aînée se pelotonna sous les couvertures, les genoux au menton. Elle refusait de se l'avouer, mais la déclaration d'Annabelle la soulageait. Manifestement, personne ne se doutait de rien et elle était fiancée à un comte. Que demander de plus ?

— Moi, je trouve Mayne beaucoup plus séduisant que M. Felton, décréta Josie.

— Je suis entièrement de ton avis ! renchérit Bella.

Il fallut un moment à Tess pour réaliser que ses sœurs attendaient ses commentaires.

— Oh, moi aussi, bien entendu, murmura-t-elle enfin.

16

Tess avait laissé Annabelle mettre la robe de soie bleue qui lui faisait tellement envie, et portait le fourreau incarnat de sa cadette, au décolleté beaucoup plus sage. Le costume ne faisait rien à l'affaire, elle en était convaincue. Après tout, quand le comte lui avait demandé sa main, elle était vêtue de son vieux costume d'amazone démodé.

Ses sœurs n'étaient pas encore prêtes, et elle ne trouva personne dans le salon. Personne, sauf justement celui qu'elle voulait à tout prix éviter. Lucius Felton...

Il arborait une magnifique redingote en velours vert sombre, parfaitement assortie à son regard de fauve. Teresa ne comprenait pas comment Bella pouvait rester insensible à une telle personnalité. Il émanait de lui une autorité si tranquille, si assurée! Comme si l'air qu'on respirait lui appartenait...

— Des félicitations s'imposent, si j'ai bien compris, dit-il avec un petit sourire en s'inclinant.

— Vous connaissiez les intentions de votre ami, rétorqua Tess, qui détestait les faux-fuyants.

Felton ne pouvait les ignorer, et il s'était ostensiblement effacé pour lui laisser le champ libre.

— Bien entendu, et je suis très heureux pour vous deux.

— « Soulagé » serait peut-être plus exact.

Tess lui tourna le dos pour aller examiner le contenu d'une vitrine remplie de bibelots. Il la rejoignit.

— Vous avez refusé de m'épouser ! Je vous assure que je n'éprouve aucun soulagement !

— Oh ! je vous en prie ! Vous n'allez tout de même pas prétendre que votre proposition était sérieuse, et vous ne me semblez pas véritablement désespéré.

— C'est exact. Je ne suis pas désespéré, car je ne désespère jamais.

Malgré son visage indéchiffrable, elle commençait à comprendre Lucius Felton. Et il s'amusait beaucoup, elle en était convaincue.

Elle ouvrit la vitrine avec un peu plus de vigueur qu'il n'était nécessaire et, pour se donner une contenance, sortit l'une des boîtes en argent qu'elle contenait.

— C'est charmant ! murmura-t-elle.

— Vous parlez de ce coffret, ou de mes sentiments ?

— De la boîte, bien entendu.

— C'est une boîte de mariage. Du siècle dernier, je pense.

— Une boîte de mariage ? Qu'est-ce que c'est ? demanda-t-elle en considérant le bibelot orné de petites saynètes gravées.

— Il s'agit d'une vieille coutume, expliqua Felton en ouvrant le coffret doublé de velours usé. Le jeune homme l'offrait à la mariée, après l'avoir rempli de pièces d'or. Regardez ! Ici, poursuivit-il en désignant le couvercle, ils se tiennent par la main. Tandis que sur ce côté, il est probablement encore en train de la courtiser, puisqu'il est sous sa fenêtre. Peut-être lui donne-t-il la sérénade.

Teresa était profondément troublée de sentir Lucius si proche. Ses cheveux cendrés, d'ordinaire soigneusement ramenés en arrière, retombaient légèrement sur son front, et ses fortes mains, tannées par le soleil, étaient trois fois plus larges que les siennes. Il ne se parfumait pas, non, mais…

— Et ici, il s'agit probablement des débuts de leur vie conjugale. On dirait qu'ils prennent leur petit-déjeuner. Un cap difficile à passer, dit-il avec un petit sourire.

— Pourquoi donc ?

— Leur premier petit-déjeuner ensemble, voyons ! On le prend seul depuis des années et un beau matin, on se retrouve assis en face d'une épouse !

— Je n'ai jamais pris mes repas seule, remarqua Tess qui commençait à se demander où il voulait en venir. Mes sœurs font une compagnie très animée, croyez-moi.

— Le premier petit-déjeuner des époux doit être plutôt silencieux, j'imagine. Ils sont sans doute très fatigués, sourit-il en se penchant comme pour regarder plus attentivement. C'est peut-être mon imagination, mais il me semble que la jeune femme n'arrive même pas à se tenir droite !

Teresa comprenait maintenant ce qu'il avait en tête, mais il en fallait plus pour lui faire perdre contenance.

— Vous avez certainement raison, admit-elle calmement. Le jour de son mariage doit être le plus fatigant de sa vie !

— Et ici, poursuivit-il imperturbablement, il s'agit d'une allégorie.

Elle se pencha, et ne distingua qu'une foule de lapins s'ébattant dans un champ.

— C'est un symbole de fertilité. Les lapins sont connus pour leurs qualités de reproduction.

— Pauvre femme ! murmura Tess.

— Vous ne désirez donc pas d'enfants, mademoiselle ? s'enquit ironiquement Lucius en rangeant le coffret dans la vitrine.

— Pourquoi m'avez-vous embrassée, l'autre jour, dans les ruines ? demanda-t-elle impulsivement.

Interdit, il s'arrêta dans son geste.

— Est-ce que toutes les Écossaises vous ressemblent ?

— Bien entendu, répliqua-t-elle avec hauteur, comme elle l'avait vu faire à Griselda.

— J'en avais envie, ma chère demoiselle. Je mourais d'envie de vous embrasser, tout simplement. Je sais bien qu'un gentleman ne doit pas céder à de telles impulsions, mais...

Immobile comme une statue de sel, Teresa retenait son souffle.

Il posa les mains sur ses épaules, se pencha vers elle et posa les lèvres sur les siennes.

Mon Dieu, qu'il était exaspérant !

Tess avait toujours pensé que les hommes ressemblaient aux chevaux, et qu'on pouvait facilement deviner leurs sentiments. Elle savait immédiatement si son père était content, fatigué ou irrité, avant même qu'il n'ait ouvert la bouche. Felton, par contre, était imprévisible.

Cependant, ses lèvres étaient très éloquentes... Elle le sentait frémir d'une émotion inconnue. Du désir ? Elle savait peu de chose sur ce chapitre, mais le baiser de Lucius la consumait d'une ardeur inconnue.

Elle était éblouie, la tête lui tournait... et elle était dévorée de curiosité. Elle ouvrit la bouche pour poser les questions qui la tourmentaient depuis plusieurs jours. « Pourquoi m'embrassez-vous » ? Ou plutôt : « Pourquoi embrassez-vous la fiancée de votre ami » ? Et surtout : « Pourquoi ne m'avez-vous pas retenue » ?

La réponse était là, sur les lèvres de Lucius. Elle pouvait y sentir tout ce que son visage refusait de révéler, l'attirance, la tendresse même qu'il éprouvait pour elle, et ce désir farouche qui la chavirait.

— Tess... murmura-t-il d'une voix étranglée par l'émotion. Tess !

— Oui ?

Lucius ne savait plus ce qu'il voulait lui dire.

Il devait lui promettre de ne plus jamais recommencer, de ne plus jamais l'embrasser... Il n'en avait pas le droit ! Il était un homme d'honneur, et elle une jeune fille convenable...

Mais devant ce regard si ardent, les mots moururent sur ses lèvres.

— Je ne peux vous offrir ce que vous méritez, articula-t-il enfin en se retenant pour ne pas l'enlacer à nouveau. J'ai déjà demandé la main d'une demoiselle, par le passé, mais je me suis aperçu à temps que je n'étais pas fait pour le mariage.

— Vous êtes amoureux d'une autre ?

Il n'y avait plus trace de ce plaisir sauvage qu'il avait cru lire un instant plus tôt sur le visage de Teresa. Elle lui posait une question sur le ton de la conversation, comme elle se serait informée de ses préférences entre les carottes et les navets.

— Un tel sentiment m'est inconnu. Je n'ai pas un tempérament passionné, et une femme comme vous attend d'un homme un amour aussi sincère que passionné.

C'était elle, maintenant, qui tournait vers lui un visage impénétrable. Lui mourait d'envie de jeter par-dessus les moulins ses principes et ses bonnes résolutions, de la prendre dans ses bras, de l'enlever au comte, de l'épouser et de la garder pour lui seul.

— Ne vous inquiétez pas, je n'ai jamais dit que j'étais prête à devenir votre épouse. J'ai même refusé, si je me souviens bien, répondit-elle en souriant.

Profondément meurtri, Lucius se raidit. Il venait de lui avouer ses craintes les plus intimes, notamment celle d'être incapable de sentiments profonds, et voilà qu'elle se moquait de lui !

— Qu'est-ce qui vous fait croire que toutes les jeunes filles ne rêvent que de vous épouser ?

Une fossette creusait sa joue, les coins de sa bouche frémissaient légèrement... Elle paraissait s'amuser comme une petite folle ! Bouillant de rage, il se retint de lui faire passer d'un nouveau baiser toute envie de rire.

— Pardonnez mon erreur ! gronda-t-il d'une voix contenue. Les jeunes personnes mettent rarement autant d'ardeur à embrasser le premier venu. En Angleterre, nous avons manifestement des mœurs beaucoup plus guindées que nos voisins du nord.

Le cœur de Tess battait à tout rompre. Elle faisait un tel effort pour ne pas laisser ses sentiments transparaître sur son visage qu'elle en étouffait.

— Il est effectivement peu probable qu'une Écossaise vous demande de l'épouser, cher monsieur. Heureusement, vous trouverez aisément de jeunes Anglaises heureuses de s'en charger, ironisa-t-elle en lui tapotant le bras d'une manière protectrice des plus agaçantes.

— Je comprends mon erreur, grinça Lucius en s'inclinant, et je vous prie de pardonner mon inqualifiable grossièreté !

— J'ai peur que le comte de Mayne n'apprécie guère vos amabilités envers sa future femme.

— Je lui présenterai mes excuses, à lui aussi.

Teresa étouffait de rage. Comment osait-il lui déclarer, immédiatement après l'avoir embrassée, qu'il n'était pas fait pour la vie conjugale ? Ainsi, il ne la désirait pas vraiment ! Tout ce qu'il voulait, c'était qu'elle n'appartienne pas à un autre. Et si le fait d'épouser le comte constituait pour elle le seul moyen d'assurer son avenir et celui de ses sœurs, peu lui importait !

— Ne prenez pas cette peine. Vous pensez bien que je n'ai jamais pris vos avances au sérieux, et que j'ai déjà oublié ce geste déplacé, répliqua-t-elle avec hauteur en se dirigeant vers la porte.

— Dois-je ou non informer mon ami que sa fiancée n'a pas des mœurs irréprochables, et qu'elle se laisse embrasser par le premier venu ? C'est un véritable cas de conscience, vous ne croyez pas ?

La menace dans sa voix n'avait pas échappé à Tess, qui se retourna d'un bond. Avec ses joues empourprées de colère, ses yeux qui lançaient des éclairs, sa poitrine haletante, elle était splendide.

— Faites ce qu'il vous plaira !

— Vraiment ? Ce qu'il me plaira, Tess ? murmura-t-il en la rejoignant.

— Ce qui vous chante ! le défia-t-elle, s'apercevant trop tard du double sens de sa question.

Tous deux savaient parfaitement ce qui allait suivre. Lutter était inutile.

— Je vais vous montrer ce qui me plairait…

— Pourquoi pas ? chuchota-t-elle.

Lentement, il l'attira contre lui. Dès que la bouche de Lucius se posa sur la sienne, tout le corps de Teresa s'embrasa. Le plaisir était si intense qu'il oblitérait toute autre sensation. Si le visage de Felton ne révélait jamais ses sentiments, ses lèvres savaient les exprimer de façon limpide. Elles lui criaient sa colère, sa frustration, son désir ardent aussi.

C'était toutefois la frustration qui l'emportait. Il voulait la punir, comme s'il devinait que ce baiser reviendrait la hanter pendant de longues nuits. Mais la punir de quoi ?

— Je ne voulais pas vous blesser, souffla-t-elle malgré elle.

Elle sentait sous ses doigts le cœur de Felton qui battait à se rompre, mais son visage restait impénétrable, comme d'habitude.

— Vous ne m'avez pas blessé.

Grâce à lui, Teresa venait de comprendre que les baisers ne mentent pas. Elle le savait maintenant, comme elle savait avec certitude que cette faiblesse dans les jambes et ce souffle court annonçaient des ennuis.

— Je comprends vos raisons de rester célibataire, ajouta-t-elle en se dégageant.

Sans un mot, impassible, il s'inclina sur sa main, en homme du monde accompli.

La porte s'ouvrit à cet instant sur lady Griselda et un flot de paroles.

— Tess, ma chérie, vous allez être tellement déçue ! Mon frère a dû partir précipitamment pour Londres, mais il va faire de son mieux pour nous revenir à temps pour la petite fête de ce soir.

— Quelle fête ? s'enquit Teresa, pas le moins du monde affectée par le départ de son fiancé.

— Oh! un petit divertissement intime, juste entre nous, ne vous inquiétez pas! Avec les Maitland, bien entendu. J'ai demandé à Brinkley de nous trouver un trio. Comme cela, nous pourrons danser!

Des laquais s'affairaient déjà dans le grand salon. Teresa se souvint des déclarations de Griselda à propos de la valse, et de ses intentions de pousser Felton dans les bras d'Annabelle. Le soulagement qu'elle éprouva en se remémorant la décision de sa sœur de ne pas épouser Lucius lui parut totalement déplacé.

L'intéressé s'était approché d'une fenêtre et contemplait la cour où la nuit commençait à tomber. Elle distinguait le reflet de son visage sur la vitre obscurcie. Un visage austère, mais honnête et plein de lucidité, celui d'un homme taciturne, appréciant la retenue et possédant un grand respect des convenances.

Certainement pas celui d'un ange, même déchu, comme elle se l'était imaginé au cours de leur première rencontre.

17

Le grand salon bruissait d'activité. Lady Clarice s'extasiait sur le réticule de sa future belle-fille tandis qu'Imogène, au bras de Raphaël, levait vers son tuteur un regard plein d'adoration, sans doute pour suivre les recommandations d'Annabelle et rendre Maitland jaloux. Le duc, quant à lui, paraissait au désespoir. Imogène ne faisait jamais les choses à moitié.

— Je vous ai préparé une surprise ! annonça lady Griselda. Un petit orchestre ! Nous allons danser ! « La danse est la nourriture des dieux », comme disait Shakespeare. Ou était-ce la musique ? Je ne me souviens plus…

— Éclairez-nous, ma chère enfant, pria lady Clarice en se tournant vers Mlle Pythian-Adams.

— *Si la musique est la nourriture de l'amour, jouez donc !* cita obligeamment l'Encyclopédie vivante. *La Nuit des rois.*

— Votre culture est vraiment sans défaut !

— *Prodigue-m'en sans compter, que j'en sois rassasié, et que mon appétit s'éteigne !* Toujours *La Nuit des rois* ! poursuivit-elle en se tournant vers sa future belle-mère.

Contrairement aux jours précédents, elle ne quittait pas son fiancé d'une semelle.

— Vous seriez merveilleux dans le rôle d'Orsino, dit-elle à Maitland. Dès que nous serons mariés, je mettrai en scène la pièce, et vous tiendrez le rôle principal.

— Je n'ai pas beaucoup de mémoire, vous savez, objecta Draven.

— C'est une question d'entraînement ! Je connais le rôle du duc Orsino par cœur, je vais vous l'apprendre ! lança Gillian en poursuivant sa déclamation.

Teresa commençait à comprendre sa nouvelle stratégie. Elle avait décidé d'utiliser l'artillerie lourde pour dégoûter son fiancé et le pousser à rompre enfin ses fiançailles.

— Je vous ferai apprendre votre rôle tous les après-midi, et après le dîner aussi. Vous verrez, au bout d'un ou deux mois, cela vous viendra tout naturellement.

Maitland considéra sa future épouse d'un œil torve, puis le son des instruments qu'on accordait vint détourner l'attention de Tess.

— Nous ne pouvons pas danser avant le dîner ! protesta lady Clarice.

— Et pourquoi pas ? Il ne faut jamais avoir peur de bousculer ses habitudes, ma chère ! C'est bon pour les vieilles dames, et l'âge viendra bien assez tôt !

Lady Clarice lui adressa une mimique qui, chez les chacals, aurait pu passer pour un sourire cordial.

— Pouvez-vous m'expliquer ce que fabrique votre sœur ? chuchota fébrilement le duc en buvant son premier cognac de la soirée.

— Je ne vois pas du tout ce que vous voulez dire, répondit Tess, en ouvrant de grands yeux.

— Vous le savez très bien ! Je ne suis quand même pas un imbécile !

À l'autre bout de la pièce, Imogène minaudait en agitant la main à l'intention de son tuteur.

— Je n'ai jamais dit ça ! Mais je n'ai rien remarqué d'extraordinaire, je vous assure ! protesta Tess en retenant son fou rire.

— Faites-la cesser, je vous en prie ! implora Raphaël. Je n'en peux déjà plus !

— Je ne peux pas !

Après tout, le duc était leur tuteur. Il pouvait bien s'associer à leur plan pour protéger Imogène.

— Et pourquoi donc ?

— Je veux la séparer de Maitland, expliqua-t-elle à voix basse.

— Et pour ça, il faut qu'elle me persécute ? Je me fais l'effet d'une dinde farcie dans laquelle elle va planter sa fourchette !

— Dites-vous que c'est votre devoir de tuteur ! Il faut qu'elle sauve la face vis-à-vis de lord Maitland, ajouta-t-elle comme il allait protester. Lady Clarice n'apprécie pas du tout les sentiments que ma sœur porte à son fils.

Raphaël comprenait vite, mais il fallait quand même tout lui expliquer ! Il poussa un profond soupir qui pouvait passer pour un assentiment résigné et s'éloigna en traînant les pieds. Pour rejoindre Imogène, espéra Tess.

Il n'y avait pas assez de cavaliers pour toutes les jeunes filles, et Teresa regarda sans ennui les couples virevolter. Griselda les avait formés sans rien laisser au hasard.

N'ayant aucune envie de déclarer la guerre à lady Clarice, elle avait sagement poussé Draven dans les bras de sa fiancée, qui du coup montrait un goût des plus modérés pour la danse.

Le duc, résigné, avait été mobilisé pour faire danser Imogène, qui faisait la roue comme un paon, en susurrant avec des mines suggestives des paroles inintelligibles à l'oreille de son tuteur, qui avait apparemment décidé de prendre son mal en patience.

Et bien entendu, fidèle au principe selon lequel, si l'on voulait gagner la guerre, il fallait se mettre en campagne le plus tôt possible, elle avait pris la main d'Annabelle pour la conduire avec détermination vers M. Felton, qui s'était incliné devant sa cavalière en parfait gentleman avant de l'entraîner dans une valse romantique.

La jeune fille, plus éblouissante que jamais, rayonnait littéralement. Bien sûr, avec ses sœurs, elle avait souvent tenté d'apprendre les pas des danses à la dernière mode. Malheureusement, quand on ne connaît pas les mélodies, qu'on ne dispose d'aucun musicien, et qu'on n'a même jamais vu personne les exécuter, de telles tentatives, pour méritoires qu'elles soient, sont vouées à l'échec.

Lucius, malgré son tempérament taciturne, était un homme du monde accompli, et un merveilleux danseur. Il guidait sa partenaire avec une légèreté et une autorité qui rendaient la leçon particulièrement aisée pour une apprentie danseuse.

Annabelle faisait une excellente élève, si bien qu'en peu de temps, elle virevoltait avec la grâce consommée d'une danseuse chevronnée. Elle semblait aux anges, et arborait un sourire éblouissant.

Elle était également très en beauté, même si sa tenue et son attitude n'étaient pas vraiment celles qui convenaient à une débutante modeste et timide.

Sa poitrine semblait sur le point de jaillir de son corsage et, à en croire les mimiques enjôleuses qu'elle adressait à Felton, elle avait dû changer d'avis et revenir à son idée première de s'en faire épouser.

— Nous danserons encore après le dîner, et vous pourrez vous joindre à nous. D'ici là, mon frère sera peut-être revenu de Londres, dit lady Griselda à Teresa d'un air entendu.

Tess comprit tout à coup la raison de cette absence imprévue. Le comte était allé chercher une bague de fiançailles, une bague qui venait de sa famille, sans doute. Le signe qui montrerait à tous que, maintenant, elle lui appartenait. Le symbole du lien qui les unissait désormais, et de leur affection mutuelle...

Elle s'éclipsa discrètement.

Comme elle aurait aimé pouvoir rentrer à la maison et retrouver la vie simple qu'elle et ses sœurs menaient en Écosse, quand elles n'avaient pas de robes de soie pour transformer Annabelle en sirène aguichante capable de séduire n'importe quel homme, et M. Felton en particulier! Les larmes lui montèrent aux yeux. Le bruit de la musique s'enfla, et elle comprit que quelqu'un sortait du salon.

Elle ouvrit la première porte venue, et se retrouva dans un salon de musique où trônaient une harpe, un violoncelle et un clavecin. Elle alla s'asseoir dans une petite alcôve près de la fenêtre et appuya la tête contre les épais rideaux de velours.

Pourquoi pleurer? Elle s'apprêtait à épouser un homme que sa beauté fascinait et qui estimait sa personnalité ainsi que ses qualités d'écuyère. C'était plus qu'il n'en fallait pour réussir un mariage solide. Et si les compliments fleuris de Mayne lui donnaient parfois l'air d'un poseur vaniteux, quelle importance, après tout ?

Mais comment épouser un poseur vaniteux ?

Elle tenta de se reprendre. Il ne fallait pas oublier quelle chance elle avait, et si tout se passait bien, ses sœurs aussi feraient de beaux mariages. Elle n'allait tout de même pas pleurer parce qu'Annabelle épouserait sans doute l'homme le plus riche d'Angleterre !

Malgré elle, les larmes ruisselaient sur ses joues lorsqu'elle entendit la porte s'ouvrir. Elle tira précipitamment les rideaux pour se dissimuler, en espérant que l'intrus ne ferait que jeter un coup d'œil dans la pièce avant de s'en aller.

La porte se referma, des pas retentirent dans le silence, puis l'écho de la harpe qu'on frôlait. En retenant sa respiration, Tess essuya ses larmes. Elle aurait volontiers passé ici le reste de la soirée. Regarder Annabelle séduire M. Felton était décidément agaçant. Agaçant, rien de plus.

Elle bondit sur ses pieds quand une main écarta légèrement les tentures.

Elle aurait dû s'en douter ! Qui d'autre l'aurait poursuivie jusqu'ici ?

— Bonsoir, dit simplement Lucius en plongeant dans le sien son regard vert.

Elle garda un silence plein d'hostilité.

— Vous devez penser que je vous suis partout.

Tout à coup, Tess se sentit revivre, comme si son sang venait de se remettre à courir dans ses veines. La tête lui tournait légèrement.

— Vous vous attendez sans doute à ce que je vous embrasse, poursuivit-il.

— Je serais en droit de m'imaginer que c'est là votre passe-temps favori, cher monsieur, répliqua-t-elle enfin.

— Effectivement !

Il paraissait tout à coup moins indifférent, moins sûr de lui aussi. Sa repartie l'étonnait, apparemment.

Il s'approcha d'elle, aussi silencieux qu'un chat, et Teresa recula contre le mur. Il était tout proche maintenant, et elle fit de son mieux pour calmer sa respiration devenue haletante. Il n'était néanmoins pas question de baisser les yeux !

— Je ne vous embrasserai plus, Tess ! Je ne voudrais pas que cela devienne une habitude, de toute façon. Et vous appartenez à un autre…

— Vous avez raison, l'habitude engendre souvent la lassitude, murmura-t-elle en détournant le regard pour cacher sa déception.

— Vous avez accordé votre main à un autre, répéta-t-il.

La porte s'entrebâilla de nouveau. Immédiatement, Lucius se glissa à côté de Tess et laissa retomber le rideau derrière lui.

Une voix féminine s'éleva dans la pièce. Ce salon semblait décidément plus fréquenté que le Mall au moment de la relève de la Garde, mais Lucius s'en moquait éperdument. La nuit était tombée maintenant, il faisait très sombre, pourtant il distinguait sans peine le visage de sa compagne et devinait les longs cils ombrageant sa peau nacrée.

Tout doucement, il se pencha et colla les lèvres contre son oreille.

— Bien entendu, rien ne vous empêche de m'embrasser.

Trop intéressée par la conversation de l'autre côté du rideau, Teresa ne releva pas.

— Allez-vous me dire enfin pourquoi vous m'avez traîné ici, mademoiselle ? demandait la voix de Draven Maitland. Ma mère désapprouverait vivement un tel tête-à-tête !

— Je viens de vous le dire ! Il fallait absolument que je vous parle, répliqua Gillian.

Un profond soupir lui répondit.

— Je vous suggère, poursuivit Gillian sans sourciller, d'expliquer à lady Clarice que nous ne sommes pas faits l'un pour l'autre.

— Nous n'allons pas si mal ensemble, rétorqua Maitland, que la question n'intéressait visiblement pas. Avec le temps, nous nous entendrons très bien. Vous avez votre Shakespeare et… tous les autres, et moi j'ai les chevaux et les courses. Je préférerais que vous parliez moins de poésie, effectivement, pendant les repas du moins, car cela trouble ma digestion. Mais ailleurs, cela m'est égal.

— Nous ne serions pas heureux ensemble. Moi, en tout cas, je serais malheureuse.

— Dans ce cas, vous feriez mieux de rompre, remarqua le jeune baron après un instant de silence.

— C'est impossible, vous le savez aussi bien que moi ! Votre mère possède une hypothèque sur les biens de mon père !

— Ma mère m'a dit clairement qu'elle me couperait les vivres si je refusais de vous épouser. Je suis désolé, ma chère, mais j'ai bien peur que nous soyons condamnés à l'autel.

— Enfin, milord…

— Il n'y a rien à ajouter, coupa-t-il. Je n'ai aucune objection à faire de vous ma femme, c'est ce que j'ai expliqué à ma mère quand elle vous a choisie. Et vous avez accepté ma demande ! Il ne nous reste donc plus qu'à aller jusqu'au bout, si vous ne voulez pas que la situation devienne déplaisante.

— Vous n'avez donc aucune sensibilité ? s'insurgea Mlle Pythian-Adams.

— Aucune, rétorqua placidement Draven.

— Vous seriez dix fois plus heureux avec Imogène Essex. Elle partage votre passion des chevaux, et elle est éperdument amoureuse de vous !

— J'ai remarqué ! lança Maitland en bombant le torse. Mais il lui faudra chercher une autre victime.

— Cela ne vous ennuie pas ?

— Pas le moins du monde.

Si seulement Imogène avait pu entendre ! Draven était parfaitement sincère. Il aurait vu la jeune fille épouser un autre homme avec la plus complète indifférence.

— Elle a des chevaux en guise de dot, tenta Gillian. Je n'y connais rien, mais j'imagine que ce sont des bêtes superbes, et célèbres, qui feraient honneur à votre écurie !

— Assez ! s'exclama Draven. Ma mère tient beaucoup à ce mariage, et Imogène a beau être très belle, elle ferait une épouse épuisante. Je ne supporte les sentiments violents qu'à petites doses. Vous et moi irons très bien ensemble. Imogène demanderait que je réponde à son affection.

Lucius posa un doigt apaisant sur la bouche de Tess, qui était prête à exploser.

Mais Gillian Pythian-Adams jouait son avenir, et ne comptait pas s'avouer battue si facilement.

— Vous n'avez pas honte de faire tout ce que dit votre mère, comme un petit toutou docile ! s'emporta-t-elle, vibrante de mépris. Si vous croyez que je vais accepter une femmelette que sa maman mène par le bout du nez!

— Je ne savais pas que vous pouviez vous montrer acariâtre! protesta Maitland, piqué au vif.

— Vous n'imaginez pas à quel point! Et ce n'est pas le fait d'épouser un lâche comme vous qui va améliorer mon tempérament! Le seul moyen de calmer une mégère, c'est de lui céder! Et quand je tiendrai les cordons de la bourse, je vous obligerai à renoncer aux courses et aux paris! Je suis certaine que votre mère me laissera diriger la maisonnée à ma guise! Elle ne jure que par moi!

On aurait entendu voler une mouche. Le baron devait être totalement abasourdi.

— Cette pauvre, chère lady Clarice! reprit ironiquement Mlle Pythian-Adams. Quelle étrange situation: une douairière qui contrôle toutes les sources de revenus bien après la majorité de son fils! C'est pour le moins inhabituel. Cela dit, personne ne peut critiquer votre père pour avoir pris de telles dispositions. Et votre mère est visiblement du même avis. Elle a certainement des doutes sur votre capacité à garder ne serait-ce que deux guinées en poche sans les perdre aux courses!

— Ainsi, toutes vos simagrées et ce fatras de poésies ne servent qu'à cacher votre véritable tempérament!

Draven semblait aussi indigné qu'ahuri. Felton, quant à lui, pouffait de rire.

— Vous... Vous m'avez trompé!

— Puisque vous ne me laissez d'autre choix que la pédanterie ou les criailleries, devinez ce que je choisirai après notre mariage? Vous avez encore le temps d'y réfléchir, mais je vous conseille de faire vite!

Là-dessus, la porte s'ouvrit et se referma sur des petits pas rapides.

— Vous croyez qu'ils sont sortis tous les deux ? chuchota Lucius à l'oreille de Tess.

Il la tenait serrée contre lui. Elle sentait à travers la fine mousseline de son corsage la chaleur de sa main sur son dos, mais n'avait aucune envie de se dégager.

— Chut ! souffla-t-elle pour prolonger cette attente délicieuse.

Un instant plus tard, un bruit de pas pressés et le gémissement d'une harpe que l'on heurtait se firent entendre, puis la porte claqua et le silence retomba pour de bon cette fois.

Felton lâcha Tess sans pour autant faire mine de s'écarter ou d'ouvrir les rideaux de la fenêtre.

— Voilà une union qui ne s'annonce pas sous de très bons auspices, remarqua-t-il malicieusement. Mlle Pythian-Adams ne paraît pas accorder à son futur époux plus de bon sens qu'à un enfant de dix ans.

— On ne peut pas la blâmer ! Si je pouvais être certaine que Maitland ne se rabatte pas sur ma pauvre sœur, je serais ravie pour elle !

— Mon Dieu ! Notre paisible demoiselle Essex cache une brillante stratège ! Qui l'eût cru ?

— Je n'ai rien d'une stratège, protesta Teresa.

— Mais si ! répliqua-t-il avec un petit sourire. Vous êtes une observatrice née ! Vous remarquez tout, vous pensez toujours aux autres, vous organisez. Cependant, en ce qui vous concerne, vous ne prenez jamais part à la mêlée.

— Je peux difficilement prendre vos remarques comme un compliment ! objecta Tess en s'apprêtant à écarter le rideau.

Lucius l'arrêta avant qu'elle n'ait pu finir son geste et lui saisit les deux mains pour les porter à ses lèvres.

Elle se sentit défaillir.

— Je me trompe ? demanda-t-il doucement.

— Bien sûr !

— Vous ne vous contentez pas de prendre les choses comme elles viennent ? Mes baisers, la demande de Mayne...

— Que pourrais-je faire d'autre ? Je ne comprends pas quel obscur motif vous pousse à me poursuivre ! Vous n'avez montré aucun véritable désir de m'épouser, alors que le comte veut que je devienne sa femme !

— Pour un autre obscur motif qui vous échappe ! murmura Lucius en couvrant ses paumes de baisers.

— Peut-être. Cependant, je suis l'aînée, et il est de mon devoir de me marier le plus rapidement possible pour laisser le champ libre à mes sœurs pour la Saison. Cela relève du simple bon sens, et non d'une quelconque léthargie. Vous voudriez que je suive je ne sais quelles impulsions romantiques ? Ce n'est pas du tout dans ma nature, figurez-vous ! assura-t-elle en lui retirant ses mains.

Cette fois, il ne la retint pas.

Tess s'éloigna précipitamment, les mains encore brûlantes de ses baisers, avec la sensation du regard sombre de Felton qui la transperçait.

— Je ne sais pas ce que vous attendez de moi, lança-t-elle, exaspérée, depuis le pas de la porte. Vous auriez voulu que j'aille pleurnicher sur l'épaule de Raphaël pour un baiser donné à la va-vite au cours d'un pique-nique ? Je ne suis plus une enfant, figurez-vous ! Et vous ne vous attendiez tout de même pas à ce que je considère sérieusement votre demande en mariage de circonstance ?

— Si vous aviez envie de m'épouser, pourquoi pas ?

— Votre proposition n'avait rien de sincère !

— C'est donc ce qui motive votre choix ? L'enthousiasme, la sincérité ? Vous acceptez mes baisers parce que je vous les donne avec enthousiasme, et vous acceptez la demande en mariage de Mayne parce que…

Il s'arrêta net.

— Exactement ! Il a vraiment envie que je partage sa vie. Vous avez sans doute beaucoup d'illusions sur la liberté dont dispose une femme pour choisir son avenir, cher monsieur ! Quant à moi, il me semble que c'est le mieux que je puisse faire ! Reconnaître la sincérité des hommages qu'on m'accorde, et choisir l'homme qui me les présente.

Tess était peut-être une observatrice née, comme il le prétendait, mais le petit sourire qui jouait sur les lèvres de Lucius lui échappa totalement.

18

S'il y avait un être au monde qu'Imogène aimait encore plus que Draven Maitland, c'était sa jument, Violette. Un temps, Violette avait été la favorite de leur père. Elle reconnaissait son pas et couchait les oreilles en écoutant les mots affectueux qu'il lui chuchotait. Il lui expliquait comme elle était belle et comment elle allait devenir célèbre et les rendre tous riches… Malheureusement pour lui, le vicomte avait rapidement perdu ses illusions au sujet de Violette. Elle aimait le trot, et pas le galop, surtout pendant les courses. En un mot, elle était paresseuse ou plutôt, comme disait Tess, elle n'avait aucun goût pour la compétition.

— Ça ne l'intéresse pas ! avait constaté le vicomte d'un air dégoûté après une course que la jument avait courue en dilettante.

Après cela, elle avait dû se contenter d'une tape distraite sur le nez quand il passait devant son box. Jamais il n'avait remarqué comme le regard de Violette s'attristait en le voyant câliner Balladino, un grand alezan sur lequel il avait reporté tous ses espoirs.

Imogène avait attendu que Balladino remporte sa première course pour demander à prendre Violette pour elle. Au comble de la félicité, son père avait immédiatement accepté, et en quelques semaines la jeune fille avait gagné l'affection indéfectible de la jument.

Les pur-sang sont souvent mesquins. Imogène avait remarqué que Patchem, la perle de leur écurie, l'observait par en dessous. L'étalon lui faisait peur, et il le savait. Il attendait patiemment et, au moment où elle relâchait sa vigilance, il lui donnait un coup de tête au passage, ou attrapait ses vêtements entre ses grandes dents jaunes. Violette, elle, n'avait aucune méchanceté. Elle aimait poser la tête sur l'épaule d'Imogène et lui souffler doucement dans le cou.

En un mot comme en cent, la jeune fille adorait son cheval, qui le lui rendait bien.

— Ma petite Violette, murmura-t-elle en enfouissant son visage dans la crinière de la jument.

— Voulez-vous que je la selle, mademoiselle ? demanda Ridley, le premier écuyer, un homme jovial au sourire édenté.

— S'il vous plaît.

— J'appelle un lad pour vous accompagner.

— Pour quoi faire ? J'ai l'habitude de monter seule.

— À Londres, il n'en serait pas question, bien entendu, expliqua le valet après un temps de réflexion. Une jeune demoiselle ne peut pas sortir seule. Évidemment, si vous restez sur les terres de Sa Grâce, vous ne rencontrerez personne. Je serais cependant plus tranquille si un garçon d'écurie vous accompagnait. Ou peut-être votre femme de chambre ?

— Je ne veux personne, affirma fermement Imogène. J'aime sortir seule.

Les premières gelées avaient fait leur apparition au cours de la nuit, et elle comptait sur la fraîcheur matinale pour oublier un temps lady Clarice, Mlle Pythian-Adams, et la passivité de Draven.

Ridley s'inclina à contrecœur.

— Nos terres, expliqua-t-il fièrement, s'étendent vers le sud aussi loin que porte la vue. Vers l'ouest, elles vont jusqu'à ce petit bois. Derrière, c'est le domaine des Maitland. Mais surtout, ne partez pas au nord ! Les berges de la Wooly sont escarpées et le plus souvent dissimulées par des fourrés. Nous avons eu des accidents avec des hommes qui ne connaissaient pas son tracé. Si vous me dites dans quelle direction vous comptez aller, je pourrais envoyer quelqu'un si vous tardiez à revenir.

— Je vais aller vers l'ouest, concéda Imogène, et serai de retour dans une petite heure. Violette n'aime pas le froid.

C'était l'ouest, vers Draven, que la menait son cœur.

— Vous aussi, vous serez gelée si vous vous attardez, remarqua l'écuyer en l'aidant à se mettre en selle.

— Rassurez-vous, tout ira bien, assura Imogène en souriant.

— Quand même, je serais plus tranquille si vous étiez accompagnée ! Ne vous éloignez pas trop, mademoiselle.

La jeune fille traversa un champ, puis suivit un sentier qui filait droit vers le petit bois que lui avait désigné Ridley. L'air était glacé, mais le ciel d'un bleu limpide promettait une belle journée.

Violette avait le pied sûr ; elle trottait tranquillement dans l'herbe gelée. Imogène se laissa aller à ses pensées.

Bien entendu, elle pourrait vivre sans Draven, mais tellement plus mal ! Sans lui, elle se sentait incomplète.

Il était tout pour elle. Il était tellement beau que la tête lui tournait quand elle le regardait. Et si intelligent ! Elle pouvait l'écouter parler pendant des heures de chevaux, de son écurie ou de courses… en un mot de tout ce qui l'ennuyait à mourir dans la bouche de son père.

Elle mit la jument au petit galop pour s'engager sous les arbres. Elles allaient arriver sur les terres des Maitland. Le cœur d'Imogène battait la chamade. Violette secoua sa crinière en renâclant. Visiblement, elle commençait à en avoir assez.

— Encore un petit moment, ma belle, murmura sa maîtresse en lui flattant l'encolure.

La jument était en sueur, et il était effectivement temps de rentrer avant qu'elle ne prenne froid. Il n'y avait rien à voir, de toute manière. Pas de Draven en vue, juste un château entouré d'un jardin à la française. Tout ici évoquait richesse et vieille aristocratie. Tout montrait qu'une fille de hobereau ruiné comme elle ne pouvait faire une épouse convenable pour Draven.

Elle poussa jusqu'à la limite du parc. L'an dernier, elle avait lu un roman où l'héroïne marchait sous la pluie jusqu'au château voisin. Elle arrivait malade, ce qui obligeait le châtelain à la garder de longues semaines, pendant lesquelles il tombait amoureux d'elle, alors qu'elle était pauvre et issue d'une famille modeste.

Malheureusement, Imogène possédait une santé de fer et n'avait jamais été malade depuis sa petite enfance. De toute façon, elle était convaincue que si elle tombait malade à Maitland Hall, lady Clarice s'empresserait de la mettre dans une voiture et de la renvoyer à Raphaël sans autre forme de procès.

Violette manifesta son impatience en grattant le sol gelé puis, comme sa maîtresse ne semblait pas lui prêter grande attention, elle hennit énergiquement.

— Arrête! Ridley serait choqué de ta conduite! Tu es une jument de grande maison, maintenant.

Le cheval rua légèrement en guise de réponse, ce qui n'impressionna nullement sa cavalière, mais lui donna une idée.

Une entorse! Si elle se blessait en tombant, lady Clarice serait bien obligée de la recevoir. Elle n'avait pas besoin de se faire vraiment mal, d'ailleurs.

Elle songea que Tess n'approuverait jamais une telle initiative, et la blâmerait sévèrement si elle mettait son idée à exécution.

Mais le visage de Draven vint danser devant ses yeux. Il l'avait regardée si tendrement, la veille au soir, pendant qu'ils dansaient! Si seulement elle pouvait passer plus de temps avec lui, elle était certaine de parvenir à s'en faire aimer, même si Mlle Pythian-Adams était absolument ravissante.

Elle relâcha les rênes et Violette en profita pour se cabrer bien haut, en bon pur-sang fantasque qu'elle était! Imogène la retint fermement, puis lui lâcha la bride brusquement.

Une seconde plus tard, elle prenait son envol et atterrissait rudement sur le sol durci par le gel.

Elle comprit tout de suite qu'elle n'aurait pas besoin de jouer la comédie: sa cheville la brûlait comme si on avait versé de l'huile bouillante dessus. Violette s'approcha, penaude.

— Va! Va chercher de l'aide au château!

La jument la renifla, hésita, puis obéit et trottina en direction de Maitland Hall.

Imogène avait vraiment très mal. Avec mille précautions, elle se redressa en s'efforçant d'ignorer la douleur qui irradiait jusque dans son genou.

Elle distinguait maintenant une certaine agitation devant le château. Un laquais en livrée traversait le jardin en courant. Elle essaya de lui faire signe et de crier, mais sa voix ne portait pas assez loin. L'homme fit demi-tour et retourna vers la demeure au pas de course.

Imogène eut soudain un peu honte. Une fois de plus, elle avait agi sur une impulsion. Elle était dotée d'un tempérament fougueux, comme disait son père, ce qui n'était peut-être pas un compliment, après tout.

En tout cas, si cela ne lui servait pas de leçon, elle ne deviendrait jamais adulte.

19

— Ma mère est au salon, indiqua lord Maitland en passant, avec Imogène dans les bras, devant une rangée de domestiques ébahis.

La jeune fille se laissa aller contre son épaule. Comme il était vigoureux ! Il l'avait soulevée comme une plume. Jamais elle n'avait touché étoffe plus soyeuse que le cachemire de sa redingote, et son parfum doux et viril l'enivrait !

Il fallait absolument qu'elle grave dans sa mémoire chaque détail de ces instants enchanteurs, la chaleur de sa poitrine, la vigueur de ses bras, et même la douleur qui embrasait sa jambe.

— Mlle Imogène a eu un accident. Elle est blessée à la cheville, expliqua Draven à lady Clarice.

— Mais comment a-t-elle fait son compte ?

— Une simple chute, intervint Imogène. Je suis tombée de cheval.

Elle commençait à se demander si elle n'était pas sérieusement blessée. Elle se sentait prise de nausée, et la tête lui tournait. Mais elle ne s'était jamais évanouie. Jamais de la vie.

— Bonté divine ! s'exclama lady Clarice. Il faut tout de suite la ramener à Holbrook Court pour qu'elle voie un médecin. Tu as fait atteler la voiture ? Il vaudrait mieux envoyer un valet de pied en avant pour prévenir le duc de l'accident de sa pupille.

L'accueil de la maîtresse de maison était glacial, mais Imogène se consolait en écoutant le cœur de Draven battre à son oreille. Peu importait qu'on la renvoie comme une fille de cuisine : Draven l'avait portée dans ses bras, cela suffisait à son bonheur.

— J'ai envoyé Hilton chercher le docteur Wells pour qu'il la voie immédiatement. Elle n'est peut-être pas en état de voyager ! rétorqua sèchement Maitland.

— Nous n'allons pas faire d'histoires pour une petite chute de rien du tout ! répondit lady Clarice, sans faire le moindre effort pour dissimuler son mécontentement. Je suis certaine que Mlle Imogène ne veut à aucun prix nous déranger, et nous avons prévu de partir demain pour Londres avec Mlle Pythian-Adams. Je te rappelle que tu dois nous accompagner, au cas où tu l'aurais oublié !

— Vous ferez comme bon vous semble, mère, répliqua Draven avec une vigueur qu'on ne lui connaissait pas. Mais il est hors de question que Mlle Imogène quitte cette maison avant d'avoir vu un médecin ! Sa cheville est sérieusement atteinte, et si elle n'est pas soignée à temps, elle risque de ne plus jamais pouvoir monter à cheval !

— Mais je l'espère bien ! s'écria la maîtresse de maison. Quelle femme sensée pourrait avoir envie de monter à nouveau à cheval après une telle aventure ?

— Une femme de caractère ! tonna Draven. Mlle Imogène n'est pas une petite nature qu'un rien décourage.

— Je vais beaucoup mieux, murmura l'intéressée, mentant effrontément. Je crois que je peux tenir sur mes jambes, lord Maitland.

— Mais oui, pose-la donc! intima lady Clarice. Cette attitude est tout à fait inconvenante! Bien entendu, vous n'y êtes pour rien, mon petit! ajouta-t-elle perfidement à l'adresse de la blessée.

Draven déposa délicatement Imogène sur le sol. La jeune fille tenta de sourire à la douairière et plia instinctivement le genou pour une révérence.

Une lance de feu lui transperça la jambe. Sa vue s'obscurcit, le monde bascula et, pour la première fois de sa vie, Imogène Essex tomba évanouie.

Malheureusement, pas dans les bras de son cher Draven, comme elle l'avait imaginé, mais dans le giron de lady Clarice, qu'elle entraîna dans sa chute au milieu de cris stridents.

20

Imogène n'eut jamais connaissance de la chute malencontreuse de lady Clarice, ni des cris et du tumulte qui s'ensuivirent. Elle ignora tout de l'arrivée du médecin qui hocha la tête d'un air lugubre en examinant sa cheville, du billet que la maîtresse de maison se résigna à envoyer à Londres pour différer son arrivée, ainsi que de la conversation entre Draven et sa fiancée.

Elle ne se réveilla pas lorsque Tess l'appela doucement, ni quand Annabelle lui pinça fortement les orteils. Elle ne se rendit pas davantage compte que Josie sanglotait au pied du lit en expliquant à qui voulait l'entendre qu'elle était aussi pâle que leur père sur son lit de mort.

Elle n'eut même pas conscience de la présence de son tuteur à son chevet.

— C'est ma faute ! se reprocha Raphaël avec une mine de chien battu.

— C'est ridicule ! protesta Teresa. Vous n'avez rien à voir dans sa chute !

— J'aurais dû lui expliquer qu'en Angleterre, les jeunes demoiselles ne partent pas seules à cheval !

— Vous croyez que cela aurait changé quoi que ce soit ? Elle ressemble à papa : elle a toujours galopé comme le vent. Personne au monde n'aurait pu empêcher cette folle de Violette d'envoyer ma sœur dans je ne sais quel fossé. Je n'étais pas là, mais je suis convaincue qu'Imogène l'a brusquée. Au lieu de vous faire des reproches, vous feriez mieux d'aller amadouer lady Clarice. Je crois qu'elle est absolument hors d'elle.

— J'envoie chercher un spécialiste, et ensuite je m'occupe de notre hôtesse. Je ferai de mon mieux, promit-il.

Gentiment, il fit le tour du lit pour prendre la main de Tess.

— Elle va guérir, ne vous inquiétez pas. Elle ne porte pas de blessure à la tête. Elle est évanouie, mais va se réveiller. Je suis désolé. Tout cela doit vous rappeler les derniers instants de lord Brydone.

Les lèvres tremblantes, Teresa ne put articuler un mot. Elle serra la main de Raphaël qui lui tapota affectueusement la joue avant de s'éclipser.

Elle était arrivée à Maitland Hall avec la certitude que sa cadette jouait la comédie pour rester auprès de Draven. C'était exactement le genre de folie dont elle était capable! Mais la trouver inconsciente, pâle comme une morte, l'avait ramenée aux jours sombres où elle veillait son père agonisant, et ses sœurs partageaient les mêmes appréhensions.

— Elle ressemble à papa, sanglotait Joséphine, et elle ne se réveille plus, comme lui. Elle va mourir!

— Elle n'est pas du tout mourante! protesta énergiquement Tess comme pour mieux s'en convaincre.

Tout ce qu'elles avaient tenté pour faire reprendre conscience à leur père lui revenait en mémoire. Elles lui avaient parlé pendant des heures de ses écuries, avaient fait de la purée de pommes et d'avoine...

Une chose pouvait certainement ramener Imogène à la vie! Bien sûr, c'était exactement le contraire de ce que souhaitait Teresa pour sa sœur, mais un dernier regard au visage livide reposant sur l'oreiller acheva de la décider.

— Lord Maitland! appela-t-elle en dévalant l'escalier, au mépris de toute bienséance.

Elle le trouva paisiblement installé au salon avec sa mère.

— Lord Maitland, j'aurais besoin de votre aide! lança-t-elle, hors d'haleine. Pourriez-vous venir un instant?

— Est-ce bien nécessaire, mademoiselle? intervint lady Clarice. Nous nous remettons à peine de toutes ces émotions! Mes nerfs ont été très éprouvés, je vous assure!

— Nous n'en avons que pour une seconde! assura Tess en grimaçant ce qu'elle espérait faire passer pour un sourire.

Draven Maitland s'était bien entendu levé à son entrée, et il traînait maintenant les pieds à sa suite avec l'enthousiasme d'un cancre qu'on renvoie à l'école. Il s'arrêta sur le seuil de la chambre où gisait Imogène.

— Ce n'est pas très convenable, il me semble. Vous ne préférez pas que j'appelle ma mère? Je ne voudrais pas...

— Ne faites donc pas tant de cérémonies! le houspilla Tess en le poussant à l'intérieur. Vous avez toujours été un familier de notre maison!

— Mais c'était en Écosse!

— Je ne vois pas la différence.

— Ma mère en verrait une, rétorqua-t-il.

Et puis, comme si la pensée de sa mère constituait un sésame suffisant, il s'approcha du lit sans
plus de cérémonie.

Josie, le visage baigné de larmes, s'enfuit après
un regard furibond à sa sœur, et Annabelle la suivit pour la réconforter.

— Réveillez-la! intima Tess en désignant le visage
de cire de sa sœur.

— Je ne sais pas ressusciter les morts, objecta-t-il
avec un calme imperturbable.

— Elle n'a pas besoin qu'on la ressuscite, il suffit
qu'on la réveille. Embrassez-la!

— Pardon? Je suis bien entendu toujours prêt
à venir au secours d'une dame, mais je ne vois
pas...

— Embrassez-la! répéta Tess.

— Si vous y tenez vraiment...

Teresa était complètement insensible au charme
nonchalant de Maitland, qui faisait fondre Imogène, mais elle devait bien admettre qu'il était beau
garçon, avec sa bouche sensuelle et sa fossette au
menton.

— Imogène... murmura-t-il. Réveillez-vous.

Elle ne cilla même pas.

— Nous sommes seuls, personne n'en saura rien!
plaida Tess. Bien entendu, votre mère vous désapprouverait vigoureusement, même si c'est pour la
bonne cause.

— Croyez-moi, mes scrupules ne viennent pas de
là!

Il posa les mains de chaque côté de l'oreiller et se
pencha plus près.

— Imogène, je veux que vous reveniez à vous.
Réveillez-vous!

La jeune fille semblait une vivante illustration de la Belle au bois dormant, avec ses longs cheveux répandus sur l'oreiller.

— Que vous êtes belle! chuchota Draven. Réveillez-vous, maintenant.

Tess comprenait mieux sa sœur, maintenant. Ces longues mains qui menaient sans difficulté le cheval le plus rétif, ce regard ardent... Le jeune baron était un passionné, une flamme l'habitait. Il se donnait un but, un seul, et consacrait toute son énergie à l'obtenir. Quel dommage qu'il ne possédât pas deux sous de bon sens et qu'il ait toujours été si gâté!

— Imogène, dit-il d'une voix changée, tandis que ses lèvres effleuraient celles de la belle endormie. Imogène! répéta-t-il en saisissant doucement le visage de cire.

La blessée tressaillit, mais n'ouvrit pas les yeux.

— Réveillez-vous, sinon je ne vous épouserai jamais!

Cette fois, il n'était plus question d'un chaste baiser, mais d'une véritable étreinte.

Teresa sursauta et ferma les yeux. Elle n'avait pas le droit de regarder, même si... Quand elle les rouvrit, Imogène était réveillée.

21

Holbrook Court, début d'après-midi.

Face à la virago gesticulante qui l'assommait sous un flot de paroles, Raphaël, très calme, tentait de trouver quelque logique aux vociférations qui l'assourdissaient.

— Que voulez-vous dire au juste, lady Clarice ?

— Ce que je viens de vous dire, ni plus, ni moins ! Votre pupille s'est littéralement jetée sur mon fils ! Et n'allez pas vous imaginer que je n'oserai pas ruiner sa réputation ! Rien ne m'arrêtera ! Si vous ne la renvoyez pas immédiatement en Écosse, je ne réponds pas des conséquences !

— Pouvez-vous m'expliquer ce qu'a fait Mlle Essex exactement ?

— Je ne vous parle pas de l'aînée, mais de l'insolente qui s'est blessée ! glapit lady Clarice.

— Et qu'a donc fait Mlle Imogène ?

— Elle… Elle… J'espère seulement que Mlle Pythian-Adams aura la bonté de pardonner à mon fils son incommensurable stupidité. Je vous tiens pour responsable, Holbrook, pour seul responsable ! Vous êtes un tuteur lamentable ! N'importe qui s'en serait douté, d'ailleurs !

— Ma chère amie…

— Le médecin dit qu'elle n'est pas transportable aujourd'hui, mais je compte sur vous pour envoyer votre voiture à la première heure demain matin ! Sinon, je vous la renvoie dans l'une des miennes, et tant pis pour ce que penseront les domestiques.

— Brinkley ! appela Raphaël dès que la tornade hurlante se fut éclipsée dans un tourbillon de parfum.

— Votre Grâce ?

— Que voulait dire lady Clarice ?

Le valet avait beau arborer le visage impassible qui convenait au majordome d'une aussi grande maison, une lueur malicieuse dansait au fond de ses yeux gris.

— Il semblerait que Mlle Imogène ait gagné le cœur de lord Maitland.

— Comment cela ?

— D'après ce que j'ai entendu dire, le jeune baron a décidé d'épouser Mlle Imogène. Il a informé sa mère de ses intentions ce matin au petit-déjeuner.

— Mais c'est impossible ! Il est déjà fiancé à Mlle Pythian-Adams ! Était-elle présente quand il a informé lady Maitland ?

— À ma connaissance, non, fort heureusement. Y a-t-il autre chose pour votre service, Votre Grâce ?

— Ce sera tout, Je vous remercie.

Raphaël sentait la migraine lui battre les tempes. Il s'était juré de ne rien boire avant le déjeuner, et il commençait à envisager de faire servir une heure plus tôt.

Felton haussa à peine le sourcil quand le duc lui apprit la nouvelle.

— Qu'est-ce qu'un bon tuteur est censé faire, en pareil cas ? Bien sûr, je pourrais m'opposer à ce mariage... Je ne me rappelle plus si Imogène est en âge de se marier ou non, mais je suppose que mon consentement est de toute façon nécessaire. Cette fille est une source d'ennuis ambulante ! Lady Clarice est dans une fureur noire. Il va falloir que j'aille à Maitland Hall !

— Le devoir d'un bon tuteur, répondit Lucius avec un petit sourire, c'est d'arrondir les angles, d'apaiser les conflits, d'arranger les choses… Tu devrais peut-être t'offrir en sacrifice à ta chère voisine.

— Je vais essayer d'arranger tout ça, s'il en est encore temps, soupira Holbrook.

— Quand rentrent Mlle Essex et sa sœur ? s'enquit Felton en feuilletant négligemment une pile de livres posés sur un guéridon.

— Demain. J'irai les chercher demain matin. Ensuite, tout le monde se calmera.

— Par « tout le monde », tu entends lady Clarice ?

— Exactement.

— Eh bien, je te souhaite bonne chance !

— Je me lèverai tôt, assura le duc dans un grand élan de sacrifice. J'y serai avant midi.

La suite lui démontra qu'il ne s'était pas levé suffisamment tôt.

Lorsqu'il arriva à Maitland Hall, la noble demeure paraissait saisie de folie.

Le boudoir où l'introduisit le valet de pied était plongé dans une semi-obscurité. Affalée plutôt qu'allongée sur une méridienne, lady Clarice, la coiffure en désordre, gémissait à fendre l'âme d'une voix perçante. On l'entendait depuis le hall d'entrée. Elle releva la tête lorsque le majordome annonça Raphaël et le considéra d'un air égaré.

— Vous arrivez trop tard ! Mon fils ! Mon pauvre enfant !

— Ma chère… commença Raphaël en entrant dans le salon, même si l'instinct de survie le plus élémentaire lui commandait de faire demi tour.

— Cette fille, cette sorcière ! Je savais qu'elle n'était qu'une traînée ! Je l'ai toujours su ! hurla lady Clarice en pointant sur son visiteur un index accusateur.

— Voyons, voyons, calmez-vous ! murmura une voix apaisante.

C'est à ce moment-là seulement que le duc remarqua la présence de Mlle Pythian-Adams au chevet de son ex-future-belle-mère.

— Une gourgandine ! Je ne m'en remettrai jamais, jamais ! Je suis perdue, ma vie entière est gâchée !

Raphaël se tourna vers le majordome, qui paraissait avoir avalé de travers un hareng avarié.

— Apportez-moi un cognac, je vous prie !

— C'est cela ! mugit lady Clarice en retombant sur sa méridienne. Noyez donc dans l'alcool votre responsabilité, pendant que mon pauvre enfant…

Sa voix se perdit dans les sanglots et les gémissements. Le duc parvenait à saisir des mots sans suite, « scandale », « fils », « traînée ». Il jeta un regard implorant à Mlle Pythian-Adams, mais celle-ci était trop occupée à tamponner d'eau de Cologne les tempes de la maîtresse de maison pour lui donner une explication satisfaisante.

Dans le couloir, il se heurta au valet qui lui apportait son cognac. Le breuvage ambré lui brûla délicieusement la gorge, et lui remit immédiatement les idées en place. Un hululement lamentable en provenance du boudoir le décida à s'éloigner davantage. Après tout, rien ne prouvait que cette maladie n'était pas contagieuse.

— Mlle Essex attend Votre Grâce dans le petit salon jaune, l'informa fort à propos le domestique comme s'il lui suggérait de l'accompagner au cimetière.

Même le cognac ne suffit pas à faire passer la nouvelle que Tess lui annonça quelques instants plus tard.

— Comment ça, ils se sont enfuis ? vociféra-t-il, comme s'il souffrait effectivement de la même maladie que lady Clarice.

— Ils sont partis tous les deux ! Quand je suis montée pour aider Imogène à se préparer, expliqua-t-elle sans pouvoir retenir ses larmes, j'ai trouvé cette lettre sur son oreiller. Elle ne m'avait rien dit !

Incapable de poursuivre, elle lui tendit en sanglotant une feuille de papier froissée et mouillée de larmes.

Chères Tess, Annabelle et Josie,
Mon bien-aimé Draven m'a proposé de nous enfuir, et j'ai naturellement accepté. Vous savez qu'il est tout pour moi, qu'il l'a toujours été. Je vous supplie de me pardonner le scandale que je vais provoquer. Je suis persuadée qu'il s'apaisera rapidement.
Avec toute mon affection,
Votre sœur qui vous aime,
lady Imogène Maitland

— Elle s'imagine que le scandale va s'apaiser rapidement ? Mais qui lui a mis une telle stupidité en tête ? Elle ne se rend pas compte des conséquences de son acte ?

— Non, soupira Teresa. Moi non plus, d'ailleurs, avant que lady Clarice ne m'explique...

— Ils ont beaucoup d'avance ?

— Je le crains. Ils ont dû partir immédiatement après le petit-déjeuner. Hier, lord Maitland a annoncé à sa mère son intention d'épouser Imogène. Elle a été bouleversée, bien entendu, mais elle espérait sans doute qu'il renoncerait à cette idée et a passé toute la soirée à tenter de le dissuader. Ma sœur n'était pas avec nous, mais c'était extrêmement... embarrassant.

— C'est probablement ce qui a conduit Maitland à décider de l'enlever.

— Je préfère penser qu'il est un tout petit peu amoureux d'elle, remarqua Tess qui s'efforçait de ne pas penser à la conversation qu'elle avait surprise dans le salon de musique.

— Vous avez peut-être raison, admit Raphaël en lui tendant un mouchoir armorié.

— Je sais qu'il n'est pas follement amoureux d'elle, et elle le sait parfaitement aussi. Mais elle, en tout cas, en est éperdument amoureuse, et cela suffira peut-être à faire un mariage heureux. Qu'en pensez-vous ?

— C'est bien possible, à en croire le nombre de couples dans ce cas... Je m'en veux, vous ne pouvez pas savoir à quel point ! Cela fait à peine une semaine que vous êtes sous mon toit, et déjà l'une de vous est déshonorée ! Je fais un tuteur exécrable, je ne suis pas digne de la confiance de votre père ! Où qu'il soit, il doit me maudire !

— Papa n'a jamais réussi à détourner Imogène de lord Maitland, et ce n'est pourtant pas faute d'avoir essayé, expliqua Tess avec un pauvre sourire. Il lui a démontré par A plus B que ce n'était qu'une tête brûlée, qu'il ne s'intéressait qu'aux chevaux, qu'il était incapable de garder un penny en poche, rien

216

n'y a fait ! D'ailleurs, Draven et papa se ressemblaient.

— J'aurais dû l'enfermer ! marmonna Raphaël. À partir d'aujourd'hui, aucune de vous ne sortira sans un écuyer et une femme de chambre ! Non, deux femmes de chambre !

— Je vous ai amené la fiancée de mon fils ! rugit au même moment lady Clarice en se ruant dans la pièce. Vous m'entendez, sa fiancée ! Je considère qu'il vous appartient de lui expliquer par quels moyens pervers votre pupille a séduit mon enfant et l'a entraîné dans ce mariage scandaleux !

Derrière cette tornade, Mlle Pythian-Adams faisait preuve d'un calme olympien. Son visage parfaitement détendu et son sourire satisfait en faisaient la vivante incarnation du soulagement.

Le duc posa son verre si brutalement qu'il aspergea de cognac la jolie marqueterie du guéridon.

— Et comment aurais-je pu empêcher votre débauché de fils d'enlever une jeune fille mineure, Madame ? Je considère lord Maitland entièrement responsable de ce scandale ! Il a séduit une innocente débutante avec je ne sais quelles fariboles et ruiné sa réputation par cette action indécente et inconsidérée ! Si quelqu'un ici mérite des excuses, c'est Mlle Essex, dont la jeune sœur vient d'être déshonorée par votre rejeton dépravé !

Le ton impérieux de Raphaël désarçonna lady Clarice, mais pas pour longtemps, hélas !

— Cette fille n'est qu'une coquette, une allumeuse qui a séduit mon fils pour me le voler ! Elle n'a rien à elle, sauf un cheval ! Un cheval, vous vous rendez compte ? Comme si Draven n'avait pas suffisamment de chevaux ! Je ne lui ai jamais refusé un cheval, enfin !

Tess s'éloigna vers la fenêtre, à l'écart de la mêlée. Comment Imogène avait-elle pu leur faire ça ? Elle n'avait donc pas pensé à ses sœurs, à leur réputation, à leur avenir ? Mais l'aînée connaissait déjà la réponse. Même si Imogène savait bien que lord Maitland n'éprouvait pas pour elle l'amour absolu de Roméo pour Juliette, elle était aussi passionnée que l'héroïne de Shakespeare, plus encore peut-être. Elle n'avait rien d'une patiente observatrice, elle. Elle avait saisi l'occasion quand elle s'était présentée, tout simplement, et elle vivrait beaucoup plus longtemps et beaucoup plus heureuse que Juliette, Teresa n'en doutait pas !

— Cette gourgandine sans cœur ni morale a brisé ma vie et celle de cette jeune fille ! glapissait lady Clarice. Mlle Pythian-Adams est désespérée ! Vous vous rendez compte, voir son fiancé vous abandonner pour une fille de rien ? Il y a de quoi vous donner une migraine !

— Cela suffit ! tonna Raphaël de sa plus belle voix de basse.

Gillian, qui arborait en guise de migraine le sourire soulagé de quelqu'un qui vient d'échapper à une catastrophe, profita de la violente diatribe du duc, qui énumérait sans en oublier un seul les innombrables défauts de Draven Maitland, pour rejoindre Tess dans l'embrasure de la fenêtre.

— Je vous dois des excuses, même si je n'ai rien à voir avec cet enlèvement, je peux vous l'assurer. J'espère que la réputation de votre jeune sœur n'aura pas trop à en souffrir.

— Avec le temps... soupira Teresa. Raphaël, reprit-elle à un moment où lady Clarice reprenait son souffle, vous êtes certain qu'on ne peut pas rattraper lord Maitland ? Je suis sûre, ajouta-t-elle d'une voix tremblante, qu'Imogène n'a pas saisi les conséquences de son geste. Elle est très jeune, et elle ne sait pas de quoi Maitland est capable.

— Il n'a rien d'un monstre, intervint gentiment Gillian Pythian-Adams. Je suis ravie d'en être débarrassée, mais je crois que votre sœur lui est réellement très attachée.

— Raphaël, je vous en prie! supplia Tess. On pourrait au moins essayer!

— Cela ne servirait à rien! Maitland conduit comme un fou, même en promenade. Savoir qu'il risque d'être poursuivi ne fera que l'exciter. Il a les meilleurs chevaux du comté, et avec cinq heures de retard sur lui, nous n'avons aucune chance de le rattraper.

— On pourrait au moins essayer! répéta Tess.

— Franchement, au point où nous en sommes, je ne suis pas certain d'en avoir envie. La réputation d'Imogène est perdue. Il vaut mieux qu'elle revienne déshonorée mais mariée que simplement déshonorée.

Teresa encaissa sans mot dire.

— Si vous voulez bien m'excuser, j'aimerais rentrer à Holbrook Court et informer mes sœurs de... du mariage d'Imogène.

Elle salua Mlle Pythian-Adams, qui lui sourit gentiment, et lady Clarice, qui l'ignora ostensiblement en sanglotant dans son mouchoir.

— Je compte rentrer à Londres cet après-midi. Nous ne nous quittons malheureusement pas dans de très heureuses circonstances, mais je serais ravie de vous revoir lorsque vous viendrez à Londres, assura Gillian.

Tess murmura un remerciement et s'éclipsa en hâte. Une fois dans le couloir, elle laissa libre cours à ses larmes. Sa petite sœur, si douce et si folle… Depuis tant d'années qu'Imogène écrivait « lady Maitland » sur le moindre bout de papier qui lui tombait sous la main, voilà où elle en était arrivée !

Elle aurait dû essayer de la convaincre que le baron n'était qu'un écervelé, une tête brûlée ; elle aurait dû deviner que sa cadette était capable de n'importe quelle folie pour arriver à ses fins. Si elle avait essayé, si elles avaient toutes essayé de la dissuader et de lui expliquer qu'elle n'avait aucune chance d'épouser Draven, tout cela ne se serait jamais produit.

Elle dévala l'escalier, mais s'arrêta net en apercevant Lucius Felton.

Il venait d'arriver, puisqu'il avait encore son manteau, et l'attendait au bas des marches. Il commença à monter à sa rencontre.

— Pas maintenant, balbutia-t-elle. Je ne peux pas…

— Chut ! Je suis au courant, murmura-t-il en essuyant doucement ses larmes. Je vais partir à leur recherche, jusqu'à la route postale au moins. On ne sait jamais ce qui peut arriver. Si les chevaux de Maitland avaient un accident, il devrait louer ou acheter n'importe quelle vieille carne… Et alors…

Avec son air décidé et son calme imperturbable, il paraissait de taille à rattraper n'importe qui. Teresa reprit espoir.

— Je viens avec vous !

— Il n'en est pas question ! Ce n'est pas la peine de vous compromettre, vous aussi !

— Bien sûr que non.

— À moins…

— Je vais rentrer et mettre au courant Annabelle et Joséphine, ajouta-t-elle comme il ne faisait pas

220

mine de préciser sa pensée. Elles vont être bouleversées.

— Je ferai de mon mieux pour vous ramener votre sœur, je vous le promets.

Comment le remercier ? Tess n'avait pas les idées assez claires pour exprimer sa reconnaissance, et le temps pressait.

— Bonne chance, dit-elle simplement.

Il lui adressa un petit sourire en coin et s'éclipsa.

22

Le lendemain matin.

— Si vous n'y voyez pas d'inconvénient, proposa Mayne en portant à ses lèvres la main de Teresa, je vous suggère de nous marier sans plus attendre.

Épuisée par toutes ces émotions et par une nuit sans sommeil, Tess aspirait à quelques jours de calme.

— Dès que nous serons mariés, reprit-il, devinant ses objections, je pourrai emmener vos sœurs à Londres. Il faut absolument marquer une séparation avec Imogène pour qu'elles n'aient pas à souffrir de cette malheureuse histoire.

— Je me doute bien que, pour le moment, le mariage est à cent lieues de vos préoccupations, intervint lady Griselda avec un sourire compréhensif.

Mais sa future belle-sœur se révéla une traîtresse, finalement.

— Je ne vous aurais jamais poussée à la précipitation en temps normal, Tess chérie, poursuivit-elle, mais il faut agir rapidement si nous voulons protéger la réputation d'Annabelle. Il ne faut pas laisser la moindre prise aux ragots, voyez-vous. Si la rumeur publique vous présentait comme quatre filles légères, nous serions perdues !

Garret pensait déjà avoir gagné la partie, mais sa sœur voyait bien que Teresa n'était pas encore convaincue.

— Je vais vous parler sans détour, ajouta lady Willoughby avec toute la délicatesse d'un général en campagne. Annabelle est ravissante, et charmante, absolument charmante, mais elle ne maîtrise pas à la perfection les usages du monde, et ne donne pas toujours l'impression d'être une jeune fille parfaitement convenable, si je puis me permettre.

Tess ne pouvait la contredire sur ce point, mais elle ne voyait pas très bien en quoi son mariage avec le frère de Griselda changerait quoi que ce soit.

— Si la rumeur se mettait à courir à Londres qu'Annabelle est taillée dans le même bois que sa sœur Imogène, cela lui serait fatal. Et si l'on venait à apprendre que vous êtes toutes restées ici un certain temps sous la garde incertaine de Raphaël, elle perdrait toutes ses chances de trouver un parti avantageux. De plus, je crains que la colère n'amène lady Clarice à clabauder sur votre famille.

Griselda se leva du sofa où elle était à moitié étendue pour arpenter la pièce d'un pas énergique.

— Toutes les possibilités de votre cadette de faire un beau mariage seraient ruinées, je peux vous l'assurer, croyez-en mon expérience ! Oh ! elle trouverait preneur, bien entendu, mais les prétendants n'arriveraient pas à la cheville de ceux que j'ai en vue pour elle ! Enfin, je vais vous laisser en discuter tous les deux. Et quelle que soit votre décision, ma chérie, je vous promets que je ferai mon possible pour vous protéger toutes les trois de la calomnie.

— Raphaël fait de son mieux comme tuteur, avança le comte en reprenant entre les siennes la main de Tess, mais il va si peu dans le monde…

Elle le savait bien. Son cher duc buvait trop et méprisait trop les conventions pour avoir quelque influence sur la bonne société.

— Il ne pourra pas protéger Annabelle et Josie, reprit Garret, mais moi, oui. Si dans deux ou trois jours vous faites votre entrée dans le monde en tant que comtesse de Mayne, vous serez accueillie sans difficulté. Il serait préférable que, officiellement du moins, nous soyons déjà mari et femme quand Imogène et Maitland se sont enfuis, Griselda en est convaincue.

— Vous ne m'avez pas demandé ma main par amour, milord, rétorqua Teresa après avoir rassemblé tout son courage. Ni par… ni pour satisfaire un besoin impérieux mais… moins convenable.

— Là, vous vous trompez, assura-t-il, une lueur coquine dansant au fond de ses yeux noirs. Vous m'inspirez des sentiments parfaitement indécents, ma chère !

Grand Dieu, comme il était séduisant quand il se laissait aller, quand il ne posait pas !

— Que nous n'éprouvions ni l'un ni l'autre de sentiments plus profonds ne vous dérange pas ?

— Ce qui me dérangerait, ce serait que nous en éprouvions. À mon avis, une union basée sur autre chose qu'une affection sincère et une mutuelle estime est vouée à l'échec. Je ne souhaite absolument pas un mariage tumultueux, même si je suis convaincu que nos relations seront des plus chaleureuses.

— Et selon vous, l'amour est obligatoirement tumultueux ?

— Seulement ce qu'on appelle le grand amour, que je considère comme une sottise. Je suis certain que je n'éprouverai aucune difficulté à vous chérir profondément, Tess, et j'espère de tout mon cœur que nous éprouverons la même affection chaleureuse l'un pour l'autre. Mais je ne me marierai jamais sous l'emprise de cette fièvre qui passe pour le grand amour. Jamais !

— Qu'est-ce qui vous a rendu aussi cynique ? demanda Teresa, qui comprenait parfaitement ce qu'il voulait dire.

— Si vous voulez tout savoir, j'ai eu beaucoup de maîtresses qui avaient épousé celui qu'elles croyaient être leur grand amour, et je me suis juré, il y a déjà des années de cela, de ne jamais choisir mon épouse sur une de ces foucades qui vous passent en quelques jours ou quelques semaines. Je souhaite avoir des enfants, et je ne veux pas qu'ils soient déchirés entre des parents qui se disputent constamment.

— Comme les vôtres ?

— Ils étaient toujours en guerre !

— Je ne sais pas trop sur quoi construire un mariage solide, expliqua-t-elle après un moment de réflexion. J'ai perdu ma mère très jeune, et mon père n'a jamais envisagé de se remarier.

— Ensemble, nous trouverons le bon chemin, affirma Garret. Si vous êtes d'accord, mon oncle l'évêque peut être ici dès ce soir. Je lui ai écrit ce matin.

— Si vite ?

— Je ne veux surtout pas vous bousculer, mais je suis convaincu que si nous voulons aider vos sœurs, le mieux à faire est de nous marier le plus rapidement possible. Bien sûr, si vous avez changé d'avis, la situation est différente...

Le doute qu'elle lut dans son regard confondit Tess.

— M. Felton n'est pas encore revenu, remarqua-t-elle, saisissant le premier prétexte qui lui venait à l'esprit. Il les a peut-être rattrapés. Il va peut-être nous ramener Imogène...

— Tout se sait. Les enlèvements sont comme les assassinats, ils ne se laissent pas enterrer facilement. Votre sœur est déshonorée, que Lucius la ramène ou non. Il vaudrait peut-être mieux pour elle qu'il ne les rattrape pas.

— Comment pouvez-vous dire une chose pareille ? s'exclama Teresa. Maitland est une tête brûlée.

— Il n'est pas si mauvais que ça. Qu'est-ce qui est préférable pour elle, rester vieille fille et finir ses jours enterrée à la campagne comme un objet compromettant, ou épouser l'homme qu'elle aime ?

Comme Tess ne répondait pas, il poussa son avantage.

— Elle est éperdument amoureuse de lui, n'est-ce pas ? Elle le contemple avec une adoration que je n'avais jamais vue jusqu'à maintenant.

— Je ne l'aime pas ! s'obstina Teresa, à court d'arguments.

— Ce qui compte, c'est d'offrir à vos deux autres sœurs la possibilité d'épouser des hommes qui n'auront pas les mêmes défauts que Maitland.

— Oui, je sais.

— Très bien ! Dans ce cas, nous pouvons nous marier dès demain matin. Mon oncle est très pris, et il ne pourra prolonger son séjour avec nous.

— Demain matin ? Mais si M. Felton n'est pas encore revenu ?

— Je vous l'ai expliqué, cela n'a aucun rapport, rétorqua le comte avec une légère impatience.

— Oui, bien sûr, soupira Tess.

— Vous ferez de moi le plus heureux des hommes !

Il se pencha pour effleurer de ses lèvres la bouche de Tess.

C'était une caresse légère, presque nonchalante. Très agréable, en somme.

23

Un peu plus tard dans la soirée.

— Je vais vous expliquer ce qu'est le plaisir véritable ! lança joyeusement l'évêque. Le plaisir véritable, c'est de voir mon sacripant de neveu se marier enfin, et surtout épouser une délicieuse jeune fille comme vous, ma chère petite. Rien ne pouvait me rendre plus heureux !

Tess fit un effort pour lui sourire, mais elle se sentait de plus en plus mal à l'aise. Lorsque Garret lui parlait naturellement, comme lorsqu'il lui avait demandé sa main, elle ne voyait aucune objection à l'épouser, bien au contraire. Mais dès qu'il se remettait à jouer les jolis cœurs et à la couvrir de compliments fleuris, comme il n'avait cessé de le faire depuis le début de l'après-midi, elle se sentait prise de panique. Comment arriver à supporter ce hâbleur une vie entière ?

Annabelle était plongée dans la lecture d'une feuille à potins que Griselda avait reçue le matin, et ne cessait de demander au comte des précisions sur l'identité des personnes citées.

— Et lady C...? gloussa-t-elle.

— Comment voulez-vous que je le sache ? Lady Colterer, peut-être, ou lady Cristleham.

— En tout cas, une femme suffisamment folle pour s'enfuir avec un Français ! pouffa Annabelle.

— Alors, il doit s'agir de lady Cristleham, expliqua Mayne avec satisfaction. Fille d'un duc, elle a épousé un baron, et n'a cessé de faire scandale depuis ses débuts dans le monde.

— Mais vous connaissez toute l'Angleterre ! Et cet aristocrate portugais ?

À ce moment, Lucius fit son entrée, l'air épuisé couvert de poussière. Il avait dû galoper toute la journée… Teresa se tourna vers lui avec un petit cri d'impatience, mais il secoua la tête négativement. Mayne adressa à sa fiancée un regard plein de compassion, puis retourna aux potins.

— Je les ai rattrapés, annonça Felton à Raphaël.

— Mais tu as dû voler, ma parole ! Comment as-tu fait ?

— J'ai pris des chemins de traverse sur une bonne partie du trajet. Maitland est plus rapide, mais il est prévisible, vois-tu.

— Et que s'est-il passé quand vous les avez rattrapés ? s'impatienta Tess.

— Elle a refusé de me suivre. Et je crois bien qu'il était trop tard, ajouta-t-il en baissant la voix. On ne pouvait plus les séparer.

Alors qu'elle aurait voulu hurler de douleur, Tess se contenta de hocher la tête avec tristesse.

— Je comprends, dit-elle d'un ton las.

— Ils sont mariés ? s'enquit Annabelle.

Après un signe affirmatif de son tuteur, elle se remit à sa lecture.

— Je te serai toujours reconnaissant de ce que tu as fait, assura Raphaël.

— Il n'y a pas de quoi. J'ai échoué.

— Je ne sais quoi vous dire, murmura Teresa. Je suis désolée.

— Il n'y a aucune raison. Votre petite réunion me paraît très gaie… Je vais me retirer.

— Mais reviens-nous vite ! Nous fêtons le mariage de Tess, qui sera célébré demain matin, par dispense spéciale, expliqua Raphaël en désignant l'évêque. Mayne a fait venir son oncle pour l'occasion.

— Eh bien, rétorqua Felton sans un regard pour Tess, je vais féliciter notre ami avant d'aller faire un brin de toilette.

Sentant ses lèvres trembler, la jeune fille se hâta de rejoindre sa sœur et son fiancé, tandis que Lucius et le duc lui emboîtaient le pas.

Annabelle était de nouveau plongée dans son journal à potins, qu'elle lisait à haute voix pour Mayne et lady Griselda.

Une veuve pétulante, dont les trois précédents maris ont connu une fin prématurée, semble en désirer un quatrième. Nous l'avons compris à sa propension à truffer sa conversation de descriptions dithyrambiques de messieurs qu'elle ne connaît que de vue. Nous souhaitons informer cette dame que parler d'un mariage ne signifie pas en contracter un, et prévenir les messieurs qui se trouveraient faire l'objet de sa conversation de se montrer prudents.

— Oh, comme c'est bas ! s'exclama Annabelle. Qui peut bien être cette malheureuse dame ?

— Ma sœur chérie, pouffa Mayne.

— Cesse de dire des sottises ! se récria Griselda en lui assenant un coup d'éventail sur la tête. Je n'ai jamais eu qu'un époux, et cela me suffit amplement. Moi, je dirais que l'adjectif «pétulante» fait référence à Pétula Brisquet. Qu'en penses-tu?

— Certainement. Comme vous voyez, ma chère petite, beaucoup de gens sont clairement désignés par la façon dont ils sont décrits.

— J'ai hâte de connaître toutes les personnes citées! soupira Annabelle. Et qui peut être cette «mélodieuse comtesse»? Une femme comblée, apparemment!

Mayne lui arracha pratiquement le journal des mains. Tandis qu'il le parcourait fébrilement, il devint livide.

— Lord Mayne, vous vous sentez bien? hasarda Annabelle, interloquée.

— Je ne me suis jamais senti mieux! coupa-t-il en lui rendant le périodique. Si vous voulez bien m'excuser...

Il s'inclina cérémonieusement et se dirigea vers la porte comme un automate sous les regards stupéfaits de tous.

— Vous m'excuserez également, dit à son tour Lucius avec un petit sourire en coin. Je vais me rafraîchir avant de vous retrouver.

— J'ai commis un impair? demanda Annabelle, désemparée.

Ni Griselda, ni le duc ne l'écoutaient. La mine entendue, ils parcouraient à leur tour l'écho qui avait tellement bouleversé le comte, tandis que Tess lisait par-dessus leurs épaules.

On vient de nous rapporter qu'une mélodieuse comtesse attendrait un heureux événement pour le début de l'année prochaine. Son mari et elle s'étaient fait remarquer au cours des derniers mois par leur répugnance à passer ne fût-ce que quelques instants éloignés l'un de l'autre.

Si l'heureuse nouvelle se confirme, nous leur adressons nos plus chaleureuses félicitations.

— Pauvre Garret! soupira lady Griselda en posant le journal.

Sans un mot, Raphaël sortit pour rejoindre le comte.

— Qui est donc cette « mélodieuse comtesse » ? voulut savoir Annabelle. Et pourquoi cet écho a-t-il tellement affecté le comte ?

— Je ne pense pas que cela nous concerne en quoi que ce soit, intervint calmement Teresa.

— Comment ? se récria sa cadette. Mais vous allez devenir mari et femme ! Tu ne veux pas savoir qui est cette dame ? Le comte a paru... comme frappé par la foudre !

— Non, connaître l'identité de cette personne ne m'intéresse pas le moins du monde, affirma posément Tess.

Tout en parlant, elle s'aperçut que c'était l'exacte vérité.

— Je ne te comprends pas ! S'il s'agissait de mon fiancé...

— Ce n'est pas le cas. Et si je ne me trompe pas, ajouta Tess en s'accoudant à la fenêtre, mon fiancé s'apprête justement à quitter cette maison.

— Mais pour aller où ? s'étrangla Annabelle.

Tandis qu'elles échangeaient ces mots, Tess voyait Mayne tenter de repousser le duc qui le tirait fermement en arrière. Leur conversation paraissait extrêmement animée.

— Raphaël va tout arranger! assura Annabelle qui l'avait rejointe à la fenêtre. Le comte ne peut pas s'éclipser comme cela, vous vous mariez demain matin !

Teresa observait la scène sans rien dire. Garret avait fait demi-tour et se dirigeait vers le perron, mais son visage fermé et son air sombre n'annonçaient rien de bon.

— Parfait ! Tout est arrangé, s'écria Bella. Mais il faudra te méfier de cette « mélodieuse comtesse », même si elle ne paraît pas porter beaucoup d'intérêt au comte, quels que soient ses sentiments à lui.

— Tu te laisses aller aux suppositions les plus vulgaires, remarqua sèchement sa sœur.

Raphaël avait suivi son ami, et il ne restait plus rien à voir dans la cour maintenant déserte.

24

Après sa longue chevauchée, Lucius prit un bain chaud et s'allongea pour trouver un peu de repos. Quand il se réveilla, le château était parfaitement silencieux, et la nuit apparemment bien avancée. Le rêve étrange qu'il avait fait lui revint en mémoire. Tess dansait, riant à en perdre la tête. Elle laissait tomber son éventail, qui se transformait en lapin, un joli petit lapin brun qu'il aurait voulu lui offrir, mais lorsqu'il s'était lancé à la poursuite de l'animal, celui-ci s'était transformé... Felton jura entre ses dents et, complètement réveillé maintenant, sauta à bas du lit.

Si Garret n'y prenait pas garde, Teresa aurait bientôt vent de sa ridicule tocade pour lady Godwin.

Il alluma la chandelle près de son lit et s'aperçut qu'il n'était pas si tard, finalement. Le comte n'était certainement pas couché, mais il ne serait sûrement pas pour autant en train de boire comme un trou pour enterrer sa vie de garçon. Même pendant leur adolescence, Mayne ne s'était jamais laissé aller à la vulgarité. Il se montrait excessif en tout, violent dans ses passions, exigeant dans ses affections, mais jamais vulgaire et il restait en toutes circonstances un parfait homme du monde.

Une fois habillé, Lucius se mit à la recherche de son ami et le trouva dans le fumoir, le sanctuaire masculin par excellence, affalé devant un feu qui se mourait, un verre d'armagnac à la main. Son beau visage d'ordinaire aimable et souriant arborait un rictus désabusé, sa redingote traînait sur une chaise, son gilet et sa cravate étaient défaits.

— Où est passé Raphaël ? s'enquit Lucius.

— Il est parti se coucher, pratiquement ivre mort. Ce n'est pas facile de battre un homme qui descend ses quatre bouteilles par jour, mais j'y suis arrivé !

— Ne me dis pas que tu t'es saoulé la veille de ton mariage ! s'insurgea Felton, surpris par sa propre colère.

Mayne lui jeta un coup d'œil et vida son verre d'un trait.

— Elle aurait pu tomber amoureuse de toi, tu sais, lança-t-il enfin d'une voix pâteuse.

Lucius sentit le cœur lui manquer. En s'approchant, il faillit renverser la bouteille d'armagnac posée à terre, mais Garret la rattrapa prestement.

— Je ne vois vraiment pas ce qui peut te faire dire ça !

— Tu es un parfait gentleman, et c'est une véritable dame, même si elle s'est coupé les cheveux et porte des tenues extravagantes.

Il y avait manifestement erreur sur la personne ! Garret parlait de lady Godwin, la femme dont il était éperdument amoureux au printemps dernier et qui avait refusé de lui céder. Felton pensait à une autre.

— Hélène aurait pu t'aimer, j'en suis sûr ! Et alors, elle se serait détournée de ce vermisseau ridicule qui lui sert de mari ! Elle avait besoin d'un antidote plus efficace que la musique et l'opéra pour oublier les frasques du vermisseau. Alors elle s'est tournée vers moi, mais je ne suis pas assez bien ! Tandis que toi, avec ton sérieux, tes bonnes manières, ton respect des convenances et des traditions...

— Lady Godwin est et a toujours été amoureuse de son mari, remarqua Lucius sans se compromettre. Mes bonnes manières n'y auraient rien changé.

— Tu dis des sottises ! s'insurgea Mayne. Je ne l'aurais jamais approchée si elle avait été heureuse avec son mari. Cela faisait plus de dix ans qu'ils ne vivaient plus ensemble !

Felton ne répondit pas. Garret savait tout comme lui que le visage d'Hélène s'illuminait dès que son époux franchissait la porte. Et lord Godwin avait peut-être eu quelques aventures par le passé mais maintenant, il n'avait d'yeux que pour sa femme.

— Tu ne réponds pas ? insista le comte d'un ton vindicatif.

— Tu as trop bu, tu ne sais plus ce que tu dis. Je te conseille d'aller te coucher. Au cas où tu l'aurais oublié, ta vie conjugale commence demain matin après le petit-déjeuner.

Mayne ne sembla pas du tout apprécier le conseil.

— Si tu ne te surveilles pas, tu vas devenir un donneur de leçons vraiment pénible, tu sais ! Tu n'as jamais été facile à vivre, mais maintenant ton conformisme devient obscène ! assena-t-il d'une voix pâteuse.

— Compte tenu de ton état, je considère tes paroles comme nulles et non avenues.

— Tu es trop intelligent pour faire attention à mes remarques, bien entendu !

— Non, mais je suis trop raisonnable pour me disputer avec un ivrogne.

— Je ne suis pas ivre, malheureusement! protesta le comte. Toi, tu le serais, à ma place! Un verre de lait suffit à te saouler.

Sans mot dire, Lucius prit le chemin de la sortie, mais Garret se leva et le rejoignit.

— Tu étais plus drôle, avant, se plaignit-il en s'agrippant à son ami. Tu te souviens quand tu as jeté tes vêtements dans la Tamise?

— J'avais dix-sept ans!

— Et alors? Rien n'a changé, entre nous! Tout ce qui a changé, depuis cette époque, c'est que ton dragon de mère a décrété que tu sentais trop la bourgeoisie! Ce n'est pas une raison pour devenir un bonnet de nuit!

— Je te saurais gré de t'abstenir de tout commentaire sur ma mère, répliqua Lucius, glacial.

Avec ce qu'il avait ingurgité, le comte n'avait plus le sens des nuances, et n'était pas en état de percevoir l'avertissement.

— Cela fait des années que nous évitons de parler de ta famille comme s'il s'agissait d'une maladie honteuse! Ta mère a beau être la fille d'un comte, c'est une...

Il s'arrêta net en voyant le visage de Felton s'empourprer.

Mayne avait apparemment encore suffisamment de lucidité pour comprendre qu'il allait trop loin et risquait de ruiner définitivement leur amitié.

— Oui? intervint Lucius. Je t'écoute...

Il ne faut jamais pousser un ivrogne dans ses retranchements.

— Je me moque de tes parents! J'ai toujours pensé que ta mère était une femme pleine de préjugés qui avait toujours regretté son mariage. Et toi, si tu n'y prends pas garde, tu vas devenir le genre de raseur donneur de leçons à qui personne n'a rien à reprocher, mais que personne n'aime vraiment, même si tout le monde prétend le contraire !

Lucius éprouva un coup dans la poitrine, comme si Garret l'avait réellement frappé.

— Et ton père n'est qu'un snob ! ajouta le comte en se laissant tomber dans un fauteuil. Quant à toi, tu vas devenir encore plus snob !

Felton avait déjà tourné les talons. Il s'arrêta, les dents serrées, luttant contre une envie irrésistible d'écraser son poing sur le nez de son ami.

Un ronflement sonore vint mettre fin à son dilemme.

Mayne avait renversé son verre sur sa chemise froissée. Avec ses cheveux collés par la sueur retombant en désordre sur sa figure, il n'avait plus rien du fringant cavalier qui tournait la tête de toutes les femmes de la bonne société. Il faisait plutôt pitié…

Lucius prévint un valet de pied que le comte avait besoin d'aide puis regagna sa chambre en méditant sur le sort des ivrognes, des snobs, et des gens mariés.

25

Le lendemain matin arriva trop vite. Tess envisagea un instant de courir aux écuries, de faire seller Carillon de Minuit et de partir au galop. Mais pour aller où ? Elle avait pris la bonne décision, se répéta-t-elle. La seule raisonnable. Une fois mariée à un riche aristocrate comme Mayne, elle serait en mesure d'assurer l'avenir d'Annabelle et de Josie. Et elle entretiendrait avec son époux une relation courtoise, amicale, harmonieuse...

Elle se leva enfin, et frissonna dans la fraîcheur matinale. Gussie fit son apparition dès le premier coup de sonnette, traînant derrière elle la baignoire de cuivre avant d'aller chercher des seaux d'eau chaude.

L'esprit vide, Tess s'abandonna à la douce chaleur du bain. Elle finissait de s'habiller lorsque la porte s'ouvrit en trombe.

— Je vous ai apporté une robe de demi-deuil. Je l'ai très peu portée, et elle est absolument ravissante ! Vous ne pouvez tout de même pas porter le grand deuil pour épouser mon petit frère chéri !

— C'est impossible, Griselda !

— Et pourquoi donc, ma chère ? Vous ne pouvez pas vous marier en noir, ce serait de mauvais augure !

Il fallait en effet mettre tous les atouts de son côté pour que ce mariage ne coure pas à l'échec ! songea lady Willoughby qui garda néanmoins ses mauvais pressentiments pour elle. Ce qui comptait, c'était que Garret se marie. On n'allait pas épiloguer sur son éclat de la veille, il était déjà oublié, et sa fiancée n'avait pas besoin d'en savoir plus.

Tess était vraiment ravissante, surtout avec cette masse de cheveux auburn qui tombait en cascade sur ses épaules. En la regardant, Griselda sentit un petit pincement d'envie. Quelques années plus tôt, elle se souvenait... Elle repoussa bien vite ces pensées, qui impliquaient que les hommes et le mariage l'intéressaient encore. Son expérience de la vie conjugale avec ce pauvre Willoughby lui avait amplement suffi, et elle n'avait aucune envie de l'enrichir.

— Elle est un peu décolletée, remarqua Teresa. Vous êtes sûre que c'est bien convenable ?

— Mais bien entendu ! C'est du demi-deuil, et je ne l'ai mise qu'une fois, à un déjeuner chez lady Granville. Nous portions encore le deuil de ce pauvre sir William Ponsby, vous savez bien, le héros de Waterloo ! Enfin, vous ne savez peut-être pas, puisque vous étiez en Écosse.

— Nous avons entendu parler de Waterloo, même en Écosse ! assura Tess en tournant devant le miroir.

La robe, coupée à la dernière mode, lui allait effectivement à ravir, avec son décolleté profond, ses petites manches drapées sur les épaules, et la myriade de perles qui chatoyaient sur le corsage.

— Je ne me sens pas à l'aise... Je n'ai pas l'habitude de porter des vêtements aussi décolletés, surtout dans la journée. Et le jour de mon mariage...

— Je vais être franche avec vous, ma chère, murmura Griselda, après avoir fait signe à la femme de chambre de s'éclipser.

Cela n'annonçait rien de bon, et le cœur de Tess se serra.

— Mon frère a fait la cour, avec succès, aux plus jolies femmes de la haute société. Il les a pratiquement toutes connues, toutes celles qui étaient mariées et disponibles, en tout cas. Vous les égalez toutes en beauté, vous surpassez même la plupart. Le seul inconvénient, à mon avis, c'est que Garret n'a jamais pu s'attacher durablement à aucune.

— Mais il ne s'est encore jamais marié, objecta Teresa.

— Exactement ! Et c'est cela qui compte. Le fait que ses amours n'aient jamais duré plus de quelques semaines n'aura aucune incidence sur votre union.

— Vous me dites que ses liaisons...

— ... Ont toujours été éphémères ! Exactement ! Je crois que la plus longue a été une affaire de cinq ou six semaines, pas plus !

— La fameuse « mélodieuse comtesse » ?

— Non. Celle-là, à ma connaissance, n'a jamais été sa maîtresse. Elle a peut-être envisagé cette possibilité pendant quelque temps, mais ce n'est jamais allé plus loin.

— Je comprends, murmura faiblement Tess.

— Ne vous inquiétez pas. Tout va changer quand vous serez mariés.

Elles descendirent ensemble et Brinkley s'inclina profondément avant de leur ouvrir à deux battants la porte du grand salon.

La première personne que vit Teresa, ce fut Lucius Felton. Il se tourna pour la saluer et, pendant un instant, elle se figea sur le seuil, comme pétrifiée par le magnétisme de ses yeux verts.

— Le marié ne va plus tarder ! annonça Griselda, brisant le charme qui pétrifiait Tess.

Elle alla saluer l'évêque, qui rayonnait littéralement. Il lui tapota la joue en lui répétant que, décidément, son neveu était le plus fortuné des hommes.

Elle essayait de lui répondre sur le même ton lorsque Annabelle fit une entrée digne d'une reine.

— Vous êtes scandaleusement belle, ma chère ! s'exclama Griselda en courant papoter avec elle.

Lucius s'éclipsa, et la pièce parut soudain terriblement vide à Teresa. Elle n'avait pas particulièrement prêté attention à Felton jusqu'à maintenant, mais son autorité naturelle correspondait tellement à l'idée qu'elle se faisait d'un véritable aristocrate, d'un comte, par exemple !

Enfin, tout cela n'avait pas grande importance !

Un pas rapide retentit dans le hall. Ce devait être Garret.

— Ah ! voici sans doute enfin votre fiancé ! Je vous l'avoue, c'est la première fois que je célèbre un mariage le ventre creux, et j'ai hâte d'aller prendre mon petit-déjeuner ! s'exclama l'évêque en riant.

Mais la porte resta obstinément close.

— Je vais lui demander de se dépêcher, intervint lady Willoughby.

Tess chercha sa respiration. La robe de Griselda devait être un peu trop serrée, car elle se sentait oppressée.

— Je suis tellement nerveuse ! chuchota Annabelle en passant son bras sous celui de sa sœur. J'aimerais tant qu'Imogène soit avec nous ! Je n'arrive toujours pas à croire que...

Lorsque la porte s'ouvrit, Tess se tourna avec tant de brusquerie qu'Annabelle faillit tomber.

C'était le duc.

— Tess, dit-il, puis-je vous parler un instant?

Un silence étonné s'abattit sur l'assistance. On aurait entendu voler une mouche.

— Je viens avec toi, proposa Annabelle d'une voix un peu trop haut perchée.

— Non, refusa simplement sa sœur.

Le hall était désert. Aucune trace de Lucius, de Griselda, ni du comte de Mayne.

Tess respirait mieux, maintenant.

Raphaël la fit entrer dans la bibliothèque. Il faisait peine à voir, tant il était embarrassé.

— Je ne sais comment vous le dire… J'ai une nouvelle des plus déplaisantes à vous annoncer, commença-t-il, l'air profondément malheureux.

— Imogène? s'alarma immédiatement Teresa.

— Non.

— De quoi s'agit-il, alors? s'enquit-elle, soulagée.

— Eh bien… Votre fiancé a pris la fuite!

— Ce n'est pas une façon très flatteuse de me présenter les choses, sourit-elle en allant s'asseoir dans une confortable bergère.

Pour la première fois depuis les courses à Silchester, elle se sentait parfaitement calme, comme si on venait de lui enlever un grand poids.

Son tuteur prit place en face d'elle, tendu, malheureux, le front soucieux.

— Si je l'avais sous la main, je l'aplatirais comme une crêpe! gronda-t-il en passant les doigts dans ses cheveux. Si j'avais pu me douter qu'il était capable d'une telle goujaterie, jamais je ne vous l'aurais présenté. Et je n'aurais jamais donné mon accord à votre mariage!

— Ne vous mettez pas dans un tel état. Cela m'est égal, je vous assure !

Pour lui prouver sa sincérité, elle n'essaya plus de cacher le sourire radieux qu'elle retenait, mais il n'y prêta aucune attention.

— Comment ai-je pu être aussi aveugle ? poursuivit-il. Mayne n'est plus lui-même depuis le printemps, et je me suis voilé la face. Je n'ai jamais eu à m'occuper d'une famille... je suis le pire tuteur qu'on puisse trouver !

— Vous n'avez rien à vous reprocher ! assura Teresa, qui pour un peu aurait éclaté de rire.

Il paraissait si malheureux !

— Vous ne vous rendez pas compte, Tess.

— Mais si ! Le comte de Mayne vient de m'abandonner au pied de l'autel.

— Exactement.

— Nous étions mal assortis.

— Cela n'a rien à voir ! Ce qui compte, c'est que ce gredin vous a abandonnée ! Jamais je n'aurais cru ça de lui !

— Personne n'en saura rien.

— Tout le monde le saura ! La bonne société se repaît de potins et de médisances. Personne ne l'ignorera, vous pouvez me croire !

— Eh bien, tant pis !

— Il y aurait bien une solution, avança le duc, mais elle n'est pas très orthodoxe, et risque de provoquer un autre genre de rumeurs.

— Je ne veux pas que vous alliez rattraper Mayne ! s'alarma Tess.

— Non, il n'en est pas question. Il s'agit... c'est-à-dire... Je vais laisser à un autre le soin de vous expliquer en quoi consiste cette possibilité. Mais vous êtes libre de la refuser, et si elle ne vous

convient pas, je serai ravi de vous faire faire votre
entrée dans le monde. Vous savez que je n'ai plus
de famille, et même si je fais un tuteur calamiteux,
je suis enchanté de vous avoir comme pupille.

— Et moi, je remercie papa de vous avoir choisi !

Il lui tapota fraternellement l'épaule et la laissa à
ses pensées. Teresa n'était pas mécontente du tout.
Abasourdie, certes, mais plutôt contente et, pour
tout dire, soulagée.

La porte s'ouvrit sur Lucius, qu'elle vit arriver
sans réelle surprise. Elle attendit sans rien dire,
consciente que sa vie ne serait plus jamais la
même, comme après la mort de son père.

Felton lui prit la main pour la faire lever. Son
regard n'avait rien de suggestif mais elle eut soudain conscience de l'élégance de la tenue qu'elle
portait, de son profond décolleté, et se sentit l'âme
d'une sirène.

— Mademoiselle, je suis venu vous demander de
bien vouloir m'accorder votre main, dit-il en s'inclinant solennellement.

— Quelles raisons avez-vous de vouloir m'épouser ? s'étonna-t-elle en rivant son regard au sien.

— Par la faute de mon meilleur ami, vous vous
trouvez dans une situation difficile, répondit-il
après un instant de trouble. Je suis un homme
d'honneur, et…

— Vous avez envie de monter Wanton aux pro-
chaines courses de Silchester ?

— Non, rétorqua-t-il, visiblement surpris, ce qui
la soulagea immédiatement.

— Vous ne trouvez pas que se marier pour sauver l'honneur d'un ami est un sacrifice excessif ?
Vous n'êtes pas le frère du comte, ni même un
parent, que je sache.

— Effectivement.

Tess attendit la suite, mais il ne semblait pas décidé à en dire plus. Elle allait refuser, bien entendu, elle n'était pas un paquet qu'on pouvait se repasser de main en main ! songea-t-elle avec irritation.

Cependant, se rappela-t-elle, elle avait décidé de ne plus se laisser emporter par le courant, de prendre son avenir à bras-le-corps et de ne plus se conduire en spectatrice de sa vie. La lettre d'Imogène n'avait fait que renforcer sa décision.

— J'accepte.

— Pourquoi ? demanda-t-il, une lueur dangereuse dansant au fond de son regard de tigre.

— Je dois me marier rapidement, parvint-elle à articuler.

Si ses mains tremblaient, sa voix était parfaitement assurée. Elle avait même très bien réussi à obtenir la note légère, presque indifférente qu'elle cherchait.

— Vous n'avez pas de titre, reprit-elle, mais vous…

— Je peux vous offrir la position confortable que vous recherchez, c'est cela ?

— C'est cela.

— Mais…

Elle n'en pouvait plus. Cette situation était trop humiliante !

— Je remplirai mes devoirs d'épouse, je vous le promets.

— Et moi, je ferai de mon mieux pour vous rendre heureuse, Tess, assura-t-il en la prenant par les épaules.

— Je vous remercie.

Bien qu'elle sentît le désespoir la gagner, elle parvint à garder son calme tout en sachant que cela ne durerait pas. Il fallait à tout prix qu'elle sorte, qu'elle aille prendre un peu l'air.

— Il faudrait peut-être que nous parlions de notre union, vous ne croyez pas?

— Je ne connais pas grand-chose du mariage, objecta-t-elle.

— Je l'espère bien, murmura-t-il avec un léger sourire.

— Vous me connaissez à peine... avança Teresa, de plus en plus tendue.

Lorsqu'il lui prit le visage entre ses mains, elle ne put s'empêcher de rougir.

— J'ai découvert deux ou trois petites choses...

Elle s'apprêtait à répondre, mais il ne lui en laissa pas le temps.

— Avez-vous jamais partagé un souper en amoureux, un petit-déjeuner au lit?

Elle chercha une repartie légère, intelligente, spirituelle, du genre de celles qui venaient tout naturellement à Annabelle.

— Vous voulez vraiment savoir ce que je pense du mariage? demanda-t-elle enfin, ignorant l'ironie qui pointait dans son sourire.

— Sauf accident, nous resterons mariés très longtemps, remarqua-t-il, toute trace d'ironie soudain disparue.

— J'ai connu des ménages où les époux ne se parlaient jamais. Ils se côtoyaient sans s'adresser la parole. Mme Stewart, notre voisine en Écosse, parlait de son mari à la troisième personne, même en sa présence. «Il n'aime pas les asperges», disait-elle, alors qu'il était assis en face d'elle.

— J'espère que notre union sera différente, assura-t-il en lui prenant la main. Je suis sûr que si nous avons clairement conscience de ce que nous attendons l'un de l'autre, nous formerons un couple harmonieux et heureux. Et je souhaite de tout mon cœur que vous soyez heureuse à mes côtés, Tess.

Teresa remarqua qu'il avait évité soigneusement de préciser s'il espérait être heureux avec elle, et ne sut trop comment interpréter cette omission.

— Qu'attendez-vous de moi ? s'enquit-elle en rougissant, se demandant avec angoisse comment il concevait l'intimité entre mari et femme.

— C'est très simple, dit-il en lui caressant la main, la lueur amusée revenue dans son regard. Si nous nous comprenons bien, j'espère que notre relation sera chaleureuse.

— Que dois-je comprendre ?

— J'ai l'impression que vous me connaissez déjà si bien, rien qu'en m'observant, que je ne peux rien vous dire.

— Vous vous trompez !

— Si j'étais un cheval, est-ce que je remporterais la course ?

Elle le contempla, en essayant d'imaginer quel pur-sang il aurait fait. Un alezan certainement, musclé, décidé à gagner, plus rapide que tous les autres. Un vainqueur-né.

— Vous la remporteriez haut la main ! Je suis sûre que vous arrivez toujours premier, d'ailleurs.

— Souvent. L'ennui, c'est que je gagne parce que rien ne m'intéresse vraiment.

— Vous vous moquez d'être vainqueur ?

— Exactement. J'ai découvert il y a bien des années déjà que le meilleur moyen de gagner, c'est de n'avoir pas peur de perdre.

— Je vois.

— Je ne veux pas vous donner d'illusions, Tess. Je ne suis pas fait pour le mariage. Vous me plaisez beaucoup, mais je crois que je suis incapable d'éprouver des sentiments profonds.

— Je n'exigerai rien de vous.

— Mais moi, si! rétorqua-t-il, retrouvant son sourire malicieux. Et peut-être même beaucoup, ajouta-t-il à voix basse, en portant les mains de Tess à ses lèvres.

Tess était vierge et n'avait aucune expérience des hommes, mais elle comprit sans peine le désir qui frémissait dans sa voix. Une onde brûlante la parcourut tout entière, et elle sentit ses joues s'empourprer.

Lucius n'attendit pas sa réponse. Le baiser qu'il lui donna était à la fois doux et sauvage et, comme tous ses baisers, il disait tout de lui. Elle lui appartenait et il exigeait tout d'elle, tout ce qu'elle avait à offrir. La tête lui tourna, et elle se serra contre lui, refermant les doigts sur la nuque de son nouveau fiancé.

C'est lui qui se dégagea le premier.

— Vous êtes sûre que vous n'exigerez rien de moi? murmura-t-il d'une voix rauque qu'elle ne lui connaissait pas.

Il venait de découvrir une nouvelle Tess, qui n'aurait certainement rien d'une épouse modeste et soumise.

— J'aurai peut-être quelques exigences, finalement! chuchota-t-elle avec un sourire à damner un saint.

Sous ce regard brûlant, le sang de Lucius s'enflamma dans ses veines.

— Je ne remercierai jamais assez Mayne de nous avoir fourni l'évêque. Nous pouvons... nous marier tout de suite.

— Je ne vois pas la nécessité d'attendre.

Il l'embrassa de nouveau.

26

Le reste de la matinée s'écoula comme en rêve. La malheureuse Griselda, en larmes, annonça sa décision de partir sur-le-champ. Raphaël l'en dissuada en lui rappelant que les jeunes filles avaient toujours besoin d'un chaperon.

— Je n'aurais jamais imaginé que mon frère serait capable d'une telle ignominie ! gémissait-elle en se tamponnant les yeux. Il n'a jamais…

Elle s'interrompit en se rappelant tout à coup certains méfaits de Garret depuis longtemps oubliés.

— Vous serez plus heureuse sans lui, reprit-elle en se tournant vers Teresa. C'est mon frère, et Dieu sait si je l'aime, mais depuis quelque temps, il n'est plus lui-même. Je croyais que vous le guéririez, mais malheureusement…

— Il faut lui laisser le temps de trouver son remède, l'assura gentiment Tess.

Elle ne savait plus très bien où elle en était. Toutes ces émotions l'enivraient, son sang courait plus vite dans ses veines. Sans cesse, elle cherchait le regard de Lucius et, lorsqu'elle le rencontrait, sentait tout son corps s'embraser.

Annabelle arborait un sourire un peu crispé et n'arrêtait pas de lui chuchoter : « Je le savais bien, je l'avais deviné. »

Le malheureux évêque, horrifié par la conduite de son neveu, n'avait fait aucune difficulté pour remplacer sur la dispense le nom de Mayne par celui de Felton et s'apprêtait à célébrer le mariage.

— Vous êtes un véritable gentleman, dit-il au nouveau marié. Mon neveu n'est qu'un sacripant de la pire espèce, mais heureusement il a des amis remarquables, qu'il ne mérite certainement pas !

Il finit par ouvrir sa bible et, visiblement convaincu qu'en de telles circonstances les circonlocutions n'étaient pas de mise, commença le service à toute allure. Tess avait l'impression que les mots coulaient comme un torrent. Il parlait si vite qu'on avait du mal à comprendre le sens de ses paroles.

— Voulez-vous prendre pour épouse...

— Oui ! lança la voix forte de Lucius.

— Voulez-vous prendre pour époux... poursuivit-il en se tournant vers elle.

Elle devina la suite, mais fut incapable de saisir un traître mot, malgré tous ses efforts pour entendre les autres prénoms du marié.

L'évêque s'arrêta et la regarda fixement. Elle ouvrit la bouche comme malgré elle, et s'entendit articuler: «Oui» sans bien réaliser de quoi il s'agissait.

— Parfait ! s'exclama l'évêque visiblement soulagé d'avoir évité un scandale avant de retourner à sa bible.

Tess, pour sa part, avait plutôt l'impression extrêmement désagréable d'être une denrée périssable qu'il fallait se dépêcher de consommer avant qu'elle ne soit gâtée. Elle sentit tout à coup des mains vigoureuses s'emparer des siennes, leva les yeux et croisa le regard de Lucius.

N'importe qui lui aurait trouvé un visage impénétrable, mais elle lisait clairement dans ses yeux verts une affection amusée, et la promesse que, plus tard, ils riraient ensemble de cette cérémonie insolite.

L'homme de Dieu poursuivit le service de manière moins expéditive :

— « Moi, Lucius John Perceval Felton, je te prends, Teresa Elizabeth Essex, pour légitime épouse »…

Perceval ? Cette fois-ci, elle avait bien entendu.

— Pour le meilleur et pour le pire, répéta calmement Lucius qui tenait toujours les mains de Tess prisonnières dans les siennes, dans la richesse et la pauvreté…

Si elle avait bien compris, la pauvreté n'était pas un danger qui les menaçait. Ce serait peut-être plus facile s'il n'était pas si riche, d'ailleurs. L'heure n'était cependant pas aux considérations philosophiques.

— Pour t'aimer et te chérir, jusqu'à ce que la mort nous sépare. Selon le commandement de Dieu, je t'engage ma foi, conclut-il sans la quitter des yeux une seconde.

— Moi, Teresa Elizabeth Essex, je te prends, Lucius John Perceval Felton, pour légitime époux, répondit-elle en serrant très fort les mains de Lucius, pour le meilleur et pour le pire, dans la richesse et la pauvreté, pour t'aimer et te chérir, jusqu'à ce que la mort nous sépare.

Là-dessus, Lucius déposa sur la joue de Tess un chaste baiser, lui prit le bras et, ensemble, ils se retournèrent pour faire face à l'assemblée. Annabelle pleurait, Josie souriait aux anges, et Raphaël faisait signe à Brinkley de faire servir le champagne.

— Une collation nous attend, indiqua-t-il après avoir porté un toast. Ensuite, nous laisserons les nouveaux mariés gagner leur résidence.

— J'ai une maison de campagne à une heure d'ici, expliqua Lucius à Teresa. J'ai pensé que nous y serions plus tranquilles.

— Peut-être ferions-nous mieux de partir directement pour Londres ? On m'a dit qu'il valait mieux éloigner...

— Vos sœurs seront très bien sous la garde de Griselda, la rassura-t-il. Vous ne me faites pas confiance ? insista-t-il devant sa mine sceptique.

— Si ! répondit-elle, les yeux dans les siens.

Il n'y avait rien à ajouter.

Lorsque Teresa se retrouva enfin seule avec ses sœurs, le moment du départ approchait. Assise à sa coiffeuse, elle voyait dans le miroir Bella frétillant d'excitation et Josie en larmes, parce qu'Imogène n'était pas là.

— Maintenant, nous ne serons plus jamais toutes les quatre ensemble. Rien ne sera plus pareil ! gémissait la benjamine.

— Ce sera bien mieux ! s'exclama Annabelle. Tess est mariée à l'homme le plus riche d'Angleterre, tu te rends compte ? Tess, tu es la femme la plus riche de tout le royaume !

— L'homme le plus riche d'Angleterre, n'est pas Lucius. C'est William Beckford, de Fonthill Abbey ! corrigea Joséphine.

— Et que dirait Mlle Flecknoe d'une conversation aussi vulgaire ? s'enquit la jeune mariée en leur adressant une grimace.

— Tu crois que ton mari a un château ? demanda Joséphine.

— Certainement, assura Annabelle. Dans les romans, le héros a toujours un château, alors l'homme le plus riche d'Angleterre, tu penses !

— Les châteaux sont faits pour les rois, pas pour les gens ordinaires comme nous, assura fermement Tess en mettant la dernière main à sa coiffure.

— Vous n'êtes pas des gens ordinaires ! protesta Joséphine.

— Josie, je voudrais parler un instant seule à seule avec Tess, si ça ne t'ennuie pas, dit Annabelle.

— Si vous voulez parler de l'intimité du mariage, je sais en quoi ça consiste.

— Je ne répéterai pas à Mlle Flecknoe ce que tu viens de dire, promit Annabelle en la poussant dehors.

— Moi aussi, je sais en quoi ça consiste, remarqua Tess dont les mains tremblaient légèrement. Et nous en avons déjà parlé hier soir.

— J'ai toujours pensé que savoir en quoi cela consistait et le faire était radicalement différent. Tu n'as pas peur ?

— Si, un peu. J'essaierai de faire ce qu'il faut comme il faut, même si je ne sais pas très bien ce que cela implique.

— Tout ça m'a l'air plutôt vague, soupira Bella. D'après ce que j'ai entendu dire, l'important, c'est de garder le sourire. Au village, Mme Howland disait toujours qu'un homme déteste qu'on le repousse ou qu'on fasse la grimace.

Teresa se remémora la verrue sur le nez ainsi que l'air revêche de Mme Howland et garda ses commentaires pour elle.

— Enfin, ça ne doit pas être si pénible, reprit Annabelle, sinon il n'y aurait pas tant d'enfants au monde pour courir partout en hurlant.

— Essaie de ne pas faire état de ton manque d'instinct maternel quand nous serons à Londres, si tu veux un conseil, répliqua Tess.

— Je doute que beaucoup d'hommes choisissent une épouse en fonction de son instinct maternel, et si celui que j'aurai choisi montre ce penchant regrettable, je me fais fort de noyer le poisson jusqu'à notre mariage.

Annabelle ne doutait jamais de ses capacités. Affecter d'adorer les enfants, ensorceler la terre entière, ou du moins tous les représentants du sexe fort, et même endurer avec le sourire n'importe quel désagrément intime, rien ne lui faisait peur.

— J'aimerais partager ton bel optimisme, soupira Teresa en se levant.

Il était grand temps de rejoindre son époux qui patientait au salon. Les chevaux étaient prêts, la voiture l'attendait… Son mariage et sa nouvelle vie l'attendaient également, comme des vêtements neufs auxquels il allait falloir s'habituer.

— Je serai certainement aussi affolée qu'un animal pris au piège quand mon tour viendra, admit Annabelle, mais au moins je pourrai profiter de ton expérience. Heureusement, nous avons toujours parlé de tout, et nous ne nous sommes jamais rien caché. Je veux que tu me racontes tout dans les moindres détails !

Tess n'imaginait pas une seconde narrer par le menu à qui que ce soit, même à sa sœur, ce qui allait se passer entre Lucius et elle. Annabelle ne l'avait visiblement pas encore compris.

Josie avait raison : rien ne serait plus pareil entre elles !

27

Avec ses poignées en cuivre ouvragé et ses portières vert sombre, la voiture de Lucius, tirée par de superbes chevaux pommelés gris, était la plus élégante que Teresa ait jamais vue.

Tess embrassa ses sœurs en ignorant la mine coquine d'Annabelle et promit d'écrire tous les jours. Elle remercia Raphaël et prit place sur une moelleuse banquette de velours, sous les petites lampes d'opaline.

— Vous ne trouvez pas cette berline trop luxueuse, au moins ? s'inquiéta son mari.

Son mari !

Elle ne sut que répondre. L'équipage était bien loin de ses préoccupations. En fait, elle n'avait qu'une idée en tête, et jamais elle n'aurait osé avouer à qui que ce soit ce qui occupait son esprit. Sans doute cachait-elle un tempérament dépravé pour nourrir de telles pensées !

Elle se sentait déjà mal à l'aise et appréhendait plus encore ce qui allait se passer plus tard. Comment se comporter ? La femme de chambre la préparerait-elle pour la nuit, comme à l'accoutumée, et attendrait-elle ensuite sagement que son époux la rejoigne ? Est-ce que M. Felton la déshabillerait ? Elle espérait bien que non. Grâce à la générosité de

Griselda, elle avait de jolis dessous mais elle ne voulait surtout pas qu'ils soient abîmés. Annabelle l'avait assurée que l'arrachage des vêtements de la mariée par son nouvel époux constituait le prélude obligatoire à toute relation conjugale.

— Tu comprends, l'homme piaffe d'impatience, comme un étalon ! Si ton mari ne t'arrache pas tes vêtements, il faudra l'interpréter comme un manque d'intérêt pour la chose, si tu vois ce que je veux dire. En fait, je suis sûre que Felton se jettera sur toi dès que vous serez en voiture !

Et maintenant, à voir la mine gourmande de son mari, Tess n'avait plus aucun doute. S'il fallait qu'un homme arrache les vêtements de sa partenaire pour lui témoigner son intérêt, elle allait très prochainement se retrouver dans le plus simple appareil.

Jamais elle ne s'était sentie plus empruntée. Comment dire : « Je vous en prie, n'abîmez pas mes vêtements tant que je n'en aurai pas d'autres » ? Comment différer l'inévitable ? Prétexter une migraine ? Prétendre qu'elle avait ses règles ? Mais que se passerait-il quand elle les aurait vraiment ? Mon Dieu, pourquoi sa mère était-elle morte si tôt ? Pourquoi n'était-elle plus là pour conseiller sa fille ? Teresa se mordit les lèvres. Allons, ce n'était qu'un mauvais moment à passer. Bientôt, tout serait terminé ; elle aurait alors tout loisir de s'accoutumer à sa vie conjugale.

— Ma maison n'est pas loin des ruines que nous avons visitées l'autre jour, expliqua Lucius sans cesser de l'observer.

— Le paysage doit être ravissant.

— J'ai pensé que nous pourrions nous arrêter pour pique-niquer. Le cuisinier de Raphaël nous a préparé un panier.

— Quelle excellente idée ! J'adore ces ruines, répondit Tess, extrêmement déçue.

Apparemment, son nouvel époux n'était pas aussi impatient qu'elle l'avait cru.

Felton dissimula son sourire. Sa jeune épouse avait manifestement une idée derrière la tête. Or, il entendait mener leur union à sa manière, et ce dès le départ. Ses occupations l'amenaient à voyager beaucoup, et seul. Il voulait dès maintenant jeter les bases d'une confortable vie conjugale, qui leur permettrait à chacun d'apprécier la compagnie de l'autre quand ils seraient réunis, et de profiter des plaisirs de la nuit si tel était leur désir.

Il avait beaucoup réfléchi, ces derniers jours. S'il ne se conduisait pas en époux passionné, il empêcherait Tess d'entretenir l'illusion qu'il pouvait en être un. Ou, en un mot comme en cent, il l'empêcherait de s'imaginer qu'il était, ou serait jamais, amoureux d'elle. Aucun jeune marié n'aurait l'idée de s'arrêter en chemin pour pique-niquer, mais ils ne formaient pas un couple ordinaire, et ils ne partageraient jamais une telle intimité. Il n'en voulait à aucun prix. Cela aurait sous-entendu trop de promesses qu'il ne pourrait jamais tenir, et briserait le cœur de Tess.

S'il y avait une chose au monde qu'il ne pourrait jamais supporter, c'était bien de lire la déception sur le visage de Teresa. Donc, si elle avait clairement conscience de ses limites, elle ne serait pas déçue.

— Je suis affamé, ajouta-t-il, et nous avons encore plus d'une heure de route.

Elle acquiesça silencieusement, dissimulant sa surprise du mieux qu'elle pouvait. Sans doute considérait-elle que des jeunes mariés ne pouvaient connaître la faim, songea-t-il, un peu amusé.

Le seul inconvénient de toutes ces belles résolutions, c'était que Lucius avait toutes les difficultés du monde à garder ses distances avec son épouse. Elle était assise en face de lui, sa mince silhouette oscillant légèrement au rythme de la voiture, et il n'avait qu'une idée en tête : la prendre dans ses bras, comme n'importe quel amoureux.

Pendant qu'il réfléchissait calmement et raisonnablement à leur avenir commun, une partie de son esprit nourrissait des pensées d'une tout autre nature. Et son corps obéissait à cette partie de son intellect ! Il ramena pudiquement sur ses genoux les pans de sa redingote. Bien sûr, il n'y avait aucun mal à anticiper ce qu'il avait envie de faire, puisqu'il allait justement le faire, mais un peu plus tard, dans l'intimité rassurante de leur chambre à coucher, dans une obscurité de nature à ménager la pudeur d'une jeune vierge, et surtout au moment qu'il aurait choisi. Il fallait absolument que Teresa comprenne d'emblée que le devoir conjugal ne constituerait pour lui qu'une occupation parmi d'autres, dont il s'acquitterait ponctuellement, quand il serait disponible. Une occupation très agréable, certes...

Car il ferait en sorte de la rendre agréable pour tous deux...

Pendant un instant, son esprit rationnel l'abandonna complètement, et l'image de Tess nue à la lueur des chandelles vint danser devant ses yeux. Il se pencherait sur elle pour l'embrasser... Non, il poserait la main sur son sein palpitant, caresserait doucement le mamelon durci. Elle se blottirait dans ses bras, toute tremblante ; il goûterait au nectar de sa bouche, de cette bouche sensuelle...

Non !

Une tempête se levait dans ses reins. Il devait immédiatement se reprendre, sous peine de perdre le contrôle de lui-même.

— Je crois que je vais faire un petit somme, murmura-t-il en se renfonçant sur la banquette.

Il ne reconnut pas sa propre voix, rauque de désir, mais cela n'avait pas grande importance. Même si elle le remarquait, sa jeune épouse ne comprendrait pas ce qui motivait ce changement.

Lucius ferma les yeux, et observa Teresa entre ses cils. Elle paraissait pour le moins déconcertée. Parfait… Tout allait donc pour le mieux. Elle réaliserait rapidement qu'il n'était pas homme à éprouver des sentiments violents, ni à se laisser guider par ses émotions.

Pour le moment, cependant, il n'était plus que pulsion animale, une masse de sensualité brute, résistant de toutes ses forces au désir de bondir rejoindre Tess, de la prendre dans ses bras, de l'embrasser, de la supplier de lui pardonner sa stupidité, de lui montrer par tous les moyens qu'il mourait d'envie de goûter ses lèvres, de sentir ses doigts sur sa peau…

Il rêvait que Teresa effleurait sa bouche, comme elle l'avait fait la veille, et il sentait la brûlure de ses mains sur sa peau. Elle caressait son cou, dénouait sa cravate. Il frissonnait déjà…

Une secousse le tira de ce songe torride.

Ils étaient arrivés. Il ouvrit les yeux et fit comme si une sieste de trois minutes et demie l'avait véritablement reposé.

Le valet vint ouvrir la porte et dérouler le marchepied. Lucius sauta à terre et aida à descendre une épouse impeccablement chapeautée et dont les vêtements ne présentaient pas le moindre faux pli.

Il évita cependant de croiser le regard de son laquais. Les domestiques étant parfaitement libres d'embrasser leur fiancée quand et aussi souvent qu'il leur plaisait, le sien pensait sans doute que son maître n'était pas à la hauteur.

Un autre valet les attendait, des couvertures sous le bras. Une idée de Raphaël, à n'en pas douter. Compte tenu du fait que le duc n'avait jamais eu la fibre romantique, Felton devinait parfaitement comment il avait interprété ce pique-nique.

Comment son ami pouvait-il imaginer qu'il allait déflorer sa femme au beau milieu d'un champ où n'importe qui, à commencer par une vache égarée, pouvait les voir ?

— Quel temps magnifique ! remarqua poliment Tess en prenant le bras qu'il lui offrait.

Un peu embarrassé, il approuva distraitement.

— Monsieur Felton...

— Lucius, corrigea-t-il.

Elle leva vers lui son regard étonné et, une fois encore, il faillit la prendre dans ses bras et jeter par-dessus les moulins ses bonnes résolutions.

— Je m'appelle Lucius, insista-t-il.

— Pardonnez-moi. Mes parents ne s'appelaient jamais par leur prénom.

— Ils attendaient probablement d'être seuls, suggéra-t-il. En tout cas, je préfère que vous utilisiez le mien.

— C'est entendu, Lucius.

Son nom prenait une sonorité particulière quand c'était elle qui le prononçait. Les laquais étendirent les couvertures sous le saule pleureur, posèrent les paniers du pique-nique, et regardèrent leur maître d'un air interrogateur.

Felton poussa un soupir agacé. Autant faire ce qu'apparemment tout le monde attendait de lui.

— Vous pouvez aller déjeuner à Silchester. Revenez dans deux ou trois heures, ordonna-t-il sèchement.

Agenouillée sur les couvertures, Teresa avait ouvert les paniers et examinait leur contenu. Elle semblait d'humeur fort joyeuse. Sans doute un déjeuner sur l'herbe lui souriait-il beaucoup plus qu'une initiation à la hussarde aux plaisirs de la chair dont elle ignorait tout. En fait, il se montrait malgré lui un époux des plus attentionnés... Cette idée agaça Lucius, sans qu'il sache très bien pourquoi.

— Voulez-vous faire quelques pas jusqu'aux ruines ? suggéra-t-il brusquement.

— Pourquoi pas ? répondit-elle, surprise.

Décidément, songea-t-elle, elle venait d'épouser l'homme le plus versatile du royaume.

Elle n'avait toutefois aucune envie de revoir les ruines et, plutôt que de traverser le pré qui y menait, elle se dirigea vers un bouquet d'arbres derrière un muret de pierres sèches. Lucius la suivit jusqu'à un magnifique sycomore que les reflets du soleil nimbaient d'une couronne dorée.

L'arbre abritait deux modestes pierres tombales enfouies sous les feuilles mortes et la mousse. Tess s'agenouilla pour dégager la première.

— Émilie Caudwell, lut-elle à haute voix. Oh ! Lucius, elle n'avait que seize ans, la pauvre ! Et voici William.

— Son mari, certainement.

— Il lui a survécu vingt-quatre ans, ou vingt-cinq, je n'arrive pas à lire le dernier chiffre.

Elle avait entrepris d'arracher les mauvaises herbes et il se baissa pour l'aider.

— Pas celle-ci ! l'arrêta-t-elle.

— Pourquoi ?

— Ce sont des pensées ! Il a dû les planter quand elle est morte. Regardez, il y en a partout sur la tombe de la jeune femme, et elles se sont étendues sur la sienne.

Il regarda la poignée d'herbes qu'il avait encore dans la main, et remarqua effectivement de petits boutons violacés bordés d'un jaune soyeux.

— Ils n'ont pas dû être mariés très longtemps, si elle est morte à seize ans. Quelle attention délicate, de planter des pensées sur sa tombe ! En Écosse, on les appelle « les sourires de l'amour » !

— C'est bien plus joli ! Ont-elles un autre nom ?

Le chapeau de Tess était tout de guingois et des mèches de cheveux auburn s'en échappaient. Sans même y penser, Lucius entreprit de dénouer les rubans qui l'attachaient sous son menton et de le lui enlever.

Il cueillit quelques-unes des petites fleurs et les piqua dans la masse de cheveux qu'il venait de libérer. Immédiatement, elle s'empourpra.

Quelle chance il avait d'avoir épousé une demoiselle qui rougissait ! Combien d'hommes pouvaient en dire autant ?

— C'est tout ? insista-t-il.

— « Embrassez-moi tendrement », murmura-t-elle sans oser le regarder.

— Vous êtes sûre que ce n'est pas « Embrassez-moi sous le sycomore » ? Je jurerais que j'ai déjà entendu ce nom !

— C'est parfaitement possible, dit-elle en souriant.

Ses lèvres étaient toujours aussi douces, plus encore que dans ses rêves enfiévrés. Il plongea des doigts tremblants dans la chevelure dénouée et attira doucement sa femme contre lui.

Son baiser débuta comme celui d'un jeune marié à une fiancée rougissante : tendre, doux, presque innocent. Mais peu à peu, le gentleman en lui céda devant la force de son désir. Il se fit pressant, insistant, possessif, et prit sa bouche pour tenter d'apaiser la faim qui le dévorait.

Si elle avait été tout à fait lucide, Tess n'aurait pas manqué de remarquer que l'époux prévenant aux manières irréprochables avait fait place à l'un de ces furieux dont avait parlé Annabelle, ceux qui se jettent sauvagement sur leur femme pour leur arracher leurs vêtements n'importe où, en voiture, dans un pré, ou sous un arbre...

Mais, emportée par un tourbillon étourdissant, elle avait perdu la tête. Tremblant de tout son corps, elle s'agrippait comme une noyée aux épaules de Lucius, tandis qu'une vague brûlante montait en elle.

Les mains fiévreuses de son mari avaient achevé de dénouer ses cheveux et couraient maintenant fébrilement le long de son dos, de son ventre, jusqu'à... Jusqu'à...

— Lucius ! murmura-t-elle, retrouvant soudain tous ses esprits.

Il ne répondit pas, mais aucun doute n'était permis. Elle connaissait peu de chose de l'amour, mais en savait suffisamment pour comprendre qu'il s'apprêtait à faire plus que simplement l'embrasser.

— Monsieur Felton !

Lucius s'arrêta net.

— Ne m'appelez jamais comme ça ! gronda-t-il.

Il se releva lentement et l'aida à se remettre debout à son tour.

— Appelez-moi Lucius, répéta-t-il avec plus de douceur. Voulez-vous aller jusqu'aux ruines, maintenant ?

Teresa attendit avant de se mettre en route que les battements furieux de son cœur se soient un peu calmés. C'était certainement l'effet de surprise.

— Nous y voilà ! lança-t-elle calmement quelques minutes plus tard. Quelle partie souhaitez-vous revoir ?

À vrai dire, Lucius n'avait envie d'en voir aucune en particulier. Cependant, il ne pouvait tout de même pas expliquer à sa jeune épouse qu'il avait eu l'idée de ce déjeuner champêtre dans le seul but de lui prouver qu'il n'attachait pas une importance démesurée aux plaisirs de la chair.

Ce qui était en fait totalement faux.

— Ces bains m'ont semblé particulièrement intéressants. Si vous n'y voyez pas d'inconvénient, j'aimerais observer de plus près le système d'adduction d'eau.

Il aida Tess à descendre et s'absorba dans l'examen des conduits.

— Ils doivent mener à une citerne, remarqua-t-il, à court d'idées pour paraître intéressé.

La jeune femme observait pensivement le ciel. À sa dernière visite, des oiseaux s'apprêtaient à s'accoupler...

Elle jeta un coup d'œil oblique à Lucius, qui la contemplait par en dessous et, soudain, se sentit submergée de bonheur. De bonheur d'avoir épousé cet élégant colosse qui ne la couvrait pas de compliments mais la couvait d'un regard brûlant de désir.

Il faisait beau, son mari était à ses côtés...

Elle était maintenant une femme mariée. Mariée ! se répéta-t-elle. Une femme mariée avait le droit de faire ce qu'elle voulait. Elle avait le droit d'embrasser son époux sous un arbre sans risquer d'être déshonorée, elle avait le droit de...

Elle se retourna vers Lucius.

Tant qu'il vivrait, Lucius Felton n'oublierait jamais cet instant.

Sa petite épouse timide s'évanouit à jamais, et il se trouva devant une femme qu'il ne connaissait pas, belle à damner un saint, une inconnue au regard incendiaire, au sourire suggestif. Comment résister à une telle femme ?

Elle tendit la main vers lui et, instinctivement, il recula.

— Lucius, appela-t-elle doucement.

Les doigts de l'inconnue se posèrent sur sa nuque, elle se haussa sur la pointe des pieds...

— Lucius... chuchota-t-elle de nouveau.

Comme il était incapable de faire un mouvement, elle l'attira à elle et colla sa bouche sur la sienne.

Il gémit faiblement, et perdit ce qu'il lui restait de sang-froid.

Ils étaient ensemble, tous les deux, dans les bras l'un de l'autre, à l'endroit précis de leur premier baiser.

Seuls...

28

Depuis qu'il avait atteint l'âge adulte, Lucius ne s'était jamais interrogé sur la conduite à tenir avec une jeune mariée encore vierge. D'abord parce qu'il n'avait jamais envisagé de se marier, et ensuite parce qu'il doutait qu'il y eût tant de jeunes vierges à épouser.

En tout cas, les vierges ne l'avaient jamais beaucoup intéressé. Comment s'intéresser à une femme qui ignorait ce qu'elle aimerait ou non, et pouvait parfaitement s'apercevoir après coup qu'elle n'avait aucun goût pour les jeux amoureux ? Comment s'intéresser à une femme qui n'avait jamais soupçonné qu'elle aussi pouvait procurer du plaisir, et qui ne savait rien de la façon de s'y prendre ?

Non, les vierges ne présentaient vraiment aucun intérêt.

Jusqu'à présent.

Car Tess n'avait rien d'une jeune fille timide. Sa voix chaude et sensuelle vibrait de désir, et si elle tremblait, c'était d'excitation, certainement pas de peur. Elle était avide d'apprendre, ne demandait qu'à le connaître, qu'à découvrir chaque partie de son corps. Elle avait commencé par embrasser doucement le poignet de Lucius, puis ses lèvres étaient remontées lentement le long de son bras, jusqu'à son épaule. Il avait dû enlever sa chemise pour que sa bouche de plus en plus avide trouve son chemin jusqu'à sa poitrine.

Néanmoins, malgré la curiosité qui la dévorait, Tess n'osait pas s'égarer au-dessous de la taille.

Ils avaient naturellement échoué côte à côte sur le banc couvert de mousse, puis elle s'était glissée sur ses genoux.

Lucius avait perdu toute notion du temps et n'aurait su dire depuis quand ils étaient ainsi enlacés. Il couvrait de baisers le visage et la gorge de Teresa, mais revenait toujours à sa bouche, sans jamais en être rassasié. Les baisers de Tess étaient enivrants, ils l'entraînaient dans un gouffre sans fin, lui faisaient perdre la tête et ce qu'il lui restait de contrôle sur lui-même.

Seul comptait le petit gémissement ravi qui s'était échappé des lèvres de son épouse lorsque sa main s'était posée sur son sein. Tout ce qui importait, c'était qu'elle murmurait son nom comme personne avant elle ne l'avait jamais fait.

Et c'était elle qui demandait, qui exigeait toujours plus.

Jetant aux orties toutes ses bonnes résolutions et ses principes d'homme du monde, il dégrafa le corsage de son épouse et en fit jaillir ses seins d'albâtre.

Elle ouvrit la bouche pour protester, mais il ne lui en laissa pas le temps. Ses lèvres s'abattirent sur celles de Tess pour un baiser où il mit toute l'impétuosité trop longtemps contenue.

Du bout des doigts, il agaça le téton qui se dressa sous sa caresse. Elle poussa un petit cri et se serra plus étroitement contre lui.

— Lucius... gémit-elle, pantelante.

Il ne pouvait détacher les yeux de ce visage aux yeux mi-clos, de cette poitrine de neige. Tout son être brûlait d'un désir sauvage, mais il se refusait encore à franchir les dernières limites de la décence.

Ils avaient encore le temps de se rajuster s'ils entendaient quelqu'un approcher. Bien sûr, les cheveux de Tess retombaient en désordre sur ses épaules, ses lèvres étaient gonflées par les baisers enflammés qu'ils avaient échangés, elle frémissait comme une biche aux abois, mais il était encore temps de rajuster son corsage.

Et puis, comme s'ils lui échappaient, les doigts de Lucius se glissèrent sous la jupe de Tess, remontèrent le long des bas, jusqu'aux jarretières, et se posèrent sur la peau satinée en haut de la cuisse.

Ils s'y attardèrent un moment, avant de se rapprocher, de se rapprocher encore...

— Lucius! Que faites-vous?

— Je vous caresse. Je caresse ma femme.

Elle retint son souffle et frissonna quand sa main monta encore un peu plus haut et se perdit dans sa toison intime.

— Il ne faut pas!

— Et pourquoi donc? souffla-t-il d'une voix étranglée par le désir brutal qui montait de ses reins.

— Parce que... ce n'est...

Elle s'interrompit, faute de mots pour exprimer ce qu'elle ressentait. Lucius lui sourit tendrement.

— Si nous étions romains, nous serions entièrement nus tous les deux.

— Et nous aurions un toit au-dessus de la tête! Lucius, je...

Il ne pouvait la laisser finir.

273

— Vous seriez étendue devant moi, offerte, chuchota-t-il. La vapeur ferait luire doucement votre peau à la lueur des flambeaux. Je vous renverserais en arrière, je couvrirais de baisers votre cou, votre poitrine, votre ventre...

Tess n'était plus qu'attente. Elle paraissait ne plus respirer, et ses yeux luisaient comme des escarboucles.

— Je vous embrasserais ici, ajouta-t-il dans un souffle en se penchant sur son sein, tandis que sa main s'insinuait dans son intimité.

Ses caresses, lentes et douces au début, se firent plus rapides, impérieuses. Elle tremblait et gémissait sous ses lèvres et sous sa main, s'abandonnant à leur danse enivrante.

Lucius avait complètement oublié le pique-nique, ses domestiques et ses principes. Ils étaient seuls au monde avec les derniers grillons, dans la lumière qui jouait sur la peau crémeuse de Tess.

Un instant ou une éternité plus tard, il tomba à genoux aux pieds de sa femme pour enlever en tremblant les derniers obstacles à son désir, comme si elle était le plus précieux cadeau que la vie lui ait jamais fait.

— Que faites-vous ? Nous jouons aux Romains ? murmura-t-elle d'une voix changée, plus chaude, plus vibrante, plus sensuelle.

— Je vous déshabille ! lança-t-il en concluant la chose d'un baiser impérieux.

Sans lui laisser le temps de reprendre son souffle, il l'attira sur ses genoux et s'empara de son sein, lui arrachant un petit cri d'abandon ravi.

La poitrine de neige se gonflait dans la main de Lucius et le mamelon se dressait orgueilleusement, tandis qu'à chaque caresse une plainte étouffée montait de la gorge offerte.

Il l'étendit sur le banc comme si elle était cette Romaine qu'il avait évoquée.

— Nos Romains étaient deux, dit-elle avec autorité. Et ils étaient nus tous les deux !

Les mains de Lucius parcouraient maintenant son corps dénudé avec toute l'assurance d'un propriétaire légitime. Le regard de Teresa chavirait, son souffle se faisait haletant.

— Lucius ! insista-t-elle pourtant.

Il obéit cette fois et, sans la quitter des yeux un seul instant, se débarrassa prestement des vêtements qui lui restaient.

Son grand corps musclé ressemblait aux statues antiques. Il en avait la pureté, les muscles longs et lisses. Et devant lui...

Le souffle coupé, Tess se redressa sur le banc de pierre. Elle ne comprenait pas comment sa peau enfiévrée pouvait ne pas laisser une marque brûlante sur la mousse fraîche.

Ce marbre vivant lui appartenait. C'était son mari.

Elle tendit vers lui une main tremblante.

Jamais elle n'oublierait le moment où il l'avait attirée à lui, où leurs corps nus s'étaient rencontrés, où la douceur de sa peau avait touché ses muscles d'acier.

Le banc étant trop étroit, ils s'étendirent sur les vêtements éparpillés sur la mousse. Teresa était avide d'explorer le corps de son mari, si ferme, si dur sous sa main, et cependant si doux.

— Tess, je ne vais pas vous prendre ici. Je ne peux pas.

Les doigts de la jeune femme se figèrent sur le flanc de son mari. Peut-être devait-elle se montrer plus audacieuse dans ses caresses ? Après tout, lui osait la toucher partout.

Sa main se referma sur le membre si rigide et si soyeux et, à sa grande joie, elle sentit tout le corps de Lucius vibrer comme la corde sous l'archet.

Mais elle avait besoin de sentir sa peau contre la sienne. Elle se lova contre lui, enfouit le visage dans son cou pour le mordiller tendrement. Il tremblait, maintenant, et c'était son tour de geindre doucement à chacune de ses caresses.

N'en pouvant plus, il s'abattit sur elle. Ses lèvres avides sucèrent goulûment ses seins, sa main reprit sa danse diabolique, et Tess se tordit en gémissant, se projetant en avant pour s'offrir davantage.

— Je ne peux pas, murmura-t-il dans un sursaut de lucidité. La première fois peut être douloureuse, pour une femme. Il… il y a du sang. Vous ne seriez pas à l'aise.

Tess l'ignorait et eut un instant d'hésitation. Néanmoins, son désir étant plus fort que tout, elle se coula encore plus près de lui et se cambra pour plaquer ses hanches contre les siennes.

Incapable de se contenir plus longtemps, Lucius perdit le contrôle de lui-même et céda enfin au désir furieux qui le taraudait depuis trop longtemps.

Chaque caresse en appelant une nouvelle, plus impérieuse, plus ardente, plus osée, plus intime, Tess se tordait sous lui en gémissant, avide de connaître enfin ces sensations enivrantes qu'il lui laissait deviner.

— C'est ça qui est douloureux, Lucius ! soufflat-elle en s'agrippant à ses épaules.

Quand sa main se glissa de nouveau dans la chaleur de son intimité, c'est elle qui prit sa bouche, allumant une onde de feu dans la poitrine de Felton.

Pourtant, quelque chose le retenait encore. Une jeune mariée devait passer cette épreuve dans l'intimité d'une chambre à coucher, dans un lit douillet, et dans une obscurité pudique de préférence.

Or, Teresa n'était pas disposée à attendre et ne montrait aucune envie de se réfugier dans l'obscurité.

— Comme William et Émilie, supplia-t-elle en mordillant son oreille.

— Pardon?

— Pourquoi l'a-t-il enterrée sous le sycomore, à ton avis?

Il plongea les yeux dans le regard brûlant de désir de sa femme, et sentit son membre frémir contre le nid humide qui le réclamait avec tant d'impatience.

— Maintenant! gémit Tess. Maintenant!

Il s'exécuta, et lorsqu'elle se tendit sous lui comme un arc, il se sentit libéré, libre d'aimer la femme qu'il venait d'épouser comme elle l'exigeait, comme elle le méritait.

Et il la pénétra.

Il attendit un cri, un signe de souffrance, un peu de sang, mais Teresa le fixait de ses grands yeux brillants.

— Continue, souffla-t-elle. Ce n'est pas tout, quand même?

Avec un petit rire, il s'enfonça plus avant, doucement pour commencer, puis ils trouvèrent ensemble le rythme qui convenait à leur passion.

Ensemble leurs corps s'embrasèrent avec une fureur sauvage. Ils rompirent leurs chaînes et s'envolèrent, enfin libérés, libres comme les oiseaux du ciel où se perdit leur cri de bonheur.

29

La maison de Lucius était une vaste demeure en brique de l'époque Tudor. Apparemment, au fil des siècles, les différents propriétaires n'avaient cessé de l'agrandir et de la modifier, déplaçant l'entrée, ajoutant qui un porche, qui des colonnes.

C'était bien entendu beaucoup plus petit que le somptueux château de Raphaël. Annabelle aurait été déçue : l'endroit n'avait rien d'un château. Cependant, telle qu'elle était, la maison était suffisamment vaste, et il s'en dégageait une impression de confort un peu canaille qui ne manquait pas de charme.

— Voici Bramble Hill ! annonça fièrement Lucius. Cela vous plaît ?

— C'est adorable ! s'exclama Tess.

Elle était absolument sincère : elle n'avait jamais eu particulièrement envie de jouer les châtelaines, et le soulagement qu'elle lut dans le regard de son mari la surprit énormément.

— C'est beaucoup moins luxueux que Holbrook Court, dit-il en la guidant vers l'entrée où se tenait une petite armée de domestiques.

— Voici Gabthorne, commença Lucius en lui présentant un majordome au visage avenant. Et Mme Gabthorne, la meilleure gouvernante du comté.

Il fallut à Felton près d'une demi-heure pour présenter tout le personnel à la nouvelle maîtresse de maison, puis il la fit passer dans un salon où avaient été percées de grandes baies vitrées donnant sur les jardins.

— J'ai fait entièrement redécorer Bramble Hill par John Nash il y a deux ans. Il a également dirigé la transformation des jardins. Toutes les pièces principales donnent maintenant sur la terrasse et, du salon, on a dorénavant vue soit à l'ouest vers le parc, soit au sud sur les serres et la vallée.

— Ce doit être un enchantement en été, murmura Tess en montrant l'entrée du jardin à l'anglaise, un fouillis de lierre, de chèvrefeuille et de jasmin.

— C'est l'endroit que je préfère.

— Je suis un peu surprise, remarqua-t-elle en désignant l'élégant mobilier et les bibelots de toute sorte qui ornaient la pièce.

— Pourquoi donc ?

— Parce que tout est si… intime. Ce n'est pas une propriété de famille, pourtant ?

Lucius prit le temps d'aller jusqu'à la cheminée ramasser quelques pétales de chrysanthème tombés d'un vase avant de répondre.

— Je n'ai pas grandi dans cette maison. Elle n'appartenait même pas à ma famille quand j'étais enfant, si c'est ce que vous voulez dire, répondit-il enfin.

— C'était exactement ce que je voulais dire. Vous avez choisi cette maison et vous l'avez achetée.

Il hocha la tête affirmativement.

— Et vous l'avez aménagée avec beaucoup de goût.

— Je me suis fait aider. Je voyage beaucoup, et n'ai donc pas eu de mal à trouver des meubles ou des objets qui me plaisaient et à les faire envoyer ici. J'ai peur que vous me trouviez un peu casanier, Tess. Toutes mes résidences se ressemblent.

— Exactement pareilles ?

— Quand même pas, corrigea-t-il en riant.

— Mais combien de maisons possédez-vous ?

— Quatre. Cinq avec le rendez-vous de chasse.

Teresa se laissa tomber dans la première bergère venue.

— Et elles sont toutes aussi luxueusement meublées que Bramble Hill ?

— J'aime être entouré de beaux objets.

— Elles ont toutes les cinq du personnel à demeure ?

— Naturellement.

— Ce n'est pas tant cette élégance et ce luxe qui me surprennent, reprit-elle, mais on dirait que rien n'a changé depuis une centaine d'années, comme si cette maison venait de votre grand-père.

Elle se leva et marcha droit vers un tableau représentant en pied une dame au visage sévère au-dessus d'une gigantesque collerette de dentelle.

— J'ai acheté le portrait de cette noble contemporaine de la reine Elizabeth quand le domaine des Lindley a été mis en vente. Il s'agit certainement d'une de leurs aïeules, mais ils ont été incapables de me dire son nom.

Teresa contempla rêveusement cette dame devenue anonyme qui avait dû être autrefois si fière du nom qu'elle portait. Il lui semblait étrange d'accrocher dans son salon le portrait d'une inconnue que toute personne normalement constituée prendrait pour une ancêtre, mais ce n'était pas facile à expliquer sans paraître critiquer ce choix.

— J'ai acheté cette peinture en même temps, ajouta Lucius en la conduisant à l'autre bout de la pièce pour lui montrer une petite fille qui avait posé de trois quarts.

Malgré la solennité de la tenue de cour, on devinait la personnalité du modèle. Elle avait un menton volontaire, mais la fossette qui creusait sa joue ajoutait une touche malicieuse.

— C'est vraiment ravissant ! Elle non plus, vous ne savez pas qui elle est ?

— Je n'en ai pas la moindre idée. On m'a vendu le tableau comme un Van Dyck, mais je pense qu'il vient plutôt de son atelier, sans être de la main du maître.

Tess se sentait soudain un peu mal à l'aise. Cette maison était trop parfaite. Il n'y manquait rien, pas même une série de portraits de famille.

— Vous avez des portraits de votre propre famille ?

Elle n'avait pas achevé sa phrase qu'elle la regrettait déjà. Les parents de Lucius ne lui avaient certainement pas donné d'objets personnels.

— Aucun, répondit-il simplement avant de l'emmener visiter les jardins.

— Et votre maison de Londres, demanda Tess, tandis qu'ils traversaient la roseraie, est-elle aussi agréable ?

— Je l'espère.

— Vous l'avez aussi décorée avec des portraits d'inconnus achetés un peu partout ?

— J'ai accroché dans le salon une très belle peinture de William Dobson représentant trois enfants. Et je sais qui ils sont ! Il s'agit des enfants d'un partisan de Cromwell du nom de Laslett.

Ils suivirent un sentier jusqu'à une charmante tonnelle. Son mari avait décidément un goût exquis, mais il n'était pas heureux.

Il fallait absolument qu'elle le réconcilie avec ses parents ! Ensuite, elle décrocherait des murs tous ces ancêtres de raccroc et les rendrait à leurs descendants, s'ils en avaient. Elle était convaincue que Lucius essayait de s'acheter une famille pour remplacer celle qui l'avait rejeté.

— Les Laslett ne peuvent peut-être pas se permettre de racheter le portrait des enfants, suggéra-t-elle.

— Le Dobson ? Probablement pas. Il m'a coûté plus de mille livres.

— Quand j'étais petite, il y avait un portrait de ma mère dans sa chambre.

— Je le retrouverai, promit Lucius sans lui laisser le temps de terminer ce qu'elle voulait dire.

— Cela risque de ne pas être facile. Il y a longtemps que mon père...

— Je le retrouverai, répéta-t-il en souriant. Voulez-vous que je vous fasse visiter le reste de la maison, maintenant ? Les appartements de la maîtresse de maison, par exemple ?

Le regard de Lucius la fit rougir jusqu'à la racine des cheveux, et quand ils entrèrent dans une pièce magnifique tapissée de soie ivoire, elle ne douta plus qu'il ait une idée derrière la tête.

Bien entendu, un immense portrait de dame était accroché en face du lit, au-dessus d'un ravissant secrétaire en bois de rose. Négligemment accoudée sur un banc, un livre ouvert sur les genoux, elle semblait perdue dans sa rêverie. Tess s'approcha le plus près possible pour essayer de lire le titre du livre.

— Il s'agit de *Beaucoup de bruit pour rien*, mais j'ai l'impression que cette pièce merveilleuse l'endort plutôt, dit Lucius.

— Vous savez de qui il s'agit ?

— Une certaine lady Boosby. J'ignore son prénom. Le tableau a été peint en 1780 par Benjamin West.

— Elle est probablement encore en vie, remarqua Tess.

— Sans doute. Elle me plaît beaucoup.

— À moi aussi, mais je ne suis pas certaine d'être prête à partager ma chambre avec elle, rétorqua Teresa.

— Je n'avais jamais vu les choses sous cet angle… J'ai demandé à mes mandataires d'acheter tous les portraits peints par Benjamin West qu'ils trouveraient sur le marché.

— Pourquoi avez-vous disséminé tous ces gens partout dans la maison ? Je parle de tous ces portraits.

— Parlons de toi, plutôt que de lady Boosby, suggéra-t-il en l'attirant à lui.

— Mais je ne veux pas du portrait d'une étrangère dans ma chambre à coucher ! insista-t-elle faiblement.

— Beaucoup de bruit pour rien, ma douce ! Je vais le faire porter au grenier.

— Au grenier ?

Exiler cette pauvre lady Boosby au grenier lui semblait non seulement exagéré, mais également parfaitement injuste.

Pendant qu'il l'embrassait dans le cou, la main de Lucius glissa le long de son dos, s'attardant au creux des reins. Il n'avait visiblement aucune envie de discuter de son goût pour les portraits ou de lady Boosby.

Et il sut parfaitement faire partager son point de vue à Tess.

30

Bramble Hill, le 1er octobre

Chère Annabelle, chère Josie,
Je vous écris de mon boudoir. Cela doit vous
paraître un peu m'as-tu-vu, mais il s'agit en fait d'une
petite pièce, très agréable du reste, qui communique
avec ma chambre. Bramble Hill n'a rien d'un château
et, malgré son décor luxueux, n'est pas beaucoup plus
grand que notre maison en Écosse. Le rez-de-chaus-
sée comporte un salon contigu à la salle à manger. Le
bureau de Lucius donne sur le jardin à l'arrière, et il y
a encore un très joli petit salon entre le bureau et la
salle à manger. J'attends avec impatience de pouvoir
vous faire visiter ma nouvelle demeure, et Lucius m'a
promis de vous faire venir toutes les deux le plus tôt
possible, peut-être dès la semaine prochaine.
Avez-vous des nouvelles d'Imogène ? Je vous en
prie, écrivez-moi dès son retour. Lucius pense que
lord Maitland et elle ne vont pas se presser de rentrer.
Puisque vous la verrez les premières, embrassez-la
pour moi avec toute ma tendresse.
Je crois entendre tes questions pendant que j'écris,
Annabelle.
Lucius, je devrais peut-être écrire M. Felton,
mais il refuse toute cérémonie entre nous et serait

furieux, est extrêmement généreux et me couvre de cadeaux.

Hier, il m'a apporté un perroquet jaune. C'est une femelle, très jeune, qui ne sait donc pas encore parler. Il paraît que cela viendra rapidement si je prends le temps de lui apprendre. L'homme qui l'a apportée m'a conseillé de passer beaucoup de temps avec elle pour qu'elle s'habitue à moi, et de lui donner des graines pour gagner sa confiance. C'est ce que je fais, mais elle est très désordre et jette les déchets un peu partout. Après quoi, elle a tendance à s'oublier.

Depuis mon arrivée, j'ai passé la plus grande partie de mon temps à me mettre au courant de la marche de la maisonnée, une parmi les cinq que possède Lucius.

Il travaille beaucoup, et j'hésite à l'interrompre pour lui demander des renseignements quand il ne s'agit pas de questions vraiment urgentes, et je suis parfois un peu perdue.

Je vous écrirai de nouveau demain matin.

Répondez-moi par retour du courrier pour me donner de vos nouvelles. Vous me manquez beaucoup.

Avec toute mon affection,

Votre sœur,

> *Mme Felton (je n'ai pas pu résister)*

> *Bramble Hill, le 2 octobre*

PERSONNELLE

Ma chère Annabelle,

Je t'adresse cette lettre en particulier parce que je devine qu'un millier de questions tournoient dans ta tête. Et je n'ai justement pas l'intention d'y répondre !

Le mariage est effectivement une expérience des plus intéressantes, ça, je peux bien te le dire, mais là s'arrêteront mes confidences sur ce sujet.

Lucius a le don de toujours trouver la solution la plus pratique et la plus civilisée à chaque situation. Tu peux être certaine que dans quelque temps je serais la personne la plus policée de toute la chrétienté, simplement en prenant exemple sur lui. Il travaille beaucoup plus que papa ne l'a jamais fait. Je ne le verrais jamais dans la journée si je n'entrais pas de temps en temps dans son bureau pour lui poser une question.

Je me demande si une vie un peu moins régulière ne lui ferait pas le plus grand bien. Mais j'ai tout le temps d'y réfléchir et de prendre les mesures nécessaires pour l'avenir.

Bramble Hill, le 4 octobre

Chères Annabelle et Josie,
Je vous imagine lisant cette lettre pelotonnées toutes les deux sur lit d'Annabelle.

J'ai appelé mon perroquet Chloé. Ne me demandez pas pourquoi, je n'en sais rien. Elle semble m'avoir prise en affection, et me le manifeste en me donnant des coups de bec dans les cheveux et en poussant des cris perçants quand j'arrive. La gouvernante, Mme Gabthorne, l'a prise en grippe, à la suite d'un malheureux incident avec une tasse de thé.

On pourrait croire que diriger une grande maison est plus facile quand on dispose comme moi d'un personnel nombreux. Eh bien, je ne suis pas du tout de cet avis ! Mme Gabthorne n'aime pas Dapper, la première femme de chambre. Elle prétend que celle-ci s'est entichée d'un valet de pied qui a au moins cinq ans de moins qu'elle, et elle craint, à juste titre, que cela fasse des histoires. Quant à Dapper, elle prétend que Mme Gabthorne « emprunte » du thé et d'autres douceurs pour les apporter à ses sœurs qui vivent au village. Comment voulez-vous que je débrouille ce sac de nœuds ?

Pour conclure, je trouve plus compliqué de diriger tout ce petit monde que de faire marcher sans domestiques une maison de taille à peu près similaire.

Vous me dites que la couturière de lady Griselda est arrivée, et je comprends pourquoi vous préférez rester chez Raphaël pour le moment.

En revanche, je ne vois pas ce qui vous fait dire que le scandale causé par l'enlèvement d'Imogène s'est apaisé.

Embrassez-la pour moi quand vous la verrez ce soir. J'ai été si heureuse de recevoir sa lettre et d'apprendre qu'elle et lord Maitland sont maintenant installés à Maitland Hall !

Je vous embrasse,

Tess

Bramble Hill, le 4 octobre

Chères Annabelle et Josie,

Juste un petit mot avant de m'habiller pour le dîner. J'ai avancé l'heure du souper car Lucius doit partir pour Londres. Il compte voyager de nuit afin de rentrer demain soir. Je n'aime pas du tout ces voyages à un rythme d'enfer, et suis convaincue qu'il se fatigue trop. De plus, il ne pourra pas se joindre à nous demain pour les courses de Silchester. Mais au moins, nous nous verrons là-bas, Annabelle.

J'ai été stupéfaite d'apprendre que mon mari avait sauvé Imogène d'un mariage à Gretna Green. Il ne m'avait rien dit. On s'imagine toujours que le mariage vous permet de mieux connaître une personne, mais je trouve Lucius plus déroutant de jour en jour. Je suis impatiente d'avoir tous les détails de la bouche d'Imogène quand nous la retrouverons demain.

Josie, tu me manqueras beaucoup, mais je suis de l'avis de Mlle Flecknoe, apprendre à danser est très important pour une jeune fille. Annabelle et Imogène te donneront de mes nouvelles, et nous aurons beaucoup d'autres occasions de nous voir.

Affectueusement,

Tess

31

Une demi-heure avant le dîner, Teresa se hasarda à frapper à la porte de communication séparant ses appartements de ceux de son mari. Elle ignorait tout de l'étiquette qui présidait aux relations conjugales et, connaissant l'importance que Lucius attachait aux convenances, éprouvait un peu d'appréhension. Devait-on frapper avant d'entrer dans la chambre de son époux ? Cela lui paraissait étrange, mais d'un autre côté il pouvait être occupé à sa toilette...

Elle entendit Lucius congédier le valet de chambre, puis son pas nonchalant qui se rapprochait pour venir ouvrir.

— Bonsoir, ma chérie.

Le ton était aimable, mais sans chaleur excessive, et il paraissait légèrement surpris.

Quant à elle, l'habitude n'y faisait rien : dès qu'elle se trouvait en sa présence, les battements de son cœur s'accéléraient toujours. Ses jambes flageolaient, il lui semblait tout à coup que ses vêtements étaient trop serrés, elle perdait le fil de ses pensées et ne pensait plus qu'à se jeter à son cou.

Malheureusement, Lucius ne partageait apparemment pas son trouble. Il se montrait très prévenant quand ils se voyaient dans la journée, c'est-à-dire aux repas ou lorsqu'ils se croisaient par hasard dans les couloirs. Les rares fois où elle se permettait de pénétrer dans le bureau de son mari, il lui témoignait toujours beaucoup de courtoisie, mais ne montrait aucune envie de badiner ni même de s'attarder un peu avec elle.

Le matin même, par exemple, quand elle était allée le remercier pour le bracelet de diamants qu'elle avait trouvé à son réveil sur son oreiller, la vue du divan qui ornait un coin du bureau avait suffi à raviver des souvenirs torrides, et à lui inspirer des idées du même ordre.

Or, Lucius avait esquivé ses caresses en lui expliquant gentiment mais fermement qu'il avait du travail. Tess avait tenu à l'embrasser pour le remercier et, après un baiser distrait sur la joue, il l'avait courtoisement reconduite jusqu'à la porte.

La nuit pourtant, elle découvrait un autre homme, au regard ardent, aux caresses brûlantes, qui comblait sa femme d'hommages passionnés et sans cesse renouvelés. Au matin, il ne restait plus trace de cet amant si fougueux.

— En quoi puis-je vous être utile ?

— Je ne sais quoi porter ce soir. Je n'ai jamais eu autant de vêtements, et je n'arrive pas à me décider entre cette robe de velours et celle de taffetas. Qu'en pensez-vous ?

— Je ne me souviens pas d'avoir commandé cette robe noire ! remarqua-t-il en s'approchant.

— C'est moi qui ai commandé toutes ces robes. Vous m'avez simplement donné votre avis.

— Vous ne portez plus le deuil, dit-il. Mettez la robe de taffetas vert. L'autre est trop sévère, même avec les broderies.

— Mais elle est très élégante ! protesta Tess qui se sentait d'humeur contrariante.

— Je vous préfère vêtue moins sévèrement.

Pourquoi ne lui témoignait-il jamais la moindre marque d'affection, pourquoi n'exprimait-il jamais le moindre désir pour elle avant une heure avancée de la nuit ?

Il paraissait réglé comme une pendule !

— Je crois que je préfère la noire, décida Teresa, uniquement pour le plaisir de le contredire. Auriez-vous la gentillesse de lacer mon corset ? ajouta-t-elle. J'ai envoyé la femme de chambre me chercher une tasse de thé.

— Mais bien volontiers.

Elle ne put s'empêcher de frissonner lorsque les doigts de son mari effleurèrent son dos nu. Rien que le savoir derrière elle suffisait à faire bondir son cœur dans sa poitrine. Pourquoi ne pouvait-il désirer sa femme que la nuit venue, et uniquement dans sa chambre à coucher, d'où il s'esquivait discrètement au milieu de la nuit ?

Cela non plus, elle n'était pas obligée de l'accepter éternellement.

L'air de rien, avec un léger déhanchement qui ne lui serait jamais venu à l'esprit quelques jours plus tôt, elle s'éloigna vers sa coiffeuse, parfaitement consciente qu'il ne la quittait pas des yeux.

— Oh ! Lucius, s'il vous plaît, ma robe !

Il s'exécuta et fit obligeamment glisser le velours soyeux sur les épaules de sa femme, tandis qu'elle protégeait sa coiffure.

Le vêtement ne ressemblait en rien aux strictes tenues de deuil qu'elle portait lors de leurs premières rencontres. Le corsage rebrodé de perles et de fils d'argent était beaucoup plus décolleté, pour commencer, et même les petites manches bouffantes laissaient ses épaules largement découvertes.

Ce que Teresa préférait, cependant, c'était la bordure de dentelle qui, en paraissant la dissimuler, mettait en valeur la naissance de ses seins.

Lucius n'avait toujours pas prononcé un mot. Tess se retourna lentement, comme pour demander son approbation, l'air de rien.

— Eh bien, qu'en pensez-vous ? Est-ce que cette robe me donne l'air trop sévère ?

Il avait enfin abandonné la mine poliment indifférente et le visage impénétrable qu'il arborait pendant la journée, et une flamme dangereuse dansait maintenant au fond de son regard de tigre.

Teresa releva sa jupe de quelques centimètres, révélant une cheville délicate parfaitement moulée dans un bas de soie chatoyant à la lueur des candélabres.

— Que me conseillez-vous ? Des escarpins de velours noir ou les chaussures à boucle d'argent ? La boucle est placée sur le côté, comme sur les chaussures d'hommes, ce qui ajoute une note amusante.

Il contempla sa cheville et le petit pied qu'elle tendait vers lui, puis sourit de ce sourire trop rare qu'elle aimait tant. Quand il souriait, tout son visage s'illuminait, et il paraissait soudain beaucoup plus jeune.

— Il me semble que vous voulez m'infliger une punition. Pour quelle raison, je l'ignore.

Il s'agenouilla devant elle et lui passa obligeamment au pied le soulier à boucle.

— Quelle idée ! Où êtes-vous allé la chercher ? Pouvez-vous l'attacher, s'il vous plaît ? demanda-t-elle en lui tendant un collier d'émeraude qu'il lui avait offert deux jours plus tôt.

Elle releva ses cheveux, pencha la tête, et attendit en frissonnant d'impatience que les doigts de son mari effleurent son cou. Une grande partie de ses journées se passait à attendre qu'il pose la main sur elle, réalisa-t-elle soudain.

Lucius prit le collier, mais le reposa sur la coiffeuse.

— Qu'attendez-vous de moi, Tess, à part remplacer votre femme de chambre ?

Il était si près qu'elle sentait son souffle sur sa nuque découverte.

— Un peu de hardiesse, murmura-t-elle, effrayée de son audace.

En croisant le regard enfiévré de Lucius dans le miroir, elle se laissa aller en arrière, contre sa poitrine. Avec un frisson délicieux, elle sentit sa main se poser sur son cou, descendre le long de son épaule et se refermer sur son sein.

— On nous attend pour dîner dans moins d'une heure, objecta-t-il hypocritement en se penchant pour suivre des lèvres la trace de feu que ses doigts avaient allumée.

Tess aurait voulu l'attirer plus près, lui prendre la main, lui caresser les cheveux, mais il fallait qu'il prenne seul sa décision. Il n'était pas question de l'aider.

— On ne fait pas attendre le chef, c'est extrêmement mal élevé, chuchota-t-il tandis que sa bouche se perdait au creux du décolleté.

— C'est vrai, admit Teresa sans se compromettre.

Elle avait tellement envie de l'enlacer, de s'accrocher à ses épaules... Non, il devait se décider seul.

Il la lâcha tout à coup et se dirigea vers la porte, qu'il entrebâilla.

— Et si nous prenions un apéritif dans le petit salon ? suggéra-t-il comme s'il s'adressait à une simple visiteuse.

Tess en resta sans voix. Il lui proposait d'aller dîner, comme si de rien n'était ! Il avait fait un choix, et ce n'était pas le bon !

Il lui appartenait de le lui signifier.

— Il faut que je dise au revoir à Chloé.

Dès qu'elle s'approcha de la cage, le perroquet se mit à caqueter et à faire des mines pour l'accueillir.

— Cet oiseau a un cri plutôt désagréable, observa Lucius en la rejoignant. Je voulais qu'il vous tienne compagnie, qu'il vous distraie quand je m'absente, mais je ne suis pas sûr d'avoir eu une très bonne idée.

— Pourquoi voyagez-vous toujours de nuit ? demanda Tess en prenant l'animal. Cela me paraît très fatigant.

— En partant au milieu de la nuit, j'arrive à Londres de bon matin, et je peux rentrer pour dîner. Cela me laisse toute la journée pour travailler.

— Quand vous allez à Londres, voyez-vous vos parents quelquefois ? interrogea-t-elle en évitant de le regarder, tandis que Chloé manifestait son contentement en battant des ailes avec des cris stridents.

— On dit pourtant que les oiseaux sont des animaux gracieux, remarqua Lucius en reculant pour éviter un coup d'aile.

— Est-ce que vous allez voir vos parents, quand vous êtes à Londres ? répéta Teresa.

— Jamais. Ils n'ont d'ailleurs aucune envie de me voir, répondit-il.

Difficile d'insister sans paraître indiscrète. Teresa garda donc le silence et laissa Chloé grimper le long de son bras. Le perroquet vint se nicher contre sa joue. Lorsque la jeune femme lui gratta la tête, il se mit à pousser de petits cris et à se dandiner d'une patte sur l'autre de plus en plus frénétiquement, jusqu'à ce qu'il finisse par s'oublier sur la belle robe de Tess.

— Enfer et damnation ! s'écria Lucius.

— Ne l'effrayez pas ! coupa sèchement son épouse en remettant l'oiseau dans sa cage.

Lucius Felton ne se laissait jamais emporter très longtemps par ses émotions, et son sens pratique prit immédiatement le dessus.

— Comment allez-vous faire pour enlever cette robe sans vous salir ni déranger votre coiffure ?

— Il faut la faire glisser jusqu'aux pieds. Voulez-vous m'aider, s'il vous plaît ?

Elle défit les agrafes, dégagea ses bras des manches, et se tortilla pour extirper son buste du corsage.

— Ce serait plus facile si vous m'aidiez, s'exclama-t-elle avec un petit rire.

Avec mille précautions, il fit glisser la robe ajustée sur les seins, sur la taille si fine, sur les hanches, et l'aida à enjamber le vêtement tombé à ses pieds.

— Pouvez-vous délacer mon corset ? Il faut que je prenne un bain, dit-elle en se mordant les lèvres pour dissimuler un sourire triomphant.

Elle se promit d'accorder demain matin à Chloé une double ration de graines et de caresses.

Lucius acheva enfin de dénouer le corset. Tess l'enleva, ôta sa chemise de batiste, et se retourna vêtue en tout et pour tout d'un pantalon de dentelle arachnéenne, de ses bas et de ses chaussures à boucles.

— Mon Dieu ! s'excusa-t-elle en se penchant pour dégrafer sa chaussure, j'ai peur d'être affreusement en retard pour dîner. Le chef va être catastrophé !

— Tu disais que je devrais me montrer plus hardi ? murmura-t-il en enfouissant le visage dans les cheveux de la jeune femme.

Sans attendre la réponse, il l'attira à lui, tandis que sa main se posait sur l'arrondi de sa chute de reins. Sous le badinage, sa voix vibrait d'un désir difficilement contenu.

— Oui, souffla-t-elle.

Ce fut le seul mot qu'elle fut capable de prononcer pendant une bonne heure.

Son mari devait être trop fatigué pour s'éclipser comme un voleur au milieu de la nuit car, au matin, Tess s'éveilla dans la chaleur de ses bras.

— Et Londres ? souffla-t-elle.

— Pas aujourd'hui, grommela-t-il d'une voix ensommeillée.

Elle chuchota encore à son oreille.

— Encore ? Comme ça ? ajouta-t-il un peu plus tard.

Pour toute réponse, il eut droit à un baiser passionné.

— Je n'imaginais pas que le mariage me réserverait tant de surprises ! conclut-il beaucoup plus tard.

32

Personne ne va aux courses pour chercher le calme. Le prix de l'Espoir ne se courrait pas avant deux bonnes heures, mais les spectateurs se pressaient déjà avec des cris joyeux, plaisantant, pariant, discutant bruyamment, le tout dans une forte odeur de poussière, de sueur et de crottin, aussi familière à Teresa que celle de l'herbe mouillée ou du pain chaud.

Lucius lui prit le bras mais, au lieu de la mener vers les tribunes, il la conduisit vers une estrade fermée surmontée d'un dais blanc.

— Mais c'est la loge royale ! protesta-t-elle.

— Plus maintenant. En fait, elle appartenait au duc d'York, mais il ne s'en servait jamais et avait grand besoin d'argent pour ses écuries. J'ai pensé que nous y serions plus tranquilles.

Avoir épousé un homme encore plus riche que le frère du roi était décidément bien agréable ! La loge était ravissante, une véritable bonbonnière, tapissée de velours, richement meublée, éclairée par des torchères en bronze doré pour les courses de nuit. De grandes baies vitrées ouvraient sur le champ de courses.

Imogène et son mari les y attendaient, et Tess se jeta au cou de sa sœur.

— Tu m'as tellement manqué! Tu ne peux pas savoir! Comment vas-tu?

— Je vais très bien! la rassura Imogène avec un sourire radieux. Quel plaisir de vous revoir, monsieur Felton! On m'avait dit que vous deviez aller à Londres aujourd'hui.

— J'ai changé d'avis au dernier moment, répondit Lucius avec un sourire entendu à sa femme.

— Je suis désolée de vous avoir fait attendre, s'excusa Tess. Vous êtes là depuis longtemps?

— Nous sommes arrivés pour l'ouverture des paris. Draven y tenait beaucoup. Connaître les cotes de départ de chaque cheval est très important, vous savez.

Comment Tess aurait-elle pu l'ignorer? L'art des paris était le sujet de conversation favori de leur père!

— Annabelle est désolée de ne pas pouvoir venir, mais la couturière de lady Griselda doit impérativement retourner à Londres demain, et elle a commandé tant de robes qu'elle a des essayages toute la journée. Elle m'a dit qu'elle viendrait passer quelques jours chez toi avec Josie avant la fin de la semaine.

— Elle doit être au septième ciel! s'exclama Teresa. Et toi, tu en as profité pour te commander aussi des vêtements?

— Oh non! Nous… (Elle s'interrompit brusquement.) Josie aussi est ravie. Son institutrice trouve ses manières déplorables, mais elles ont conclu un marché qui les satisfait toutes les deux. Le matin, Josie observe scrupuleusement ce qu'elle appelle les simagrées mondaines et en échange, l'après-midi, elle peut lire tout ce qu'elle veut.

— Pourquoi n'as-tu pas commandé de vêtements neufs ? insista Tess.

Imogène coula un regard en biais vers son mari, lancé avec Lucius dans une discussion animée sur le cheval qui venait de franchir la ligne d'arrivée.

— Draven a perdu une grosse somme à Lewes, chuchota-t-elle.

— Combien ? s'enquit l'aînée, sans précautions oratoires inutiles.

— Vingt mille livres… Sur le moment, Draven a été très déprimé, mais il n'est pas homme à se désespérer pour de telles vétilles, s'empressa-t-elle d'ajouter devant le regard effaré de sa sœur. Il a un naturel optimiste. Mais je tiens quand même à participer aux économies nécessaires.

Elles furent interrompues par Maitland, qui leur annonça qu'il voulait aller voir au paddock l'échauffement d'un cheval dont Teresa ne comprit pas le nom. Une clameur enthousiaste s'éleva soudain de la foule. Pendant qu'Imogène et Draven se précipitaient à la fenêtre, Lucius, rapide comme l'éclair, en profita pour attirer sa femme contre lui, saisir son visage entre ses mains et déposer sur ses lèvres un baiser impérieux.

Aussitôt, des images torrides tournoyèrent dans la mémoire de Tess. Lucius penché sur elle dans la lumière ambrée du petit matin, guettant la montée de son plaisir, ou cambré dans un gémissement convulsif au moment de l'extase… Lucius s'approchant avec son regard de fauve affamé…

Il suffisait qu'il lui caresse la joue de sa main gantée pour que son cœur batte la chamade, pour qu'elle ne soit plus qu'attente…

— Comment fais-tu ? souffla-t-elle.

— Qu'est-ce que je fais donc ?

Tess se sentit rougir. Personne ne les regardait. Draven, penché à la fenêtre jusqu'à mi-corps, hurlait des encouragements aux jockeys, et Imogène encourageait son mari.

— Tu… Tu me donnes des idées… Des idées déplacées.

— Je pense à toi, tout simplement.

Il n'avait même pas besoin de la toucher pour la faire trembler de tout son corps. Elle suivit le regard de Lucius jusqu'au canapé tapissé de velours rouge qui occupait le fond de la loge, et dont les proportions confortables avaient été prévues pour accueillir la personne imposante, au propre comme au figuré, du duc d'York.

Puis Lucius se détourna pour rejoindre Imogène et Maitland. Ils échangèrent quelques mots que Tess, encore tout étourdie, ne saisit pas.

Appuyée contre la paroi, les jambes toujours flageolantes, elle commençait à reprendre sa respiration et ses esprits lorsque Imogène la salua joyeusement de la main et sortit avec son mari. Avec un petit sourire canaille, Felton referma la porte à clef derrière eux.

— Lucius ! On ne peut pas ! C'est impossible !

— On ne peut pas quoi ? demanda-t-il en riant.

Méthodiquement, il enleva ses gants, le droit d'abord, puis le gauche, ensuite son chapeau. Il posa le tout soigneusement sur une chaise, sans quitter Tess des yeux un seul instant.

— Je ne comprends pas ce que vous faites, avança-t-elle d'une voix mal assurée, reprenant le vouvoiement qu'ils utilisaient encore en public pour bien marquer que l'intimité n'était pas de mise ici.

Quoi qu'elle prétendît, Tess comprenait parfaitement ce qu'il était en train de faire. Lentement, il ôta sa redingote, son expression ne laissant aucun doute sur ses intentions.

— Cette loge est ouverte sur l'extérieur, plaida-t-elle. N'importe qui peut nous voir.

— Les fenêtres donnent directement sur le champ de courses, répondit-il d'une voix rauque qu'elle connaissait bien. Il n'y a que les jockeys qui pourraient nous voir, et ils ont autre chose à faire.

— Mais il suffirait qu'ils tournent la tête ! protesta-t-elle tandis qu'il déboutonnait son gilet.

— Ils prendraient le risque de tomber ! sourit-il. Tu voulais que je me montre plus hardi, il me semble ?

— Mais pas ici !

Le gilet alla rejoindre les autres vêtements. Malgré elle, le cœur de Tess s'emballa.

Un valet d'écurie passa à ce moment devant la fenêtre. Il ne regardait pas de leur côté, mais en tendant la main ils auraient pu le toucher.

— N'enlève pas cette chemise ! s'alarma-t-elle.

En deux pas, Lucius la rejoignit, son regard vert brillant d'une lueur inquiétante qu'elle ne lui connaissait qu'en privé. Il était si près qu'elle sentait à travers ses vêtements la chaleur de son corps, qu'elle respirait ce parfum épicé qu'elle aimait tant.

— Lucius ! murmura-t-elle, sachant bien qu'il lirait ce qu'elle voulait dire dans ses yeux.

— Tess !

Elle avait reculé dans un coin de la pièce, et sa large carrure la masquait complètement.

— Maintenant, personne ne peut plus te voir, chuchota-t-il en se penchant vers elle.

— Ce... Là n'est pas la question, balbutia-t-elle faiblement, incapable de retenir un sourire.

— J'ai besoin de toi, de te toucher...

Sa main s'insinua sous les jupes de sa femme, se glissa entre ses jambes, et elle se sentit fondre entre ses bras. Il la pressa contre sa poitrine, tandis que ses doigts se perdaient dans sa toison.

Elle voulut protester, mais il lui ferma la bouche d'un baiser.

Elle voulut résister, mais ses lèvres étaient si chaudes, si douces, suppliantes et impérieuses à la fois. Et sa main... Cessant de lutter, elle s'abandonna à son désir.

— Tess, je t'en prie! soupira-t-il au même moment.

Tess leva les yeux vers lui, et il dut lire tout ce qu'elle éprouvait, car sa main se fit plus vive, presque rude. Pantelante, elle s'accrocha à ses épaules, collant ses lèvres à celles de son mari.

Elle haletait maintenant, projetant ses hanches en avant pour venir à sa rencontre, ne demandant qu'à sombrer.

— Tu m'appartiens, souffla Lucius, tu es ma femme!

Éperdu, ivre de bonheur et de volupté, il prit sa bouche tandis qu'elle s'offrait, palpitante, contre sa poitrine. Lorsque, secouée d'un frisson, elle s'abandonna tout entière dans un cri, il l'entraîna vers le canapé, bien décidé à s'unir à elle et à partager son plaisir.

Le tonnerre des chevaux passant au galop devant les fenêtres le ramena tout à coup à la réalité. Ce qu'il faisait là n'était certainement pas le meilleur moyen de montrer à sa jeune épouse que leur union ne modifierait en rien le mode de vie qu'il avait choisi.

Ce soir... Il attendrait ce soir.

Ses bonnes résolutions vacillèrent néanmoins lorsque Teresa, les lèvres gonflées par les baisers, leva vers lui un regard de chaton repu. Il se contint au prix d'un effort surhumain et embrassa doucement sa bouche et ses yeux.

— Tess ?

— Mum ?

— Je crois que je devrais me rhabiller.

Il s'écarta aussitôt, pour ne pas risquer de changer d'avis, tandis que la jeune femme se laissait aller sur le sofa, dans une pose alanguie qu'il préféra affecter de ne pas remarquer.

— Mais toi, tu n'as pas… chuchota-t-elle d'une voix câline. Tu ne veux pas ?

— Non ! affirma-t-il avec une détermination héroïque.

Il valait mieux ne pas la regarder, songea-t-il, sinon il ne répondait plus de lui-même. Il se dirigea donc vers la porte pour ouvrir le verrou. Sa belle-sœur pouvait revenir avec son mari d'un instant à l'autre. Il avait donné à Draven un millier de livres pour engager ses paris, en lui demandant de les répartir sur au moins trois courses, afin de l'occuper plus longtemps, mais Maitland reviendrait dès qu'il aurait tout perdu, il le savait bien.

Quoi qu'il en soit, un instant avec Tess valait bien une telle somme !

— C'est incroyable à quel point ton beau-frère peut être ennuyeux !

— Tu as remarqué ? Moi aussi, il m'a toujours ennuyée à mourir.

Comme Lucius, Teresa avait repris le ton de la conversation polie. Elle se leva tranquillement, lissa négligemment les plis de sa robe, et s'accouda à la fenêtre comme s'il ne s'était rien passé entre eux. Cependant, il aurait juré voir une lueur de dépit sur son visage.

Il la rejoignit et s'autorisa même le plaisir de s'appuyer fugitivement contre elle.

— Lucius! le reprit-elle sévèrement.

— Excuse-moi, ma chérie, mais en ta présence j'ai beaucoup de mal à me conduire en homme du monde… Si je m'écoutais, je te renverserais sur ce canapé pour faire ce qu'un homme du monde ne doit justement pas faire.

Elle le gratifia d'un sourire si radieux qu'il ne regretta pas son aveu, et elle se retourna pour rectifier le nœud de sa cravate. C'était un geste si intime, si… conjugal, qu'il en fut tout ému et dut faire un énorme effort pour rester un homme comme il faut.

Ils étaient dans les bras l'un de l'autre et s'embrassaient passionnément quand Draven Maitland ouvrit la porte. Affreusement gênés, ils s'écartèrent précipitamment.

— N'importe quel jockey aurait pu vous voir, la morigéna Imogène un peu plus tard quand leurs maris furent partis voir le fameux Blue Peter aux écuries.

— Les jockeys sont bien trop occupés pour regarder dans les loges, répliqua Teresa en retenant un sourire.

— À ce que je vois, Felton et toi faites de parfaits tourtereaux.

— Comment ça?

— Tu vois très bien ce que je veux dire! Draven n'a rien dit, il est trop bien élevé, mais je sais qu'il a été choqué, tout comme moi, d'ailleurs, de vous trouver en train de vous embrasser comme une femme de chambre et un cocher.

— Tu sais que tu es vraiment désagréable?

306

— Tu as les joues toutes roses, tu parais tout excitée. Ce n'est pas d'avoir arpenté le champ de courses et les écuries, comme Draven et moi! Tu es restée enfermée dans ta petite cage pour te faire lutiner par ton riche mari, n'est-ce pas? Vraiment, Tess, je ne te reconnais plus!

— Moi non plus, je ne te reconnais plus!

— Moi, au moins, j'ai fait un mariage d'amour!

Teresa se sentit soulevée par une vague de fureur. Personne au monde ne pouvait la faire sortir de ses gonds comme ses sœurs. Imogène le savait, et elle la provoquait délibérément.

— Au cas où tu l'aurais oublié, si je me suis mariée avec tant de précipitation, c'est pour essayer d'étouffer le scandale causé par ta fuite!

— Lady Griselda ne semble pas du tout de ton avis. Elle m'a même dit qu'un mariage sur dérogation était du dernier chic! Qu'est-ce que tu penses de mon chapeau? poursuivit-elle, changeant soudain de sujet. Lady Clarice me l'a donné. Elle ne l'a porté qu'une ou deux fois et trouve que la couleur ne lui va pas. Bien entendu, tu n'as plus ce genre de préoccupations! Tu n'auras plus jamais à porter les vêtements des autres!

Cette fois, il n'y avait pas à s'y méprendre: c'était bien de la jalousie.

— J'ai cru comprendre que Lucius t'avait épargné un mariage à Gretna Green en donnant à Maitland l'argent nécessaire à l'achat d'une dérogation.

— Draven ne se promène pas avec des centaines de livres dans les poches! Il n'est pas commerçant…

— Lucius non plus. Mais je suis désolée que mon mari ne te plaise pas.

— Enfin, que vas-tu chercher ? Simplement, quand on a fait un mariage d'amour, il est triste de voir sa sœur contracter un mariage d'intérêt.

— Ce n'est pas pour son argent que j'ai épousé Lucius, rétorqua Tess en faisant un effort surhumain pour rester calme.

— Je sais, admit Imogène brusquement radoucie. J'ai appris ce qui s'était passé avec Mayne. Je suis désolée, Tess.

Il fallut quelques secondes à Teresa pour comprendre de quoi parlait sa sœur. Elle avait complètement oublié le comte !

— J'ai été odieuse, je ne sais pas ce qui m'a pris ! reprit Imogène. Pardonne-moi, s'il te plaît !

Elle paraissait si désemparée que Tess sentit sa colère s'évanouir.

— C'est oublié, dit-elle. Je ne me suis pas mariée par amour, il faut bien le reconnaître, et Lucius est très riche, ce n'est un secret pour personne.

— Et moi, j'ai de la chance d'avoir épousé celui que j'aime !

L'amertume que Teresa avait déjà remarquée perçait à nouveau dans le ton de sa cadette.

— Il faut faire attention, maintenant, reprit Imogène en s'approchant de la fenêtre. Blue Peter va faire son entrée d'un instant à l'autre. Draven a parié sur lui tout l'argent de Lucius.

— Qu'a-t-il de si particulier ? demanda Tess, heureuse de la diversion, en s'asseyant à ses côtés.

— Blue Peter ? Oh ! il ne te plairait pas !

— Pourquoi ? Il n'a pas bon caractère ? Il est vicieux ?

— Très ! Il essaie de mordre tout ce qui passe à sa portée. Bientôt, il sera impossible à monter. Il fait peur aux lads, qui ne veulent pas l'entraîner. L'autre jour, un gamin lui a jeté une noix, et il a failli renverser la barrière !

— Quel âge a-t-il ?

— Un an à peine, justement ! Tu te rends compte de ce que ce sera quand il aura deux ans ? Mais Draven en est fou. Il ne veut pas le faire hongrer.

— Papa aurait dit qu'il est trop jeune pour courir. L'effort est peut-être trop grand pour lui, remarqua Tess.

— Papa avait des idées d'un autre âge. Draven m'a dit qu'en Angleterre, on fait souvent courir des yearlings. Il est beaucoup plus compétent que notre père, tu sais.

— Ce n'est pas une question de compétence. Tout dépend du caractère du cheval, objecta l'aînée.

— Tu peux me faire confiance, Draven en sait beaucoup plus que papa. Notre pauvre père n'a jamais rien gagné, après tout.

Tess trouvait que lord Maitland et le vicomte avaient beaucoup de points communs, au contraire, le moindre n'étant pas que Draven n'avait jamais gagné de course importante, lui non plus, et qu'il avait toujours besoin de l'aide de sa mère. Elle garda cependant son opinion pour elle.

Imogène cherchait à donner le change, mais de toute évidence quelque chose n'allait pas, et Teresa se sentait mal à l'aise avec elle. Si seulement Annabelle était là ! Elle n'avait pas son pareil pour découvrir un secret.

— Parle-moi un peu de toi ! demanda Tess. Est-ce que ton mariage avec lord Maitland t'a apporté tout ce que tu souhaitais ?

— Je te l'ai dit, il est tout simplement merveilleux !

Teresa considéra sa sœur dont le regard de braise avait perdu son éclat. Bien qu'elle ne cessât de répéter que tout allait pour le mieux, quelque chose sonnait faux.

— Tu es sûre que tout va bien? insista-t-elle.

— Mais bien entendu!

— Vivre avec lady Clarice n'est pas trop pesant?

— Je vois régulièrement Annabelle et Josie, tous les jours si je veux, et dès que Draven aura remporté une course importante, nous chercherons une maison pour nous seuls.

— Ce n'est sans doute pas facile tous les jours, compatit Tess en lui prenant la main.

— Lady Clarice peut se montrer très difficile, mais depuis que j'ai pris l'habitude de lui lire Catulle tous les matins, elle pense que je suis une personne très cultivée, et tout va beaucoup mieux entre nous, sourit Imogène, retrouvant un instant son ardeur et sa malice d'antan.

— Je suis certaine que Mlle Pythian-Adams serait ravie de te prêter quelques livres!

— À propos de Mlle Pythian-Adams… Tu sais qu'elle est vraiment étrange? Figure-toi qu'elle m'a remerciée de lui avoir enlevé Draven!

— C'est extraordinaire!

— Et toi, parle-moi de ton mariage et de M. Felton! Draven dit que c'est l'homme le plus riche d'Angleterre.

— Les jours passent à une vitesse folle, je me demande parfois à quoi. Il faut voir les provisions avec la gouvernante, établir les menus avec la cuisinière, ensuite il y a le jardinier, vérifier les comptes… Tout cela prend un temps fou!

— Mais tu parais heureuse. Je le vois dans tes yeux! Je crois bien que tu es tombée amoureuse de ton mari, ajouta Imogène après un instant d'hésitation.

— Un jour, qui sait ? murmura Tess. Ah, les voilà qui reviennent ! ajouta-t-elle pour changer de sujet.

Elle observa les deux hommes alors qu'ils s'approchaient. Dans un genre différent, lord Maitland, avec ses yeux bleus brillant d'enthousiasme et sa fossette juvénile au menton, était aussi séduisant que Lucius.

Elle se sentit prise d'une soudaine affection pour lui. Il faisait partie de la famille, après tout, et même si elle aurait préféré un autre genre d'homme et un mariage plus orthodoxe pour Imogène, sa sœur n'avait jamais voulu entendre parler d'un autre prétendant.

— Je suis si heureuse de votre mariage, à tous les deux, dit-elle en prenant la main de sa cadette. Tu n'aurais jamais pu être heureuse sans lui, n'est-ce pas ?

— Non, c'est certain, acquiesça Imogène d'un air mi-figue mi-raisin qui troubla fort son aînée.

Lucius s'assit à côté de Tess, tandis que Draven prenait place près de sa femme, sans interrompre un seul instant son flot de paroles.

— Je trouve que nous avons épuisé les qualités de Blue Peter, si tu veux mon avis, chuchota Lucius à l'oreille de Tess.

Il avait posé la main sur l'épaule de la jeune femme, et cela suffit pour raviver en elle le brasier qu'il avait allumé un peu plus tôt. Elle leva les yeux vers lui, et comprit qu'ils avaient eu la même idée.

— Voulez-vous aller faire quelques pas dehors ? proposa-t-il, reprenant la distance polie qu'il observait toujours en public. Blue Peter ne va pas courir avant une heure, et vous avez peut-être envie de prendre un peu l'air ?

Tess regarda sa sœur avant de sortir. Draven s'était lancé dans une tirade pour vanter les mérites d'une jument de deux ans extrêmement prometteuse, selon lui, et qui remporterait certainement le Derby d'Ascott si sa mère le laissait l'acheter. Imogène opinait en silence.

Tandis qu'ils fendaient la foule compacte qui sentait le cheval, le tabac et la bière, Lucius lui passa un bras autour de sa taille avec une affection protectrice. Tess, qui avait passé toute son enfance avec des cavaliers et des joueurs, n'éprouvait aucun besoin de protection, mais ce geste plein de tendresse l'émut profondément. Elle s'arrêta.

— Lucius…

— Oui, ma chérie ? Vous souhaitez me parler en privé ? demanda-t-il avec un sourire amusé.

— Notre voiture n'est pas loin, n'est-ce pas ?

Il comprit immédiatement où elle voulait en venir. Preste comme l'éclair, il se pencha pour l'embrasser passionnément. La foule était si compacte et il avait agi avec tant de rapidité que nul autour d'eux ne s'en rendit compte.

Une personne pourtant avait surpris ce geste inconvenant : Imogène, qui ne les avait pas quittés des yeux depuis leur départ de la loge.

Elle les avait vus rire ensemble, elle avait vu Lucius contempler Tess comme s'il s'agissait de son trésor le plus précieux et les voyait maintenant s'éloigner du même pas, le bras de Felton affectueusement passé autour de la taille de son épouse, comme pour empêcher la foule de seulement l'effleurer.

— Si seulement ma mère n'était pas aussi obstinée ! Elle n'a jamais pu comprendre quel investissement pouvait représenter un cheval, se lamentait

Draven, avec cette rancune contenue qui pointait dès qu'il évoquait sa mère.

Imogène avait vite compris qu'elle ne pouvait rien faire pour aider son mari dans ce domaine. Lady Clarice n'avait apparemment aucune intention de desserrer les cordons de la bourse, même maintenant que son fils était un homme marié. Elle avait d'ailleurs assuré à sa belle-fille qu'elle entendait ainsi la protéger.

« — Il dépense tout ce que je lui donne pour son écurie, avait-elle expliqué. Je ne lui reproche pas ses dépenses, mais mon défunt mari était de mon avis : Draven n'a aucun flair en matière de chevaux et de courses.

» — Draven n'a pas son pareil ! avait protesté Imogène. Il faut lui laisser un peu de temps, et son écurie deviendra l'une des meilleures d'Angleterre.

» — Je serai la première à m'en réjouir », avait répliqué sa belle-mère avant de changer de sujet.

— Voulez-vous que nous fassions quelques pas ? proposa à son tour Imogène à son mari.

— Vous voulez voir cette pouliche, c'est cela ? Vous avez raison, vous ne pourrez pas m'aider à convaincre mère si vous ne l'avez pas vue ! s'écria-t-il en sautant sur ses pieds avec cette grâce juvénile qu'elle aimait tant. Vous avez toujours d'excellentes idées, Imogène !

Au moins se souvenait-il de son prénom...

33

Les domestiques les virent s'approcher, mais cette fois Lucius se moquait éperdument de ce qu'ils pouvaient bien penser et des commentaires qu'ils échangeraient. Il les congédia d'un geste impérieux, en leur intimant de ne pas revenir avant une bonne heure, puis ouvrit lui-même la portière et déroula le marchepied pour Tess.

Il se consumait d'impatience et de désir, mais c'est seulement lorsqu'ils s'unirent enfin qu'il comprit une chose importante.

C'était difficile à expliquer… Lui qui mettait un point d'honneur à ne jamais perdre le contrôle de lui-même abdiquait maintenant toute velléité de dominer ses émotions. Tandis que Tess ondulait sous lui au rythme de ses caresses, se cambrant pour venir à sa rencontre, il s'abandonnait entièrement à son désir et chacun de ses gestes constituait une vibrante déclaration d'amour.

Il comprit soudain : avec Tess, il ne pourrait jamais plus se contrôler !

Lorsqu'elle cria son nom, il se cramponna à ses hanches pour l'emporter dans un galop furieux et se répandre en elle, l'entraînant dans un maelström irrésistible.

Le visage de Lucius avait perdu toute son impassibilité et, avec un gémissement de bonheur sans mélange, il s'abandonna sans réserve à la vague de volupté qui l'emportait lui aussi.

Teresa, le bras passé autour de son cou, les lèvres gonflées par ses baisers, sa longue chevelure répandue comme une auréole, n'avait jamais été plus belle.

— Heureusement que tu es venue vivre chez Raphaël ! murmura-t-il.

— Je serai éternellement reconnaissante à mon père de l'avoir choisi comme tuteur. Oh ! Mon Dieu, Imogène ! Elle va tout de suite deviner ce que nous étions en train de faire, expliqua-t-elle devant l'air interrogateur de son mari.

Un bruit de galopade et des clameurs assourdissantes leur parvenaient, mais ils n'y prêtèrent aucune attention. Tess se blottit confortablement contre la poitrine de Lucius. Elle n'avait aucune envie de quitter leur voiture. Ils étaient si bien tous les deux, nichés l'un contre l'autre dans leur petite boîte, seuls au monde.

— J'ai l'impression qu'ils ne se parlent pas beaucoup, remarqua-t-elle.

— Qui ?

— Imogène et lord Maitland.

— Lui parle ! Il n'arrête pas, rétorqua Lucius avec exaspération. Il m'a expliqué pendant plus d'une heure les mérites incomparables d'une espèce d'échappé de l'enfer qu'il fait concourir pour le prix de l'Espoir. Quand nous sommes allés le voir, il avait à moitié démoli son box. Les palefreniers étaient terrifiés et refusaient de l'approcher.

— Imogène espère de tout son cœur qu'il va gagner. D'après ce qu'elle m'a dit, Draven a perdu vingt mille livres la semaine dernière à Lewes.

— Il n'a pas deux sous de jugeote, murmura Lucius en déposant un baiser dans les cheveux de Tess. Tout à l'heure, son jockey était prêt à abandonner. Il prétendait que le cheval risquait de lui arracher le bras. Maitland a menacé de le monter lui-même. Il est sûr de remporter le prix.

— Il ne va pas faire ça! protesta Teresa. Ce cheval a l'air complètement fou.

Lucius avait remis sa chemise, mais sans la boutonner. Tess glissa la main dans l'échancrure pour caresser rêveusement sa poitrine et sentir le cœur de son mari battre sous sa main.

— J'ai tellement de chance, remarqua-t-elle dans un souffle.

Felton l'entendit pourtant, et un sourire radieux illumina son visage sévère.

Tess prit place à côté de sa sœur. Elle avait parfaitement conscience de ses joues empourprées et de sa coiffure légèrement de guingois.

Imogène lui lança un coup d'œil oblique qui signifiait clairement «Vous étiez partis vous embrasser derrière les écuries, c'est ça?»

— Enfin! Vous voilà, s'était exclamé Draven dès qu'ils étaient revenus dans la loge. Puisque vous êtes de retour, je vais aller voir comment va Blue Peter. Ce maudit jockey ne se rend pas compte de l'importance de cette course. Il me paraît un peu timide, pour ne pas dire peureux!

— Un yearling et un jockey débutant, cela fait beaucoup, remarqua Lucius. Vous devriez peut-être considérer cette course comme un galop d'essai.

— Non, je tiens à gagner le prix pour acheter la pouliche que vend Farley. Il me la faut absolument.

C'est une beauté, racée, solide... Avec elle, je suis sûr de remporter Ascott cette année!

— Je croyais que vous comptiez sur Blue Peter pour remporter le Derby, dit Tess.

— Il en est parfaitement capable. Ce sont des chevaux magnifiques tous les deux, mais la pouliche est plus expérimentée, et je crois qu'elle a une foulée plus longue. J'ai emmené Imogène la voir pendant que vous étiez partis, elle aussi la trouve superbe. Au fait, où étiez-vous donc? reprit-il en se tournant vers Lucius. Je vous ai cherché partout pour vous la montrer. Ce serait un excellent investissement, vous savez!

— Nous vous avons en effet cherchés partout, mais vous étiez introuvables, renchérit Imogène d'un ton acide.

— Nous reparlerons de cette pouliche après la course. En attendant, si vous voulez, je peux vous accompagner jusqu'au paddock, proposa Lucius sans se compromettre.

— Allons-y! s'écria Draven avec son impétuosité habituelle. Comme je vous le disais, je préfère surveiller de près ce jockey. Je préférerais monter Blue Peter moi-même, mais...

— J'ai votre promesse! coupa fermement Imogène.

Maitland sursauta et regarda sa femme comme s'il avait oublié son existence.

— Vous avez ma parole, assura-t-il distraitement. Mais il faut remonter le moral de ce pauvre Bunts, voyez-vous. Il n'a jamais eu très envie de monter Blue Peter, mais tout ira mieux une fois que je lui aurai parlé.

Lucius chercha le regard de Tess. Il avait repris son air impassible, mais elle pouvait lire en lui comme à livre ouvert.

— Je ne serai pas long, murmura-t-il en lui effleurant discrètement la joue.

Il la salua d'un signe de tête, s'inclina devant Imogène, et laissa les deux sœurs en tête à tête. Il avait décidément des manières délicieuses…

— Cela ne te dérange pas que ton mari se donne en spectacle de cette façon ? lança Imogène.

— Que veux-tu dire ?

— Cette manie de te toucher, de te caresser devant tout le monde ! Je sais que personne ne s'est donné la peine de nous enseigner les bonnes manières mais vraiment, tu devrais te surveiller. Sinon, d'ici à quelques semaines, personne ne voudra plus te recevoir.

— Venant de quelqu'un à qui mon mari a évité un mariage à la sauvette, ce genre de leçon me paraît déplacé. Tu ne t'es pas vraiment surveillée quand tu t'es enfuie avec Draven, et tu n'as pas pensé une seconde aux conséquences de ta conduite pour l'avenir d'Annabelle et de Josie !

— Puisque Draven et moi nous sommes mariés dans les formes, ta remarque est sans objet !

— Je ne vois pas ce que les manières de Lucius ont de si choquant, soit dit en passant.

Teresa faisait de gros efforts pour garder son calme. Sans en comprendre la raison, elle voyait bien que sa sœur n'était pas heureuse, et elle voulait se montrer magnanime.

— Si tu ne t'en rends pas compte, ce n'est pas mon rôle de te l'expliquer.

— Là-dessus, nous sommes du même avis !

Imogène avala la rebuffade sans un mot de plus.

— Je suis sûre que le départ de la course ne va plus tarder, remarqua-t-elle un instant plus tard en se penchant à la fenêtre. Cette loge est très agréable, mais on n'entend pas les annonces.

Tess se retint de lui faire remarquer qu'elle n'était pas prisonnière, et qu'elle pouvait parfaitement aller se mêler à la foule des tribunes si la loge ne lui plaisait pas.

Les chevaux s'alignaient un à un sur la ligne de départ, les frêles jockeys perchés dans ce qui semblait toujours à Teresa un équilibre précaire.

— Je ne vois pas les couleurs de Draven. Quelles sont celles de M. Felton ?

— Je n'en ai pas la moindre idée, mais c'est lui qui va monter Wanton. Est-ce que tu le vois ?

— Je n'en crois pas mes oreilles ! Tu ne connais même pas les couleurs de ton mari ?

Imogène ne pouvait plus contenir sa jalousie. Ce n'était pas juste ! Pourquoi sa sœur avait-elle épousé un homme qui l'embrassait en public, sans se préoccuper du qu'en dira-t-on, et qui la regardait comme une déesse descendue du ciel ?

— Je vais souvent voir Carillon de Minuit, mais nous n'avons jamais parlé de son écurie avec Lucius.

— Enfin, si c'est le genre de mariage dont tu rêves… commença Imogène.

— De quel genre de mariage parles-tu ?

— Celui où l'épouse passe ses journées en conférence avec la femme de charge, ce qui semble ton quotidien. Celui où l'on n'évoque jamais les rêves et les ambitions du mari, dont la vie se déroule ailleurs, loin de sa famille et hors de son foyer.

— Ne dramatise donc pas, pour une fois !

Ce calme et ce ton protecteur, très « grande sœur », ne firent qu'exacerber la rancœur de la cadette.

— Moi, je connais tous les désirs de Draven, tous ses rêves les plus secrets !

Au coup de pistolet, le peloton coloré des chevaux et de leurs cavaliers s'élança dans un fracas de tonnerre.

Tess ne prêta qu'une oreille distraite aux hennissements des chevaux et aux cris des jockeys. Elle ne connaissait effectivement pas tous les rêves et toutes les ambitions de son mari. En fait, elle n'en connaissait probablement aucun.

— Oh! c'était un faux départ! Draven dit que les faux départs sont donnés exprès, pour épuiser certaines bêtes et les empêcher de gagner. Mais il en faudrait plus pour épuiser Blue Peter!

— Wanton aussi!

— Qu'en sais-tu, finalement? Est-ce que tu as au moins expliqué à M. Felton le régime dont Wanton a besoin, pour améliorer ses chances de gagner la course?

— Mais quelle importance? Avec ce fameux régime de purée de pommes et d'avoine, Wanton n'a jamais gagné une seule course pour papa. Alors, non, je n'ai jamais pris le temps de parler de ce régime avec mon mari, si tu tiens à le savoir! Je m'en moque éperdument, et lui aussi!

— Pardon, j'avais oublié! Tu es prise par des sujets d'une telle importance! Le linge, les comptes...

— Si je vivais avec ma belle-mère, comme toi, je n'aurais effectivement pas à m'occuper de ce genre de choses, coupa Tess au comble de l'exaspération. Mais enfin, qu'est-ce qui te prend?

— Rien du tout, je t'assure, assura Imogène en feignant de reporter toute son attention sur les chevaux qui abordaient le virage près des tribunes.

— Tu n'as cessé de nous répéter sur tous les tons que tu mourrais si tu ne pouvais pas épouser lord Maitland! Si tu as changé d'avis maintenant que vous êtes mariés, ce n'est pas la peine de t'en prendre à moi !

— Mais je n'ai pas changé d'avis ! se récria la jeune femme, hérissée comme un chat en face d'un molosse. J'adore Draven. J'étouffe si je ne peux pas respirer le même air que lui !

— Je sais bien, mais je commence à me demander si l'air que vous respirez ne t'aigrit pas le caractère.

— C'est une remarque extrêmement méchante, balbutia Imogène, si lentement que Teresa eut tout le temps de la regretter.

— Tu as raison. Je suis désolée !

— C'est moi qui suis désagréable, murmura Imogène en regardant d'un air absent les chevaux passer pour la seconde fois. Et ce n'est pas parce que je regrette mon mariage. J'aime Draven ! Je l'adore ! Je vénère le sol sur lequel il marche ! Enfin, tu le sais bien. Seulement… seulement lui n'éprouve pas les mêmes sentiments envers moi.

— Tu crois ?

— Il m'aime, mais pas autant que ses chevaux, expliqua-t-elle amèrement, les yeux pleins de larmes. Il en parle tout le temps, il ne peut pas s'en empêcher, même dans son sommeil !

— Je vois très bien. Papa était comme ça.

— J'y ai pensé, mais je ne crois pas que maman ait été malheureuse.

— Non, jamais ! trancha Tess. Je me souviens très bien d'elle. Elle nous adorait, et elle adorait papa. Et je suis sûre qu'elle n'a jamais regretté un seul instant la vie mondaine, la Saison à Londres ou les belles toilettes qu'elle aurait pu avoir.

— Mais moi non plus ! lança farouchement Imogène.

— Je le sais bien, commença Teresa, lorsqu'un hurlement horrifié qui montait de la foule l'interrompit brutalement.

— Un cheval est tombé! s'écria sa sœur, morte d'inquiétude.

— Oh! je déteste les courses, je les ai toujours détestées! gémit Tess. Chaque fois qu'un cheval tombe, je pense à toutes les bêtes que papa a perdues, à quel point il les aimait, au crève-cœur d'avoir à les abattre...

— Je sais ce que tu veux dire, renchérit Imogène en lui prenant la main. Tu te souviens comme il a pleuré quand il a fallu abattre Highbrow?

— Il n'a plus jamais été le même.

L'accident était grave, visiblement. La foule avait envahi la pelouse, des gens couraient dans tous les sens tandis qu'on ramenait les chevaux au paddock... Tess n'avait qu'une envie: regagner la voiture et rentrer à bride abattue à la maison, compter le linge, donner ses instructions à la gouvernante, et oublier les courses à tout jamais.

— Tu as raison, papa ne s'en est jamais remis. Il avait tout perdu, jusqu'au dernier sou. Mais personne ne t'en a voulu. Il n'aurait jamais dû t'écouter... Tu n'étais encore qu'une gamine.

— Eh bien, rassure-toi, il ne m'a plus jamais écoutée! rétorqua sèchement Tess.

La porte s'ouvrit brusquement sur Lucius, et Teresa ne put dissimuler son soulagement.

— Imogène, appela-t-il doucement, utilisant son prénom pour la première fois.

La jeune femme se leva, livide.

— Draven? demanda-t-elle d'une voix ferme malgré tout.

Lucius acquiesça.

— C'est lui qui montait ? Il montait Blue Peter !

— Je vais vous emmener auprès de lui.

Il lui prit le bras tandis que Tess, les mains tremblantes, lui passait son manteau.

— Il montait Blue Peter, mais il est vivant. Il est vivant, n'est-ce pas ? répéta-t-elle en s'agrippant au bras de Lucius.

— Il est vivant, et il vous réclame.

Tess reconnut toutefois dans les yeux de son mari une expression qu'Imogène ne pouvait pas connaître, et le cœur lui manqua.

L'assistance commençait à se disperser, maintenant. Chacun se dirigeait vers un petit village fleuri, une maison accueillante ou un pub à l'atmosphère joyeuse.

Ils se frayèrent un chemin aussi vite qu'ils pouvaient au milieu de la foule encore bruissante de l'accident.

— Il est tombé comme une bûche, disait l'un.

— Sa cote était à huit contre un, ajoutait l'autre. Pourquoi est-il allé risquer sa vie avec une cote pareille ?

Au grand soulagement de Teresa, Imogène paraissait ne rien entendre.

— Où est-il ? Où l'ont-ils emmené ? demanda-t-elle d'une voix étrangement calme.

— Dans la grande écurie, indiqua Lucius.

— Il...

Elle lâcha le bras de Lucius et partit comme une flèche. Ils se lancèrent à sa suite sans même se consulter du regard. Tout le temps que dura cette course éperdue, Tess n'eut qu'une seule pensée. Elle avait perdu son chapeau et, sans chapeau, tout le monde allait voir l'état de sa coiffure, et devinerait...

Devinerait quoi, au juste ?

Cette obsession étrange l'abandonna dès qu'ils entrèrent dans l'écurie. Draven gisait sur un lit de camp, sans doute celui du palefrenier qui gardait les chevaux pendant la nuit.

Il leur sourit avec une telle chaleur que Tess fut immédiatement rassurée. Néanmoins, quand elle se tourna vers son mari, elle le vit contempler Imogène, agenouillée au chevet de Maitland, avec tant de compassion que son cœur se glaça.

— Je crois que je vais devoir rester alité un moment… Cela me tiendra éloigné des champs de courses, comme tu le souhaites, murmura Draven d'une voix faible mais ferme.

— Tu souffres ? Est-ce qu'on a appelé un médecin ? Tu as quelque chose de cassé ?

— Une ou deux fractures, je pense. Ce ne seront pas les premières, et j'ai moins mal, maintenant. C'est supportable, Immie, ne t'inquiète pas.

— Tu m'avais promis de ne pas monter Blue Peter ! le gronda Imogène en lui prenant la main.

— Je n'ai pas pu résister, soupira-t-il tandis que son regard s'égarait. Bunts refusait de courir, je n'avais plus le choix.

Imogène comprit qu'elle pleurait parce que le visage de son mari se brouillait. Était-ce les larmes, ou bien était-il plus pâle tout à coup ? Et pourquoi ne bougeait-il pas ?

— Que fait le médecin ?

Lucius s'agenouilla à ses côtés, et leurs regards se croisèrent.

— Allez chercher un médecin ! insista-t-elle d'une voix mal assurée.

— Il est venu dès qu'il est tombé, murmura-t-il.

Imogène comprit et se figea.

— Tout va bien, reprit Draven. Je ne serai pas long à me rétablir. Ce qui compte, c'est que Blue Peter n'ait rien. Je te promets de ne plus le faire courir et de ne plus jamais le monter. Tu es rassurée ?

— Et de ne plus jamais monter aucun cheval dangereux ? demanda Imogène en se forçant à sourire à travers ses larmes.

— Je ne voulais pas trahir ma promesse. Demande à Felton. J'avais parlé au jockey, je l'avais convaincu et puis, au dernier moment, il a eu peur et il m'a fait faux bond. Je ne pouvais pas reculer. Je voulais gagner, Immie !

— Je sais, mon amour ! Je le sais bien, le rassura-t-elle en pressant la main de Draven contre sa joue.

— Et ce n'était pas seulement pour gagner, ajouta-t-il avec un effort comme pour s'asseoir.

— Tu as mal ? souffla-t-elle. Tu as mal, mon chéri ?

— Beaucoup moins, c'est pour ça que je suis sûr de guérir. J'étais inquiet, au début, parce que la douleur était à peine supportable mais maintenant, je ne sens plus rien. Je sais que je vais vivre. Je gagnerai la prochaine fois, mon amour ! Je gagnerai la coupe, poursuivit-il en lui caressant la joue, et nous achèterons une grande maison à Londres, aussi grande que celle de Teresa. Et nous aurons une loge, aussi.

— Je m'en moque, murmura Imogène en lui embrassant la main. Tout ce que j'ai jamais désiré, c'est me marier avec toi. Je t'ai aimé dès le moment où je t'ai vu pour la première fois.

— Quelle idée étrange ! sourit-il faiblement.

Il n'arrivait plus à redresser la tête.

Imogène posa la tête sur sa poitrine. Elle entendait battre son cœur, mais si faiblement...

— Je t'ai vu traverser la cour pour rejoindre papa, et tu étais tellement beau, tellement vivant, tellement toi... Un de tes chevaux venait de gagner à Ardmore, tu te souviens ?

— Un prix de vingt livres. Ma vue se brouille, Immie. Je ne te vois plus...

Un sanglot empêcha Imogène de répondre.

— Je ne vais pas...

— Je t'aime, mon Draven, déclara-t-elle avec ferveur en prenant dans ses mains le visage aimé. Je t'aime de toute mon âme.

— Immie, il faut vraiment que je meure ? insista-t-il, même s'il avait déjà lu sur le visage de sa femme la réponse à sa question.

Pour toute réponse, elle se pencha et posa ses lèvres sur les siennes.

— Ma petite Immie chérie, souffla-t-il.

Draven avait toujours été une tête brûlée. Il était ensuite devenu un joueur invétéré, mais n'avait jamais manqué de courage. C'était un homme de cœur, malgré tous ses défauts et, arrivé au terme de sa courte vie, il avait enfin abandonné ses chimères. Il rassembla ses dernières forces pour prendre la main d'Imogène.

— Je t'aime, Immie chérie.

Éperdue, la jeune femme sanglotait.

— Je ne t'ai pas épousée pour de bonnes raisons, poursuivit-il d'une voix de plus en plus faible, mais je remercie Dieu de l'avoir fait. C'est ce que j'ai fait de mieux dans ma vie.

— Draven, je t'en prie...

De nouveau, elle s'abattit sur sa poitrine. Il lui caressa les cheveux, lentement, tellement lentement. Et elle n'entendait plus battre son cœur.

— Je ne suis pas très doué pour ce genre d'aveu, mais je n'ai plus beaucoup de temps. Je t'ai épousée sur un coup de tête, mais avant la fin de la journée, je savais que je n'avais jamais eu de meilleure idée de toute ma vie. Et tout ce que j'ai fait depuis, c'était pour toi. Crois-moi, même si je ne sais pas très bien tourner ce genre de déclarations.

Imogène voulut l'embrasser. Une trace rougeâtre perlait à ses lèvres. Elle fit un geste pour l'essuyer et constata, horrifiée, que c'était du sang.

— Tu sais que je t'aime. Je n'ai jamais voulu que toi, tu le sais bien.

— Tu mérites mieux, chuchota-t-il.

— Il n'existe personne de mieux ! lança-t-elle avec une ardeur farouche. Personne !

— Ma petite Immie, tenta-t-il de sourire. Tu diras à ma mère…

— Que tu l'aimes, termina Imogène. Je le lui dirai, mon amour, je le lui dirai !

La main qu'il avait posée sur l'épaule de sa femme glissa et retomba, inerte. Un homme en noir s'approcha d'elle.

— Madame, je suis le révérend Straton. C'est le médecin qui m'a envoyé chercher.

Il s'agenouilla aux côtés d'Imogène et posa la main sur le front du mourant.

— En toi, Seigneur, j'ai mis ma foi…

Imogène posa la main sur la poitrine de son mari. Impossible de sentir le moindre battement. Draven avait les yeux clos maintenant, comme s'il s'était endormi, mais…

Tess s'agenouilla près d'elle et l'étreignit tendrement, puis Lucius se baissa à son tour pour les relever toutes les deux, mais elle se dégagea et s'abattit sur le corps de son bien-aimé.

— Ce n'est pas vrai, ça ne peut pas être vrai! criat-elle.

Tous les bruits de l'écurie, si familiers, si amicaux, qu'elle n'avait pas entendus jusqu'ici, parvinrent de nouveau à ses oreilles. Les chevaux qui s'ébrouaient, un sabot impatient qui grattait le sol, le cliquetis d'un mors... Tout cela ne pouvait pas continuer sans Draven, comme si de rien n'était.

— Draven! Draven, ne t'en va pas! Ne me quitte pas!

Il ne pouvait plus l'entendre. Le jeune homme qu'elle avait aimé dès le premier regard, celui qui riait de bonheur parce qu'il avait gagné une course, ce jeune homme impétueux l'avait quittée. Il était parti avant l'heure, et déjà son visage n'était plus le même.

— Il est au ciel, Imogène, il est avec papa, chuchota Tess en la serrant dans ses bras.

— Ne pars pas! Reviens! hurla Imogène, comme si le monde devait s'écrouler avec la mort de Draven.

Le prêtre lui murmurait des paroles apaisantes, où il était question de Dieu, du Paradis, de la résurrection et de la vie éternelle, mais elle était sourde à ses mots réconfortants. Tout ce qu'elle voyait, c'était le visage livide et le corps inerte de son aimé.

— Il faut le ramener à la maison, dit Tess.

Enfin une parole de bon sens! Draven ne pouvait pas rester dans ces écuries, sur ce pauvre lit de camp. Il devait rentrer chez lui, dormir dans leur lit. Imogène laissa donc sa sœur la relever tandis que des palefreniers soulevaient le lit. Elle marcha aux côtés de son mari en lui tenant la main, mais ce n'était plus la main de Draven. Celle de Draven était sans cesse en mouvement, et celle-ci était aussi inerte qu'un morceau de bois.

Alors elle reposa cette main inconnue tandis qu'ils emmenaient la civière improvisée dans les derniers rayons du soleil.

Puis les voitures prirent le chemin de la maison.

34

Raphaël, Annabelle et Josie étaient déjà à Maitland Hall. Lucius les avait fait prévenir, en demandant au duc d'annoncer la nouvelle à lady Clarice. Alors que Tess s'attendait à des cris, des larmes, à une crise de nerfs, ils trouvèrent la mère de Draven figée dans le salon comme une statue. Tandis qu'Imogène, effondrée, sanglotait dans les bras d'Annabelle, lady Clarice, livide, droite comme un « I », les yeux secs, le regard perdu, tapotait la main de sa belle-fille d'un air absent.

Teresa s'assit à côté de Lucius. Elle se sentait désarmée, inutile, mais qu'aurait-elle pu faire ? Raphaël tournait comme une âme en peine et remplissait de cognac tous les verres qui lui tombaient sous la main. Ils restèrent assis en silence, puis dînèrent sans échanger trois mots, avant de se retirer. Imogène n'ayant pas la force de dormir seule dans le lit qu'elle avait partagé avec Draven, elle préféra se réfugier dans la chambre d'Annabelle. Tess se réveilla en larmes au milieu de la nuit. La mort de Draven lui rappelait celle de son père. Lucius la tint serrée contre lui, couvrant de tendres baisers ses joues ruisselantes.

Lorsque Tess rejoignit ses sœurs dans le salon le lendemain matin, elle trouva Annabelle assise près d'Imogène. Elle se précipita pour les rejoindre et enlaça les épaules de sa sœur.

— Comment te sens-tu ?

— Bien, répondit laconiquement Imogène en s'écartant pour échapper à l'étreinte de son aînée.

— Je voudrais qu'elle mange un peu. Elle n'a rien pris, hier soir, se lamenta Bella.

— Je n'ai pas faim.

Tess hésitait, désemparée. Elle avait pensé que sa sœur se précipiterait dans ses bras, et sa froideur la blessait profondément. Surtout, elle n'en comprenait pas la raison. Quand elles avaient perdu leur mère, c'était elle qui l'avait remplacée…

Elle fut soulagée lorsque Lucius les rejoignit, mais vit Imogène blêmir encore un peu plus.

Comment n'avait-elle pas compris ? La présence de son mari devait raviver le chagrin de sa sœur ! Ils s'étaient mariés pratiquement en même temps, et Lucius était bien vivant, lui…

— Je voudrais te parler un instant, dit-elle à son mari.

Il s'inclina devant Imogène et Annabelle et la suivit dans un boudoir attenant.

Elle revint un moment plus tard, le cœur lourd en pensant à son mari en route vers Bramble Hill. Sans elle… Mais elle se devait avant tout à Imogène.

— J'aimerais mieux être seule, lança celle-ci, pâle comme une morte, le regard fiévreux, dès que Tess entra dans la pièce.

Elle se figea sur le seuil, interdite.

— Si cela ne t'ennuie pas, ajouta Imogène en posant la tête sur l'épaule d'Annabelle.

— Mais bien sûr que non ! Tu veux que je t'apporte une tasse de thé ?

— Si j'ai besoin de quelque chose, Bella sonnera, répondit Imogène sans lui accorder un regard.

Teresa sortit sans un mot, cherchant désespérément ce qu'elle avait bien pu dire ou faire de blessant.

— Vous ne vous sentez pas bien, Tess? demanda Raphaël qui descendait l'escalier.

— C'est Imogène... Elle ne veut pas que je reste avec elle, balbutia-t-elle, les larmes aux yeux.

Il la prit gentiment par les épaules et l'entraîna dans la bibliothèque.

— Elle est assommée, folle de douleur. Dans ces moments-là, chacun réagit de façon différente. Certains ont besoin d'être entourés, d'autres préfèrent la solitude...

— Mais elle n'est pas seule, elle est avec Annabelle! Je pensais... Quand nous avons perdu notre mère, essaya-t-elle d'expliquer en cherchant ses mots, j'ai essayé de la remplacer. J'ai pratiquement élevé mes sœurs! Comment peut-elle me rejeter de cette façon?

— Je vous proposerais bien un cognac, mais il est un peu tôt, soupira le duc en lui tapotant affectueusement la main. Le chagrin peut rendre aveugle, vous savez. À la mort de mon frère, j'ai été odieux avec tout le monde, j'ai même insulté le pasteur qui avait célébré le service funèbre. Je n'étais plus moi-même, tout simplement.

La journée s'étira comme dans un cauchemar. Quand Tess entrait dans une pièce, Imogène se recroquevillait dans les bras d'Annabelle et, du regard, celle-ci signifiait à l'aînée de ne pas approcher.

Teresa se tourna donc vers lady Clarice. La mère de Draven semblait changée en statue de sel. Elle restait figée, sans réaction, insensible apparemment à toute tentative de réconfort. Un instant, elle parut sortir de sa léthargie et demanda à Tess de lui lire la Bible, ce que la jeune femme fit de bon cœur. Mais même si elle parut quelque peu apaisée, sa lectrice doutait qu'elle comprenne un seul mot.

Dans l'après-midi, elle trouva Raphaël berçant Imogène comme une enfant, dans une attitude que n'importe qui dans la bonne société, et même dans la moins bonne, aurait trouvée indécente. Et dire que sa sœur n'aimait pas leur tuteur ! Elle le considérait comme un ivrogne, un excentrique, un bon à rien ! Quand Tess eut le malheur de s'approcher, Imogène se figea et lui répondit par monosyllabes, sans lui accorder un regard !

Il lui fallut deux longues journées de ce traitement pour trouver le courage de demander à Annabelle si elle avait une explication.

— Elle t'en veut, expliqua celle-ci en se laissant tomber sur un fauteuil devant la cheminée.

— Elle m'en veut ? répéta Teresa, ahurie. Mais de quoi ?

— Ne cherche pas de logique, il n'y en a pas ! la prévint Annabelle.

La jeune fille semblait épuisée. Son teint magnifique avait perdu tout son éclat. Elle avait les traits tirés, de grands cernes sous les yeux. Imogène passait ses nuits à pleurer, et Bella ne la quittait pas un seul instant.

— Mais enfin, qu'est-ce qu'elle me reproche ?

— Vous n'avez pas vu que la course commençait, parce que vous étiez en train de vous disputer. C'est ce qu'elle dit, en tout cas. Et elle est persuadée que si elle avait fait attention, si elle avait vu que son mari montait ce maudit Blue Peter...

— Elle n'aurait pas pu l'en empêcher, il était trop tard ! s'exclama Tess, anéantie.

— Je sais bien, je le lui ai dit cent fois, soupira Annabelle en se servant un cognac.

Elle avait apparemment décidé que les méthodes de Raphaël constituaient un remède efficace dans ces circonstances difficiles.

— J'ai l'impression, reprit-elle avec un regard plein de compassion pour Tess, qu'elle se sent coupable, et qu'elle ne peut pas le supporter.

— Coupable de quoi ? s'insurgea Teresa. Elle lui avait fait promettre de ne pas monter ce cheval fou ! C'est lui qui a changé d'avis au dernier moment !

— Il a bien dit qu'il l'avait fait pour elle ?

— Ce n'était pas du tout ce qu'il voulait dire !

— Mais elle se le reproche quand même ! Maitland a dit que s'il voulait gagner, c'était pour lui acheter une maison, pour qu'elle ne soit plus obligée de vivre sous le toit de lady Clarice. Il aurait mieux fait de se taire, ajouta-t-elle en contemplant pensivement son cognac.

— La pauvre ! Je n'arrive pas à y croire… Il ne lui a jamais rien reproché, au contraire ! J'étais là, je peux lui dire que…

— Tess, je t'en prie ! Elle n'a pas fermé l'œil depuis deux nuits, et elle vient tout juste de s'endormir ! Tu ne vas pas la réveiller !

— Mais il faut que je lui parle ! gémit Tess sans se donner la peine de retenir ses larmes plus longtemps. Maitland n'a jamais voulu lui adresser le moindre reproche, bien au contraire. Il voulait simplement lui dire qu'il l'aimait, qu'elle comptait plus que ses chevaux…

— Tu prêches une convaincue ! Te faire des reproches n'a aucun sens, mais c'est tout ce qu'elle a trouvé pour alléger sa peine. Ne le lui enlève pas !

— Comment peux-tu me demander une chose pareille ? sanglota Teresa. C'est ma petite sœur, et je l'aime, moi aussi ! Je donnerais ma tête à couper pour elle ! Je veux la soutenir, être à ses côtés...

Annabelle se leva pour prendre sa sœur dans ses bras et la bercer avec des mots apaisants, comme elle l'avait fait toute la journée avec Imogène.

Rongée de culpabilité, Tess fit un effort pour se reprendre et s'essuyer les yeux. Bella n'avait vraiment pas besoin que quelqu'un d'autre vienne pleurer sur son épaule !

— Tu crois que je dois quitter Maitland Hall ?

— Tu devrais retourner auprès de ton mari. Imogène finira par se reprendre mais pour le moment, elle est incapable d'affronter la réalité. En fait, t'avoir prise pour bouc émissaire lui fait du bien. Elle t'en veut tellement qu'elle n'a pas encore réalisé qu'il lui fallait apprendre à vivre sans Draven. Et cela vaut mieux, car elle en est incapable pour le moment.

— Comment peut-elle me rejeter de cette façon ? Elle s'imagine peut-être qu'elle ne veut pas me voir, mais si je vais lui parler...

— Dans quelque temps, elle aura besoin de toi. Pour l'instant, elle s'accroche à sa rancune, et c'est ce qui lui permet de rester debout. Tu ne peux pas mieux l'aider qu'en la laissant t'en vouloir, j'en suis persuadée.

— Tu me donneras de ses nouvelles ? Tu m'appelleras si elle me réclame ? Si elle change d'avis ? murmura Tess d'une voix tremblante.

— Bien entendu ! Raphaël me surprend, ajouta Annabelle. Hier, il a passé toute la journée sans boire un seul verre !

— Tu n'as pas pris les mêmes habitudes que lui, au moins ? s'enquit Teresa en désignant le verre de cognac.

— Ne t'inquiète pas pour moi ! sourit Annabelle. Je vais aller voir si Imogène dort bien. Lady Clarice s'est levée, aujourd'hui ?

— Oui, mais je ne sais pas si c'est un progrès. Elle ne pleure pas, ne parle pas, ne mange rien… Je lui ai fait la lecture tout l'après-midi, mais je n'ai pas eu l'impression qu'elle m'entendait.

— Viens à la maison avant les obsèques. Peut-être qu'Imogène t'accueillera mieux à ce moment-là.

Tess regagna sa chambre pour pleurer tout son saoul. Elle pensa bien aller trouver Imogène pour s'expliquer avec elle, tenter de lui parler, mais savait qu'une telle tentative serait vouée à l'échec. Elle sombra dans un sommeil agité, et se réveilla glacée au milieu de la nuit, tremblant comme une feuille, incapable de se calmer.

Il ne lui restait plus qu'un seul refuge…

Bramble Hill n'était pas loin, après tout, et Lucius l'attendait là-bas.

Sans même prendre la peine de s'habiller complètement, elle enfila des bas, passa un manteau sur sa chemise de nuit et descendit sans bruit l'escalier. Le majordome apparut comme par magie, visiblement épuisé mais toujours impeccable.

— Je ne vous ai pas réveillé, j'espère ?

— Mais certainement pas, Madame. Voulez-vous que je fasse atteler votre voiture ? demanda-t-il, comme s'il était parfaitement normal qu'une dame en pantoufles, vêtue en tout et pour tout d'un manteau sur sa chemise de nuit, parte courir la campagne au milieu de la nuit.

— S'il vous plaît.

Elle s'assoupit dans un fauteuil du salon en attendant la voiture, et se réveilla à peine quand le majordome l'enveloppa d'une couverture et l'aida à monter dans la berline. Elle se rendormit immédiatement, enfin apaisée, rassurée à la pensée de rouler vers la maison, vers Lucius.

Un peu plus tard, elle sentit un courant d'air frais, perçut vaguement des murmures étouffés, et ne commença à reprendre conscience que lorsque des bras vigoureux l'enlevèrent pour la porter à l'intérieur. Elle se nicha au creux de l'épaule de son mari, et fit semblant de dormir profondément. Il la déposa doucement sur le lit, lui caressa la joue tendrement et alla dire à quelqu'un, Mme Gabthorne probablement, qu'il valait mieux la laisser reposer.

Tess retint son souffle en entendant la porte se refermer. Avait-il quitté la chambre en même temps que les domestiques, ou était-il resté avec elle ? Il lui semblait tout à coup que la présence ou l'absence de Lucius pouvait changer le cours de leur vie.

Il était certainement parti. Il n'était pas homme à rester contempler sa femme endormie alors qu'il pouvait se reposer confortablement dans sa chambre.

Le lit plia sous son poids.

— Tu es décidée à ouvrir les yeux, ma belle au bois dormant ?

Dans sa voix résonnait cette petite note d'ironie qu'elle seule savait percevoir, elle en était convaincue.

Elle ne prit même pas le temps de le saluer ou de lui donner des explications mais se contenta de jeter les bras autour de son cou et de l'embrasser passionnément.

Après un moment de surprise, il lui rendit son baiser.

Teresa ne comptait cependant pas en rester là. Elle se renversa sur les oreillers et l'attira à elle.

— Tess ?

— J'ai besoin de toi ! murmura-t-elle d'un ton farouche.

Lucius avait au moins une qualité : il l'écoutait. Il prit son visage entre ses mains et l'embrassa avec tant de douceur et de passion que les yeux de la jeune femme se remplirent de larmes, qu'elle en oublia la douleur qui lui glaçait le cœur, l'angoisse de le perdre et le sentiment atroce que la vie n'était qu'une longue suite d'adieux.

Il glissa la main sous sa chemise de nuit, son genou s'insinua entre ses cuisses. Or, Tess ne voulait pas qu'on lui fasse l'amour, elle voulait faire l'amour. Elle entreprit de le débarrasser de ses vêtements, tout en couvrant son visage de baisers.

Lorsqu'il fut nu comme au jour de sa naissance, elle lui enjoignit, avec autant d'autorité que si elle s'était adressée à Carillon, de ne pas bouger.

Lucius lui obéit et la regarda couvrir son corps de caresses brûlantes, parcourir de la bouche ses membres déliés, descendre jusqu'à...

Jusqu'à...

Devinant bien que sa femme avait besoin de le rendre fou de désir, que chacun de ses gémissements, chaque soupir, chaque plainte, lui faisait oublier sa peine et lui procurait un grand réconfort, il la laissa faire. Il tremblait sous sa main, frémissait lorsque sa chevelure dénouée caressait son ventre.

Quand, éperdu, saisi de vertige, il fut près de perdre l'esprit, il se redressa avant que sa compagne n'ait le temps de protester, s'empara de ses hanches, et la pénétra avec fureur.

Ensemble, ils se lancèrent dans une danse endiablée. Tess répondait avec ardeur à chacun de ses assauts furieux, décuplant sa frénésie dévorante, jusqu'à ce qu'ils sombrent dans un tourbillon insondable.

Lorsqu'elle s'abattit, épuisée, dans les bras de Lucius, elle fondit en larmes.

— Ma pauvre chérie, chuchota-t-il dans un baiser, tu as connu beaucoup trop d'adieux ces derniers temps.

En s'éveillant après quelques heures de sommeil enfin apaisé, Tess prit une grande décision. Elle en avait assez de pleurer. Elle avait eu son content de larmes pour plusieurs années. Il était temps de vivre, maintenant.

Son mari dormait encore à ses côtés, un paisible sourire flottant sur ses lèvres. Avec ses cheveux en bataille et ses bras étendus en travers du lit, il n'avait plus rien d'un homme du monde compassé. Il avait le visage d'un homme heureux, tout simplement.

Néanmoins, pour être complètement heureux, il avait besoin de sa famille, Teresa n'en doutait pas. Il fallait absolument qu'elle prenne contact avec sa belle-mère.

Elle parcourut du doigt le pli du cou de Lucius puis le creux entre ses omoplates. Sa peau était chaude, ses muscles puissants lisses et souples sous sa main. Un soupir impatient s'échappa de sa gorge sans qu'elle s'en rende compte.

Lucius, lui, l'avait entendu mais ne bougea pas. C'était son tour de jouer les dormeurs. Immobile, aux aguets, il faisait semblant de sommeiller, tout en savourant le frisson délicieux qui le parcourait tout entier. Il devait faire de gros efforts pour la laisser continuer sans broncher, pour ne pas se retourner et la prendre dans ses bras. Elle avait rejeté les draps, maintenant, et sa main hésitait entre ses fesses.

Il ne fit pas un mouvement, cloué sur le lit par la caresse de ses doigts là où aucune femme ne l'avait encore jamais touché. Puis il l'entendit gémir, d'un gémissement rauque d'animal en folie.

Comment pouvait-elle s'imaginer qu'il dormait toujours ?

Souple comme un félin, il se retourna soudain, la prit dans ses bras, et l'embrassa avec une passion farouche. Il n'avait plus rien de languide ou d'endormi. Ses muscles d'acier étaient tendus, et Tess se projeta à sa rencontre pour l'appeler, l'attirer en elle, tremblant et criant de désir.

D'une main assurée, il lui écarta les jambes, chercha le bouton qui battit furieusement sous ses doigts, s'insinua dans son intimité.

Un petit cri lui échappa et elle se cabra sous sa main, douce, chaude, ruisselante de désir. Offerte...

— Tess, gémit-il en pénétrant dans sa douce chaleur.

Elle le regarda, éperdue, en s'agrippant à ses épaules. Il la pénétra plus profondément encore.

— Je te veux, j'ai besoin de toi, mon amour ! souffla-t-il à son oreille. Maintenant !

Une vague de feu monta au creux du ventre de Tess, lui embrasant les entrailles. C'était plus qu'elle n'en pouvait supporter...

— Reste avec moi, ne t'arrête pas, implora-t-elle d'une voix étranglée.

Il fit mine de se retirer et, instinctivement, elle l'enserra de ses jambes pour le retenir prisonnier et le suivre où il voulait l'amener... Il la saisit par la taille, et plus rien n'exista que le regard brûlant de Lucius et la frénésie de ses reins.

Elle se tordait sous son étreinte tandis qu'il s'abandonnait à ses caresses, et ils se laissèrent emporter dans un même cri par ce maelström irrésistible.

« Je t'aime ! » pensa Lucius en sombrant. Il se garda toutefois bien de le dire.

35

Ma chère Tess,
Je suis au regret de t'informer qu'Imogène n'est pas encore prête à faire la paix avec toi. Lady Clarice a involontairement aggravé la situation – il faut dire qu'elle ignorait tout des divagations d'Imogène – en expliquant que, si elle avait choisi Mlle Pythian-Adams pour son fils, c'était précisément parce que Gillian détestait les chevaux. Elle comptait sur elle pour l'éloigner de son écurie.

Imogène s'est donc mis en tête que si elle avait laissé Draven épouser Mlle Pythian-Adams, il serait encore en vie, et elle se reproche maintenant de ne pas l'avoir aimé comme elle l'aurait dû. Le manque de logique de ce raisonnement rend toute discussion difficile, sinon impossible.

Pour tout te dire, je me fais beaucoup de souci pour elle. Elle ne se rend apparemment pas compte que Draven est mort, ou plutôt elle refuse de l'admettre. Elle en parle souvent comme s'il était sorti un moment, ou comme s'il était en voyage. Elle ne dort toujours pas et passe ses nuits à soliloquer en arpentant leurs appartements. Elle refuse obstinément qu'on change les draps et qu'on enlève ses vêtements.

Je suis certaine qu'elle refuserait catégoriquement de venir séjourner chez toi, ma pauvre Tess, et il nous faut donc différer notre projet de visite.

Je pense que le mieux serait que tu accompagnes ton mari à Londres. Tu auras tout le temps de nous accueillir plus tard. Josie poursuit son éducation avec son institutrice, sous la houlette de Raphaël et de lady Griselda, qui a accepté de rester aussi longtemps qu'on aurait besoin d'elle. Quant à moi, même si j'espère vous rejoindre à Londres pour le début de la Saison, je ne peux absolument pas abandonner Imogène dans l'immédiat.

Je sais que nous nous verrons demain à l'enterrement, mais j'ai préféré te mettre au courant de l'état d'esprit de notre sœur. Je sais que sa froideur va te faire souffrir, mais dis-toi bien qu'elle ne sait plus où elle en est et qu'elle n'est plus elle-même en ce moment.

Affectueusement,

Annabelle

LE QUOTIDIEN DE SILCHESTER

C'est un corbillard à six chevaux, orné du blason de sa famille, qui a conduit le jeune lord Maitland à sa dernière demeure. Quatorze voitures de deuil, tirées par des bêtes caparaçonnées de velours noir aux armes des Maitland, suivaient avec la famille et les proches, tandis qu'une trentaine de voitures particulières complétaient le cortège funèbre. L'assistance ne put retenir ses larmes lorsque la jeune lady Maitland pénétra dans l'église St Andrews au bras de la baronne douairière. Parmi la foule endeuillée, on remarquait le duc de Holbrook, le comte de Mayne, le comte Hawarden et sir Fibulous Hervey.

La jeunesse du mort rend toujours l'injustice d'un décès plus douloureuse. Tess ne pouvait s'empêcher de comparer les obsèques de Draven à celles de son père. Le vicomte de Brydone était mort après une vie bien remplie. Il avait eu une femme tendrement aimée, des enfants, quelques succès, malgré de grosses erreurs... Une vie heureuse, somme toute. Draven n'avait eu qu'Imogène, et sa jeune épouse ne l'avait eu pour elle qu'un tout petit mois. Et puis, dans le cas de son père, ceux qui l'aimaient avaient eu le temps de s'habituer à l'idée de sa mort.

Elle comprenait qu'Imogène refuse d'admettre la mort de son mari. Il était à ses côtés, actif et enjoué comme à l'accoutumée, et quelques minutes plus tard, il l'avait quittée à jamais. Il était parti pour ne plus revenir... Elle étreignit convulsivement la main de Lucius.

Un évêque, assisté d'un chanoine et de quatre prêtres, célébra l'office des morts. C'était une cérémonie beaucoup plus luxueuse que le service funèbre de son père, et pourtant cela ne faisait aucune différence : il s'agissait toujours d'un adieu et le déchirement était le même.

Elle regarda son mari. Il ne pouvait pas comprendre, lui qui n'avait jamais perdu un être cher. Ses amis étaient jeunes et pleins de vie, et ses parents toujours vivants, Dieu merci.

Cependant, lady Clarice avait dit que sa mère avait une santé fragile... Lucius ne s'en rendait pas compte, mais s'il devait la perdre avant d'avoir fait la paix avec elle, il se le reprocherait toute sa vie. Si Imogène perdait la tête, c'était parce qu'elle se sentait coupable, même à tort. Si Mme Felton venait à mourir sans avoir revu le fils qui lui manquait tant, il ne se le pardonnerait jamais.

Il devait absolument oublier son orgueil !

Ce n'était pas dans son caractère. Il suffisait pour s'en convaincre de voir son visage sévère, son front obstiné et sa mâchoire volontaire...

Il fallait l'aider, et Tess fit vœu de réconcilier son mari avec ses parents. Cela en valait la peine. Elle ne voulait à aucun prix le voir torturé par le remords lorsque ceux-ci décéderaient.

Le service lui parut interminable. Seuls quelques sanglots étouffés venaient parfois troubler la voix du récitant. Aucun pleur, aucun sanglot ne provenait cependant du banc de devant. Imogène et lady Clarice observaient maintenant le même silence de plomb, la même immobilité de statues.

Un vent glacial soufflait en rafales sur le petit cimetière, emportant la dernière homélie de l'évêque, qui lui parvenait par bribes.

— *Bénis soient ceux qui meurent dans l'amour de Dieu, car ils reposeront à jamais dans la paix du Seigneur.*

Il était difficile d'imaginer Draven Maitland «reposant», lui qui ne tenait jamais en place. Même le Seigneur risquait d'avoir du mal à le faire tenir tranquille. Tess s'accrocha au bras de Lucius.

— Vous ne vous sentez pas bien ? s'inquiéta-t-il. Voulez-vous vous asseoir un instant ?

Rien ne la retenait devant ce tombeau. Imogène avait pris le bras de lady Clarice et les deux femmes, les yeux rivés au cercueil de Draven, le visage de marbre, se soutenaient mutuellement. Tess ne pouvait pas les aider.

Elle acquiesça donc, et ils allèrent s'asseoir un peu plus loin sur un banc de pierre. Lucius la serra tendrement contre lui en l'enveloppant des plis de son manteau.

— Je partage la douleur d'Imogène et de lady Clarice, mais…

Une larme coula le long de sa joue, malgré la promesse qu'elle s'était faite de ne plus jamais pleurer.

— C'est encore plus pénible d'être rejetée par sa propre sœur, je sais, compléta-t-il gentiment.

— Je ne comprends pas pourquoi elle ne veut pas de moi, dit-elle péniblement. Pourquoi elle ne m'aime plus… Je ne suis pour rien dans la mort de Draven !

— Je sais, je sais, répéta-t-il, mais elle finira par se reprendre.

Il la serra encore plus fort contre lui, comme un petit oiseau qu'il fallait prendre sous son aile, et déposa un baiser sur ses lèvres.

Immédiatement, Tess se sentit revenir à la vie.

— Tu n'imagines pas à quel point je suis heureux de t'avoir avec moi, murmura-t-il en lui caressant doucement le visage. Je sais que tu aimerais te trouver aux côtés de ta petite sœur, mais pour ma part, je suis ravi que tu restes avec moi.

Elle le remercia d'un sourire tremblant.

Quelle délicatesse ! Il s'ingéniait à lui faire croire qu'elle lui était devenue indispensable, alors qu'il se suffisait à lui-même. Il n'avait besoin de personne pour vaquer à ses affaires, et il était parfaitement heureux seul dans son bureau, absorbé par son travail. Il n'avait pas besoin d'elle, ni de personne, d'ailleurs, mais c'était quand même adorable de sa part de lui laisser entendre le contraire.

Elle posa sa tête sur son épaule et contempla les moineaux qui picoraient entre les pierres tombales.

Il y avait au moins une chose qu'elle pouvait faire pour lui, pour alléger sa solitude. Lui rendre une famille qu'il pourrait réunir à sa table, et dont les portraits égaieraient sa maison.

— Quand partirons-nous pour Londres ? s'enquit-elle.

— J'aurais besoin d'y aller rapidement, dès demain peut-être. Je n'ai pas du tout envie de te quitter, mais je comprendrai si tu préfères rester à Bramble Hill.

— J'aimerais mieux t'accompagner.

Ils étaient toujours assis sur ce banc, serrés l'un contre l'autre, lorsque les cloches de St Andrew sonnèrent le glas : un coup pour chaque année de la courte vie de Draven.

36

Tess évita de se démancher le cou lorsqu'ils descendirent St James Street pour tenter de repérer où habitaient les parents de Lucius. Il lui faudrait agir avec subtilité, et mieux valait qu'il ne remarque pas sa curiosité, sans quoi il serait bien capable de l'expédier dans la plus lointaine de ses nombreuses résidences.

— Je suis certain que ma mère l'a appris avant même que l'encre de notre signature ne soit sèche, avait-il répondu lorsqu'elle lui avait demandé s'il avait informé sa famille de leur mariage.

Teresa en avait immédiatement déduit que la pauvre Mme Felton devait être à l'affût de la moindre nouvelle concernant son fils et qu'elle entretenait une correspondance suivie avec toute personne susceptible de lui en donner.

Pauvre, pauvre femme !

Elle ne jeta donc qu'un rapide coup d'œil à la longue rue bordée de splendides maisons à perron, en se gardant bien de montrer le moindre signe d'intérêt.

Cette fois, elle ne marqua aucune surprise en trouvant les murs tapissés de portraits d'étrangers. À la place d'honneur, au-dessus de la cheminée du grand salon, trônait le tableau de William Dobson dont Lucius lui avait parlé. Il représentait trois enfants vêtus à la mode élisabéthaine. Le garçon, encadré par deux petites filles, arborait de petits yeux porcins ainsi qu'un menton arrogant, et Teresa fut soulagée de savoir qu'il n'avait aucun rapport de famille avec son mari.

— C'est effectivement un très beau tableau, dit-elle.

— Il ne te plaît pas, n'est-ce pas ? corrigea Lucius, qui avait appris à la connaître entre-temps.

— Je trouve que le garçon a un petit air porcin. Je suis bien contente qu'il ne soit pas de tes ancêtres !

— Tu ne voudrais pas qu'un de nos enfants lui ressemble, c'est cela ?

— Effectivement ! répondit-elle en rougissant. Mais n'importe quel visiteur s'imaginerait qu'il s'agit de ta famille.

— Ce n'est pas ma famille, mais un investissement.

Sachant qu'il s'agissait d'un sujet sensible, Tess préféra ne pas s'engager sur ce terrain.

— Si nous faisions servir le thé ? suggéra-t-elle. Je meurs de soif ! Et j'aimerais bien voir mes appartements...

L'idée de montrer à Tess sa chambre à coucher plut visiblement à Lucius, et le sourire qu'il lui décocha la fit rougir jusqu'aux oreilles. Il en profita immédiatement pour l'embrasser dans le cou.

— As-tu remarqué que je suis incapable de me conduire correctement en ta présence ?

— Tu veux dire que je fais ressortir tout ce qu'il y a de pire en toi, c'est cela ?

— Tu n'as jamais vu les hommes se changer en satyres lorsque tu apparaissais ?

— Non, jamais. Quand Annabelle faisait son entrée, oui. Tout le monde tombe amoureux de Bella ! Papa était tout le temps obligé de renvoyer des valets, car certains se permettaient des privautés. Il a même fallu éloigner un vicaire au fin fond des Hébrides ! Mais personne n'est jamais tombé amoureux de moi.

Tout ce que Lucius aurait pu répondre l'aurait obligé à mettre à nu ses sentiments. Il choisit donc de garder le silence. Le visage de Tess s'allongea un peu. Il ne le remarqua cependant pas, car il était occupé à trier les nombreuses invitations que Smiley, le majordome, venait de lui apporter.

— Bien entendu, nous ne pourrons pas beaucoup sortir tant que tu n'auras pas une garde-robe convenable, remarqua-t-il.

— Mais j'ai toutes les robes que nous avons fait faire à Silchester, murmura timidement Tess.

— Et puis, tu auras besoin d'une femme de chambre compétente.

Elle vérifia machinalement le chignon que Gussie avait tant bien que mal arrimé sur sa tête ce matin. Ce n'était certainement pas la meilleure soubrette dont on puisse rêver, mais elle était si serviable ! Sa maîtresse s'était attachée à elle et ne voulait surtout pas lui faire de peine.

— Nous en engagerons une seconde pour t'habiller et te coiffer. Gussie pourra continuer à s'occuper du reste.

Teresa avait compris depuis un moment déjà que la solution à toutes les difficultés qui se présentaient consistait pour Lucius à engager du personnel supplémentaire.

— Je ne suis pas sûre que ce soit bien utile. Gussie fait des progrès, tu sais.

— Comme tu voudras. Il faut que j'aille travailler avec mon secrétaire, maintenant, mais je vais faire demander à Mme Carême de passer te voir au moment qui te conviendra le mieux. D'après lady Griselda, c'est la meilleure couturière de Londres. Cela ne t'ennuie pas que je me retire dans mon bureau ?

— Pas du tout. Ne t'occupe pas de moi, j'ai deux ou trois choses à voir avec ta femme de charge.

— Avec *notre* femme de charge, corrigea-t-il. Quant à ne pas m'occuper de toi, ma chère, tu m'en demandes trop ! Je ne demande justement qu'à m'occuper de toi…

Il conclut d'un baiser fiévreux cette déclaration surprenante de sa part, avant de s'éclipser comme s'il avait le diable aux trousses.

— Mme Taine est bien plus aimable que Mme Gabthorne ! confia Gussie au moment du coucher en brossant vigoureusement les cheveux de sa maîtresse. Elle n'a que des mots gentils pour tout le monde, sauf pour les parents de Monsieur, bien sûr. Par exemple, le troisième valet n'avait pas eu le temps de balayer le perron. Mme Gabthorne, elle aurait fait une colère de tous les diables, mais Mme Taine, elle lui a simplement dit de le faire en premier demain matin.

— Et qu'a-t-elle dit à propos des parents de Monsieur ? s'enquit Tess d'un air détaché.

— Eh bien, Mme Felton a tout l'air d'une pimbêche ! Un dragon, à ce que j'ai entendu dire. Vous voulez prendre un bain, ou vous préférez vous coucher tout de suite ?

— Ma gouvernante disait toujours qu'il fallait donner cinq cents coups de brosse pour avoir de beaux cheveux, expliqua Tess avec un geste impérieux.

C'était une double exagération! D'une part parce que son cuir chevelu pouvait encore lui être utile, et parce qu'elle n'avait jamais eu de gouvernante d'autre part. Mais elle tenait à prolonger cette intéressante conversation.

— Mme Taine disait…

— Je ne voudrais pas cancaner! Mme Taine a été très claire là-dessus. Elle m'a dit que si…

— Vous ne pouvez pas cancaner avec la maîtresse de maison, voyons!

Cette subtilité avait visiblement échappé à Gussie, qui de plus n'aurait jamais songé à discuter une affirmation de sa maîtresse.

— Eh bien, poursuivit donc allègrement la soubrette, Mme Felton mère vit deux maisons plus loin. Et d'après Emma, la seconde femme de chambre, elle a souvent des vapeurs. Emma est bien avec leur premier valet de pied, vous savez, chuchota Gussie. Elle dit que Mme Felton a eu une crise terrible quand elle a appris le mariage de Monsieur!

— Elle s'est mise à pleurer?

— Ça, je ne sais pas. Emma a rien dit! Elle a dit qu'elle était furieuse et qu'elle tournait dans toute la maison comme une tornade! Ce sont ses propres paroles!

— Elle a dû être vraiment bouleversée…

— Si j'ai bien compris, vous vous trouvez mieux sans elle, Madame. Emma dit qu'elle fait des histoires pour tout et qu'elle se plaint du matin au soir, et de tout le monde, même du petit cireur des rues!

— Ça, pour le coup, ce sont des commérages! trancha Tess d'un ton sévère. Cette pauvre femme ne voit jamais son fils unique et n'a de ses nouvelles que par ouï-dire. Je suis sûre que ce sont les soucis qui la rendent irritable.

— J'ai pas compté, Madame, mais ça doit bien faire cinq cents coups de brosse, là, parce que je commence à avoir des crampes dans le bras ! s'exclama la servante en posant la brosse.

Lorsqu'elle fut seule, Teresa resta un long moment à méditer les bavardages de Gussie. Comment approcher Mme Felton mère ? Et que dirait Lucius quand elle l'aurait fait ? Quand elle abordait la question, il ne montrait aucun signe de mécontentement, mais trouvait toujours le moyen de changer de sujet en lui faisant courtoisement comprendre qu'il ne souhaitait pas lui répondre.

— Ils m'ont clairement fait connaître leurs sentiments, répondait-il invariablement.

Après cela, il n'y avait plus rien à ajouter. C'était comme s'adresser à un mur.

Elle finit par décider que le mieux serait d'écrire à Mme Felton. Une lettre très courtoise, très respectueuse, comme il convient à une belle-fille prévenante envers sa belle-mère. En unissant leurs efforts, peut-être arriveraient-elles à réconcilier toute la famille et à combler le fossé qui s'était installé entre le fils et ses parents.

Puisque Lucius ne se montrerait pas avant un moment, elle disposait de tout le temps nécessaire. Elle s'installa donc à son secrétaire, et trempa d'un geste décidé une plume dans le ravissant encrier en argent.

Chère Madame,
Je suis convaincue que vous avez à cœur autant que moi de combler...

Non. C'était beaucoup trop brutal.

Chère Madame,
Je vous écris dans l'espoir que vous serez aussi heu-
reuse que moi...

Trop froid. Si ce qu'avait rapporté Gussie était vrai, sa belle-mère ne devait pas beaucoup avoir le sens des nuances.

Chère Madame,
Pourrais-je avoir le plaisir de venir vous saluer
demain après-midi...

Non, cela n'allait pas non plus. L'idéal serait qu'elle rende visite à ses beaux-parents accompagnée de son mari. Ainsi, même si Mme Felton était remontée contre son fils, elle n'oserait pas se montrer désagréable devant une étrangère, leur nouvelle belle-fille qui plus est. Tout le monde serait bien obligé de se conduire avec courtoisie et, si tout se passait bien, elle pourrait inviter les parents de Lucius à dîner. Ensuite, peu à peu, la famille reprendrait l'habitude de se réunir. Oui, la politique des petits pas était certainement la meilleure.

Chère Madame,
Je me permets de vous demander la permission de
vous rendre visite demain après-midi, ou à un autre
moment qu'il vous plaira de m'indiquer.
Je suis en effet très impatiente de rencontrer la
famille de mon mari.
Je vous prie d'agréer, Chère Madame, mes très res-
pectueuses salutations.

Teresa Felton

Elle reçut la réponse le lendemain au petit-déjeuner.

M. et Mme Felton recevront leurs visiteurs à partir de deux heures cet après-midi.

Ce n'était pas particulièrement chaleureux... Elle relut trois fois la brève notice, puis regarda son mari qui lui adressa un sourire aimable par-dessus son journal.

— Lucius?

— Oui, ma chérie? demanda-t-il sans poser son journal.

— J'ai reçu un mot de ta mère.

Pour le coup, il posa son journal et lui lança un regard perçant qu'elle eut du mal à soutenir.

— C'est une bonne nouvelle, n'est-ce pas? Tes parents nous proposent de leur rendre visite, poursuivit-elle comme il ne disait toujours rien. Leur lettre parle de cet après-midi. Es-tu libre?

— Tess, qu'as-tu fait au juste?

— Mais rien, voyons! Que ta mère souhaite rencontrer sa belle-fille, quoi de plus naturel, enfin? questionna-t-elle avec de grands yeux innocents.

— Comment savent-ils que nous sommes à Londres?

— Oh! je suis certaine que les domestiques se parlent! Nous sommes voisins, après tout.

— Très bien, dit-il laconiquement avant de reprendre sa lecture.

Elle n'avait pas vraiment remporté une grande victoire, mais il s'agissait quand même d'un premier pas encourageant.

37

M. et Mme Felton les attendaient au salon, une vaste pièce carrée située à l'angle de la maison, qui aurait normalement dû être lumineuse et gaie. Mais malgré une double rangée de fenêtres, elle était assombrie par de lourdes tentures et une profusion d'étagères et de vitrines surchargées de bibelots. Une multitude de fauteuils et de guéridons encombraient le chemin, ajoutant à l'impression d'étouffement que ressentait le visiteur.

Comme par un fait exprès, les parents de Lucius avaient exactement la même pose que les Élisabéthains de l'un des portraits qu'affectionnait leur fils. Mme Felton, une femme très mince, presque frêle, trônait près de la fenêtre dans une bergère à haut dossier. Ce que remarqua tout d'abord Tess, ce furent ses petites mains grassouillettes, couvertes de bagues, qui tranchaient avec sa maigreur.

Heureusement, Lucius ressemblait plutôt à son père. Moins grand et moins vigoureusement bâti que son fils, M. Felton possédait le même nez aquilin et le même regard vert aux profondeurs insondables. Il avait dû être très beau garçon dans sa jeunesse, mais l'âge lui avait donné un air fatigué, voire résigné, qui surprit Teresa. Sa façon d'attendre pour les saluer que sa femme ait parlé la première gêna également la jeune femme.

Lucius et elle s'approchèrent ensemble, et Mme Felton finit par se lever. Elle tendit une main que Lucius s'inclina pour baiser comme s'il s'agissait d'une altesse royale.

— C'est vous qui allez prendre ma succession, lança-t-elle à l'adresse de sa belle-fille, avec le même sourire inattendu que Lucius. Je suis vraiment enchantée de vous rencontrer. J'avoue que j'avais perdu espoir de voir mon fils se décider à convoler un jour.

— Merci de votre accueil, sourit Tess, grandement soulagée, en plongeant dans une révérence parfaite. Je suis ravie de connaître la famille de mon mari.

— Je comprends vos sentiments, et je les partage. J'espère que votre mariage nous permettra de ramener notre fils bien-aimé dans le sein de sa famille.

En voyant l'intéressé s'incliner sans mot dire, Teresa se sentit un peu irritée de sa froideur. Ne pouvait-il trouver quelques mots de remerciement et exprimer à sa mère sa joie de la revoir ?

— Asseyez-vous, je vous en prie. Je vais faire servir le thé. À moins que vous ne préfériez un sherry ? demanda-t-elle à la jeune femme en la regardant en face pour la première fois. J'avais l'impression que vous étiez très jeune, mais je vois maintenant que vous avez l'âge d'apprécier les liqueurs.

— Du thé me conviendra très bien, je vous remercie.

— Parfait ! À présent, parlez-moi de vous, mon petit. Je n'ai jamais eu de fille, et je vous assure que cette perspective me remplit de joie. J'ai cru comprendre que vous étiez orpheline ?

— Mes sœurs et moi sommes les pupilles du duc de Holbrook, acquiesça Tess.

— Ah oui, l'ami d'enfance de mon fils ! Ils étaient à Eton ensemble. Bien sûr, Holbrook n'était que le cadet, comme vous le savez certainement. Personne n'aurait pu deviner qu'il aurait la chance de succéder à son frère !

Tess savait pertinemment que Raphaël aurait donné un bras pour ramener à la vie son frère Peter, mais elle se garda bien d'en informer Mme Felton.

— Nous apprécions beaucoup les amis de mon fils, reprit Mme Felton comme si elles étaient seules dans la pièce. Vous l'ignorez peut-être, mais il est également très proche du comte de Mayne !

— J'ai effectivement rencontré le comte, répondit Teresa sans se compromettre.

Là aussi, il lui paraissait inutile d'entrer dans les détails.

— Nous n'avons jamais eu d'inquiétudes en ce qui concerne les fréquentations de notre fils, d'ailleurs. Son parrain a eu la bonté de l'envoyer à Eton, où il s'est immédiatement lié d'amitié avec ce qu'il y avait de mieux. Je suis certaine qu'il a apporté le même soin au choix de son épouse !

Elle fit une pause pour parcourir du regard la petite assemblée avec un sourire satisfait, puis revint à sa belle-fille.

— Puisque vous faites maintenant partie de la famille, j'aimerais vous poser quelques questions personnelles. Cela ne vous ennuie pas, j'espère ?

— Je vous en prie !

— Je me permets de vous le demander à cause de votre malheureuse situation familiale. Vous comprenez l'importance de telles questions pour l'avenir de notre descendance… Avez-vous apporté une dot à mon fils ?

— C'est une question malvenue, mère, intervint Lucius.

— Malgré ton intérêt avide pour les choses de l'argent, mon fils, tu sembles oublier que, dans les grandes familles, on ne se marie pas uniquement sur l'attrait d'un joli minois.

— Nous ne sommes pas une grande famille, mère, rétorqua Lucius. Et si quelqu'un montre de l'intérêt pour les choses de l'argent, pour le moment, c'est vous !

— Faire un beau mariage est une chose, se salir les mains par goût du lucre en est une autre ! trancha Mme Felton d'un ton sans réplique.

— Je répondrai bien volontiers à toutes les questions que me posera votre mère, Lucius, intervint Tess avec une mimique censée lui intimer le silence.

— En l'espèce, Teresa a effectivement apporté à notre couple une dot considérable.

Tess retint un sourire. Seul Lucius Felton pouvait considérer deux pur-sang, même issus de Patchem, comme une dot considérable.

— Très bien ! J'espère que ma question ne vous a pas offusquée, demanda Mme Felton en se retournant vers Tess. Un ami intime du duc de Holbrook et du comte de Mayne peut prétendre à un grand mariage. Il nous a été pénible de voir notre fils s'abaisser à des occupations mercantiles, et nous avons longtemps craint qu'aucune famille respectable ne consente à lui accorder sa fille.

— J'ai entendu dire que votre fils était l'un des célibataires les plus recherchés de Londres, fit remarquer Tess.

— Par les filles de boutiquiers, sans doute !

Teresa ne put se retenir de rapporter ce que Griselda lui avait raconté.

— J'ai cru comprendre que la fille du duc de Surrey témoignait à votre fils un intérêt marqué lors de la dernière Saison.

— On ne peut se retenir d'espérer, naturellement, soupira Mme Mère. Enfin, ces craintes appartiennent au passé, dorénavant. Vous appartenez vous-même à l'aristocratie, si je ne m'abuse, et vous apportez cette dot.

Elle adressa à sa belle-fille un sourire mesuré, et Tess adressa au ciel une prière muette pour que sa belle-mère n'apprenne jamais en quoi consistait ladite dot.

— Mon père était comte de Devonshire, mais je préfère me faire appeler Mme Felton plutôt que lady Margery, expliqua Mme Felton en faisant miroiter ses bagues.

— Teresa est la fille du vicomte de Brydone, précisa Lucius.

— Un Écossais ? Ils ont donc des vicomtes, de l'autre côté de la frontière ? Je trouve fascinant de voir les étrangers imiter les coutumes anglaises. C'est bien la preuve de notre supériorité sur le reste du monde.

— Parle-nous donc de ton écurie, intervint M. Felton.

Tout le monde avait sursauté lorsqu'il avait ouvert la bouche, et il fallut à Lucius un instant pour se remettre de sa surprise.

— Elle va très bien.

— Qui présenteras-tu à Ascott l'année prochaine ? Mme Felton adressa à Tess un regard entendu.

— Je crains que mon mari n'ait oublié une règle à laquelle je tiens beaucoup. On ne parle pas de chevaux en ma présence ! Cela me fatigue.

— Comment vous portez-vous, madame ? J'ai...

— Je vous en prie, mon petit, ne m'appelez pas « madame » ! Cela fait peuple. On ne s'adresse pas de cette façon à sa belle-mère dans le monde, mon enfant !

— Je vous prie de m'excuser, murmura Tess, abasourdie.

— Quand on est de noblesse récente, il faut accorder la plus grande attention à toutes les nuances de langage ! Le titre de mon père remontait à l'époque élisabéthaine, je n'ai donc pas cet embarras. C'est pour cette raison que j'ai pu épouser qui il me plaisait, et même si mon mari est d'un rang inférieur au mien, je reste une aristocrate dans chaque fibre de mon être !

— Le titre de vicomte a été donné aux Brydone par Édouard IV, à l'époque médiévale, précisa Tess d'un ton détaché.

— Vraiment ? Qui aurait pu imaginer qu'il existait déjà une aristocratie en Écosse à cette époque ? Et qu'Édouard IV s'était aventuré jusque dans ces contrées reculées ?

— En fait, nous appartenons à l'aristocratie anglaise. Le roi a accordé un fief en Écosse à notre famille après la conquête.

— Vous venez effectivement d'une très bonne famille, admit Mme Felton avec ce qui pouvait passer pour un sourire, et je suis vraiment très heureuse de vous voir entrer dans la nôtre. À nous deux, peut-être parviendrons-nous à ramener mon fils à des occupations respectables. Voyez-vous, reprit-elle devant l'air d'incompréhension de Teresa, les activités de mon fils unique constituent pour moi une véritable croix. Les affaires, l'argent, rendez-vous compte ! Le sang finit toujours par parler, ajouta-t-elle en baissant la voix, comme si elle abordait un sujet peu convenable.

— Le sang ? répéta Tess totalement ahurie.

— Vous avez certainement remarqué son goût pour le commerce et la finance ! Comme s'il ne pouvait pas vivre de ses rentes, comme n'importe quel homme du monde, et comme nous l'avons toujours fait dans ma famille ! À croire que M. Felton et moi dépendons de sa générosité !

— Mais nous dépendons de la générosité de notre fils ! intervint le père de Lucius.

Comme la première fois, ils furent tous surpris d'entendre le son de sa voix. M. Felton regardait son fils d'un air impénétrable par-dessus les têtes de sa femme et de sa belle-fille.

— Ces petits désagréments sont loin, maintenant, et vous y accordez trop d'importance, mon cher, ricana son épouse.

— Ces petits désagréments, comme vous dites, ma chère, se reproduisent mois après mois, reprit M. Felton, les yeux rivés à ceux de son fils.

Complètement dépassée, Tess ne savait plus où se mettre. Quant à Lucius, il lançait à son père des regards furibonds.

— Voulez-vous que je vous montre nos portraits de famille, ma chère ? proposa Mme Felton. Après tout, cette maison vous appartiendra un jour ! Je possède un splendide portrait du comte de Devon et de la comtesse, ma mère...

— Vous avez abordé devant une nouvelle venue un sujet des plus intimes, ma chère amie, l'interrompit son époux. Vous ne pouvez pas en rester là :

vous en avez trop dit, ou pas assez ! Je ne vous laisserai pas changer de sujet comme si de rien n'était.

— Nous devons malheureusement prendre congé, dit alors Lucius, mais je suis certain que Teresa sera ravie de voir ces tableaux une autre fois, mère.

— Je tiens beaucoup à ce que ton épouse connaisse nos obligations envers toi, mon garçon, insista M. Felton avec une fermeté surprenante. J'ai accepté que tout Londres clabaude pis que pendre sur ton compte, mais je ne tolérerai pas qu'un malentendu s'installe au sein de notre famille, et encore moins dans ton couple !

— Que d'histoires pour des broutilles ! coupa Mme Felton d'un ton acide. Pour un petit service rendu il y a des années !

Son mari l'ignora superbement pour se tourner avec détermination vers sa belle-fille.

— Pendant que Lucius, notre fils unique, terminait ses études, nous avons frôlé la ruine. Nous vivions très au-dessus de nos moyens, et nos rentes avaient fondu. Il n'y avait plus de rentes du tout, en fait. Nous avions dû hypothéquer tous nos domaines, et nous étions purement et simplement ruinés !

Mme Felton ouvrait et fermait la bouche comme un poisson hors de l'eau. Elle eut un geste convulsif de la main, comme pour frapper son mari, puis se laissa retomber dans son fauteuil.

— Mon fils est alors revenu en urgence d'Eton et, en deux mois à peine, il avait gagné tant d'argent qu'il a non seulement payé toutes nos dettes, mais aussi pu financer lui-même la fin de ses études et son établissement.

— Toute cette histoire appartient au passé ! s'exclama Mme Felton, écarlate.

— Nous étions complètement ruinés, poursuivit imperturbablement son mari. Lucius a payé tous nos créanciers, racheté les hypothèques sur nos terres et, depuis cette date, c'est lui qui subvient à nos besoins. Et voulez-vous savoir de quelle façon nous l'avons remercié ? Nous avons laissé tout Londres s'imaginer qu'il nous négligeait et refusait de nous voir !

— Vous exagérez, comme d'habitude, mon cher ! Mon époux est beaucoup trop sensible, expliqua Mme Felton à sa belle-fille. C'est un trait caractéristique de son milieu d'origine. Il ignore que dans notre monde, nous ne connaissons pas la ruine. C'est bon pour les gens de peu ! Nous autres, aristocrates, nous continuons à tenir notre rang comme nous l'avons toujours fait, et nos fournisseurs, trop heureux d'avoir l'honneur de notre clientèle, ne font aucune difficulté pour attendre d'être payés !

Lucius leva la main pour l'interrompre.

Il était beaucoup plus grand que ses parents, et beaucoup plus séduisant qu'eux. La minceur excessive de sa mère lui avait apporté cette souplesse et cette grâce qui le rendaient si attirant, tandis que les traits réguliers mais un peu mièvres de son père s'étaient accentués chez lui jusqu'à donner ce profil d'empereur romain qui caractérisait sa beauté virile.

— Ma femme et moi vous sommes extrêmement reconnaissants de votre aimable invitation, mère, mais nous ne voulons pas abuser de votre hospitalité. Je suis certain que Teresa se fait déjà une joie de revenir prendre le thé avec vous un autre jour.

Sur ce, il s'inclina courtoisement avant de glisser fermement le bras de son épouse sous le sien.

Tess n'avait pas ouvert la bouche depuis une dizaine de minutes et ne voyait vraiment pas quoi dire. La main de Lucius sur son bras la pressant de façon ferme et implorante à la fois, elle parvint à plonger dans une révérence très convenable et à expliquer en quelques mots aimables à quel point cette visite avait été agréable.

38

Ils n'échangèrent pas une parole avant d'être à la maison. Une fois que Smiley les eut débarrassés de leurs manteaux, Lucius s'inclina avec sa courtoisie habituelle.

— Si tu veux bien m'excuser, je vais...

— Oh non ! Certainement pas ! dit Tess en le rattrapant alors qu'il se dirigeait déjà vers son bureau.

— Tu n'as pas eu ton content de révélations sensationnelles pour la journée ?

Sans répondre, elle ouvrit la porte du salon où elle entra d'un pas décidé.

— Je ne tiens pas du tout à parler de mes parents, annonça-t-il en refermant la porte derrière lui. Notre entrevue avec eux a dû te donner une idée suffisante de nos relations. Je sais que les relations familiales sont très importantes à tes yeux, et si tu désires que je continue à les voir, tu peux compter sur moi.

— J'aimerais beaucoup préciser deux ou trois petites choses tout de suite, insista-t-elle avec beaucoup de douceur.

Elle savait que son mari était trop bien élevé pour refuser.

— Si tu y tiens...

Impénétrable comme à l'accoutumée, il attendit qu'elle continue. Il ne fallait pas compter sur lui pour lui faciliter les choses.

— Il y a deux ou trois points que j'aimerais tirer au clair. Ta mère attache une grande importance aux titres et à la situation sociale, n'est-ce pas ?

— Exact.

— Je suppose qu'elle possède un exemplaire du Bottin mondain, et qu'elle le consulte régulièrement ?

— Bien entendu.

— Elle savait donc parfaitement que la noblesse de ma famille est très ancienne.

— Certainement. Ma mère ne déteste pas humilier les gens, tu l'auras peut-être remarqué.

— J'ai encore une question à te poser. Quand tu es revenu d'Eton, tu as réuni seul les fonds nécessaires pour épargner à ta famille une ruine complète ?

— C'est très exagéré. Ma mère a raison lorsqu'elle prétend qu'une famille de haut rang peut accumuler les dettes pendant un certain temps.

— Peut-être, mais sans ton aide, ils n'auraient pas pu échapper à leurs créanciers. Ton père a dit qu'ils n'avaient plus aucun revenu et que toutes leurs terres avaient été hypothéquées. Tu aurais été obligé de quitter l'université, par exemple.

— C'est exact.

— Tu as sauvé les tiens de la ruine, tu as assuré leur avenir sur le plan financier et, pour te remercier, ils t'ont publiquement rejeté, en colportant des ragots sur ton compte ?

— Là encore, il s'agit d'une exagération. Mes parents ont simplement été déçus que je continue à faire des affaires alors que ce n'était plus nécessaire, corrigea-t-il en regardant par la fenêtre.

— Tu as payé les dettes de ta famille et ensuite, ils t'ont rejeté à cause de ça ? Réponds-moi, Lucius ! insista-t-elle en le rejoignant.

— C'est une façon déplaisante de présenter leur attitude.

— Je te l'accorde, murmura-t-elle en lui prenant la main.

— Il faut que tu comprennes que, du point de vue de ma mère, je ne pouvais rien faire de plus infamant, expliqua-t-il après un instant de silence. Elle a dû supporter la réprobation de ses parents après son mariage et, avec le temps, elle s'est enfoncée dans ses préjugés. Elle craignait de voir ressurgir en moi le sang de ma famille paternelle.

— Et d'après elle, c'est ce qui s'est effectivement produit ? Malgré tout, depuis l'époque, tu as continué à subvenir aux besoins de tes parents. Lady Griselda m'a dit qu'ils possédaient un grand domaine dans le Derbyshire…

— Quelle importance, Tess ? s'exclama-t-il tout à coup avec une colère rentrée qui la stupéfia. Ils sont soulagés d'avoir gardé leurs terres, ils se sentent plus tranquilles.

Malgré sa surprise de l'entendre élever la voix, elle n'était pas prête à lâcher prise. Pas maintenant.

— Et tous ces bijoux que porte ta mère ?

Lucius se détourna, mais elle le retint et l'obligea à la regarder.

— Tu as agi de la même façon avec Imogène, sans rien me dire. Tu l'as sauvée du déshonneur en achetant pour Draven une licence de mariage accompagnée de sa dérogation, n'est-ce pas ?

— Ce n'était pas grand-chose !

— Tu n'as pas seulement préservé la réputation d'Imogène, mais aussi celle de toute la famille, la mienne comprise.

— Je te l'ai déjà dit : l'argent n'a pas beaucoup d'importance pour moi. Tu te souviens ?

Tess s'en souvenait parfaitement. Tout comme elle se souvenait qu'il lui avait expliqué qu'il ne pourrait jamais l'aimer, parce qu'il était incapable de sentiments profonds. Maintenant qu'elle le connaissait mieux, elle n'en croyait pas un mot. Lucius aimait profondément ses parents, bien qu'ils l'aient rejeté comme un vêtement usagé. C'était pour cette raison qu'il avait acheté une maison à côté de la leur et qu'il collectionnait les portraits. Sa famille lui manquait.

— Lucius… Encore une question et ensuite, je te laisse travailler, je te le promets !

— Je t'en prie, marmonna-t-il, visiblement soulagé.

— Le jour où je devais épouser Mayne… commença-t-elle en rassemblant tout son courage. Je l'ai entendu descendre l'escalier. Tu as quitté la pièce à ce moment-là…

Il se raidit, immédiatement sur ses gardes.

— Que lui as-tu dit ?

Il la regarda sans répondre un long moment, tandis qu'elle retenait son souffle.

— Je lui ai demandé de partir.

— Lui as-tu donné de l'argent pour qu'il s'en aille ?

— Tu crois que j'utilise ma fortune comme une arme pour obliger les autres à faire mes quatre volontés ?

— Non, absolument pas ! Mais je veux savoir pourquoi tu tenais tellement à ce qu'il s'en aille.

— Parce que je te voulais pour moi. Parce que je te désirais. Parce que je voulais t'épouser.

— Dans ce cas, pourquoi ne me l'as-tu pas demandé ?

— Mais je te l'avais demandé !

— Non. Quand tu m'as demandé ma main, dans les ruines romaines, nous nous connaissions à peine. Pourquoi n'as-tu pas fait une demande en bonne et due forme ? Et pourquoi as-tu laissé le comte me demander de l'épouser ?

— Tu méritais mieux que moi. Je suis incapable de...

Sous le regard brûlant de Tess, les mots moururent sur ses lèvres. Elle avait bouleversé sa vie entière, elle lui avait fait oublier un à un tous ses principes ! Il ne se reconnaissait plus.

— Je te désirais plus que je ne voulais me l'avouer, expliqua-t-il enfin. Voilà pourquoi j'ai demandé à Garret de s'effacer !

— Tu as trouvé la bonne solution, murmura-t-elle en souriant. Comme pour la fuite d'Imogène et les dettes de tes parents.

— Non.

— Comment, non ?

— Cela n'avait rien à voir, rien du tout !

Il s'approcha pour lui caresser la joue, et mit dans son geste toute la tendresse du monde.

— Je voulais te faire entrer dans ma vie, Tess, et entrer dans la tienne. Jamais je n'avais rien désiré aussi ardemment, et c'est justement ce qui m'effrayait. Il n'a pas été difficile de gagner la somme dont mes parents avaient besoin. J'ai étudié le monde des affaires et l'état du marché et, comme l'argent ne m'intéresse pas, j'en ai gagné facilement. Mais en ce qui te concerne, c'était différent.

Je ne pouvais pas t'acheter. Personne ne pourrait t'acheter !

Les yeux de Teresa s'étaient remplis de larmes, mais son sourire était éloquent.

— Je tiens trop à toi pour cela, ajouta-t-il en la serrant contre lui pour qu'elle ne puisse pas voir son visage. Je suis tombé amoureux de toi, amoureux fou. Je t'aime plus que ma vie ! Je sais que tu préférerais être auprès d'Imogène et que les tiens comptent plus que tout pour toi, mais...

— Je voulais me marier dans l'intérêt de ma famille, c'est vrai. Quand ma sœur m'a rejetée, j'ai cru que mon cœur se brisait. Et j'ai eu peur que l'attitude de tes parents n'ait brisé le tien et t'ait rendu incapable d'amour. Mais je me trompais, n'est-ce pas ?

— Oui ! déclara-t-il en plongeant son regard de fauve dans celui de Tess.

— Une seule chose pourrait me briser le cœur, souffla-t-elle. Que tu m'abandonnes.

— Jamais je ne te quitterai, murmura-t-il en la serrant contre sa poitrine. Jamais ! M'arracher à toi, ce serait m'arracher le cœur !

Elle leva les yeux et lut dans le regard de Lucius un amour si ardent qu'elle sentit son cœur s'enflammer. Jamais elle ne pourrait douter de cet amour, jamais il ne lui ferait défaut...

— Je t'aime, chuchotèrent-ils en même temps.

Épilogue

Cela faisait plus de huit mois qu'ils posaient pour ce portrait. Benjamin West était maintenant très âgé, il souffrait de rhumatismes et ne pouvait pas tenir le pinceau plus d'une heure ou deux. Mais enfin, il avait fini. Il fit signe à son assistant de nettoyer ses pinceaux et se leva péniblement. C'était un vieux monsieur charmant, très élégant avec sa redingote en velours noir, son jabot de dentelle, ses souliers à boucles et sa perruque poudrée à la mode du siècle passé.

— Voilà, c'est terminé ! Je vais vous laisser l'admirer ou le critiquer en privé, lança-t-il avec une pointe de malice. À plus tard !

— Il est splendide ! Le seul inconvénient, remarqua Tess, c'est que maintenant, Phil a grandi et qu'il marche !

Sur le tableau, le petit Phileas n'était qu'un nourrisson doté d'une unique touffe de cheveux dressée au sommet de la tête, qui dormait comme un angelot, pelotonné dans ses langes de dentelle. Ils avaient d'ailleurs tous l'air un peu endormis ; ce devait être soit un air de famille, soit la marque de fabrique de M. West.

Le contraste avec le véritable Phil était saisissant. Il arborait maintenant des boucles épaisses qu'aucune nourrice ne parvenait à discipliner, sa culotte de velours pendait sur ses genoux potelés, et la veste assortie portait des traces du goûter qu'on venait de lui servir. Pour compléter sa tenue, Chloé s'était perchée sur son épaule. Le petit garçon ne cessait de babiller que lorsqu'il dormait, même si personne ne comprenait encore ce qu'il disait, et le perroquet croassait les mêmes balbutiements inintelligibles. À eux deux, ils produisaient une cacophonie des plus éprouvantes.

Tess reporta toute son attention sur le tableau. Benjamin West les avait représentés assis sous un sycomore. La jeune femme, souriante et mince comme un fil, était l'incarnation même de l'élégance féminine. Le petit Phileas somnolait sur les genoux de sa mère, qui levait les yeux vers son époux, debout derrière elle, une main posée sur le dossier du fauteuil. Lucius avait le regard perdu dans le lointain, le même air endormi que sa femme et son fils, mais beaucoup d'allure tout de même.

— J'aime le regard que tu lèves sur moi, remarqua Lucius avec satisfaction.

— J'ai l'air de t'aimer, n'est-ce pas ?

— Comment ça, « l'air » ? s'exclama-t-il en l'enlaçant.

— C'est bon, c'est bon, on voit bien que je t'aime ! répondit Tess en riant. Tes bras ne seront bientôt plus assez longs pour m'enlacer, si je continue à grossir !

— Je trouverai bien un moyen, dit Lucius en caressant son ventre arrondi.

— Nous avons peut-être l'air un peu endormis, mais au moins, nous sommes souriants !

— « Les sourires de l'amour », chuchota-t-il à son oreille.

— Les fleurs de William ? se souvint-elle. Ce sont des pensées.

— Toutes mes pensées vont vers toi, souffla-t-il.

La tête nichée au creux de l'épaule de son mari, elle sourit à leur image. Ils avaient enfin leur portrait de famille, et il était particulièrement réussi !

Phil courut vers eux et heurta le chevalet au passage. Le grand tableau vacilla. Lucius n'eut que le temps de bondir pour sauver son élégante famille du désastre, prouvant ainsi que l'indolence affichée sur le portrait de M. West n'était qu'une façade.

Il avait trouvé la bonne solution, heureusement. Comme à son habitude...

À Louisa May Alcott

L'idée de ce livre, et de toute la série des quatre sœurs Essex, dont ce livre constitue le premier tome, m'a été inspirée par les romans de Louisa May Alcott. Tout le monde connaît son grand succès *Les quatre filles du Dr March*, et vous aurez certainement remarqué la filiation entre ses héroïnes et les miennes. Mais un autre de ses ouvrages, moins connu, *Sous les lilas*, publié en 1876, qui raconte l'enfance d'une jeune orpheline au milieu de ses huit cousins, a également nourri l'inspiration de ce premier épisode. L'un des cousins ressemble beaucoup à Draven Maitland, et la folle chevauchée du jeune baron sur Blue Peter est calquée, dans une certaine mesure, sur celle qui m'a tant fait pleurer quand j'étais enfant.

Mon mari est italien, et nous connaissons bien ce pays. L'année dernière, nous avons emmené nos enfants à l'île d'Elbe, où Napoléon fut exilé après avoir été chassé de France. Nous avons bien entendu visité sa maison et, en rentrant à notre hôtel, nous sommes passés devant un panneau indiquant « ruines romaines ». Il n'y avait en fait que quelques grosses pierres disséminées çà et là et des pans de murs écroulés. Le site avait beau être signalé, nous étions les seuls visiteurs. Les

Romains adoraient l'île d'Elbe, et l'endroit regorge de ruines de ce type. Je voulais simplement vous dire que si vous souhaitez voir l'endroit que Tess et Lucius ont tant aimé, il vous faudra vous rendre en Italie, prendre le bateau jusqu'à l'île d'Elbe, louer une voiture avant de vous enfoncer dans les collines... Et croyez-moi, cela en vaut la peine !

Enfin, le magnifique poème de Catulle que récitent Teresa et son mari s'appelle *Combien de baisers – À Lesbia*. Je ne peux pas résister au plaisir de vous le citer dans son intégralité :

Tu me demandes, Lesbia, combien de tes baisers il faudrait pour me satisfaire, pour que j'en aie assez, et plus qu'assez ?

Il en faudrait autant que de grains de sable dans le désert de Libye, entre l'oracle de Jupiter tonnant dans le temple d'Amon et les tombeaux des Battiades, dans l'odorante Cyrène.

Il en faudrait autant qu'il y a d'étoiles au firmament pour observer, dans la tranquillité de la nuit, les désirs les plus secrets des pauvres humains.

Voilà combien il en faudrait à ce fou de Catulle pour le satisfaire, pour qu'il en ait assez, et plus qu'assez.

Il en faudrait tant que même la commère la plus curieuse, même le plus vil intrigant ne pourraient les compter.

À mes chères lectrices

Le fil conducteur de mon dernier opus, c'est l'amitié féminine. Les critiques ont d'ailleurs parlé d'une sorte de *Sex and the City* régence. Avec *Le destin des quatre sœurs*, premier volume d'une série qui en comportera quatre, j'ai voulu décrire les relations entre sœurs. Une sœur, c'est à la fois votre meilleure amie et votre meilleure ennemie, la préférée de toujours. Ma nouvelle héroïne a trois sœurs, la prosaïque Josie, l'éblouissante Annabelle, et Imogène la passionnée. Leurs disputes avec elle ou entre elles rythment son histoire d'amour.

Si j'avais à résumer ce livre, je dirais qu'il s'agit d'une synthèse de *Sex and the City* et des *Quatre filles du Dr March* !

AVENTURES
&PASSIONS

Le 4 mai :

Les machinations du destin ⊗ Judith Mac Naught (n° 3399)
Il est la coqueluche des soirées londoniennes mais n'en a cure.
Incorrigible séducteur, il prétend volontiers ne pas croire à l'amour.
Pourtant, à la surprise générale, le duc Jordan de Hawthorne vient de se
marier. L'heureuse élue ? Une ravissante inconnue, Alexandra. Épousée,
elle le sait, par simple reconnaissance : elle a sauvé la vie de Jordan. De
cette étrange union va pourtant naître une passion des plus intenses…

Le trésor des Highlands —2. Une séduisante épouse ⊗
May McGoldrick (n° 8345)
Ecosse, 1535. En proie à la haine du roi d'Angleterre, la famille de
Laura a été dispersée aux quatre coins de l'Ecosse. Celle-ci se retrouve
prisonnière des Sinclair, jusqu'au jour où l'on envoie le seigneur de
Blackfearn, William, pour la délivrer. Ce dernier arrive juste à temps
pour la sauver des griffes de ses ravisseurs et l'emmène chez lui. Très
vite, il est enchanté par la femme qu'il a secourue…

Le 25 mai :

Tant d'amour dans tes yeux ⊗ Karen Ranney (n° 8346)
Après que son père lui a arraché son enfant à la naissance, Jeanne est
enfermée dans un couvent d'où elle ne ressort que grâce à la
Révolution Française. Elle fuit en Ecosse et survit en travaillant
comme préceptrice. C'est alors qu'elle retrouve Douglas, son premier
amour, le père de son enfant…

Les frères Malory —8. Les trésors du désir ⊗
Johanna Lindsey (n° 8348)
Gabrielle aime naviguer avec son père, chasseur de trésor. Quand il est
temps pour elle de se marier, celui-ci l'envoie chez son vieil ami, James
Mallory. Gabrielle rencontre alors Drew qui aimerait faire d'elle sa
dernière conquête. Mais lorsqu'un vieil ennemi capture le père de
Gabrielle, elle prend le commandement du bateau de Drew et le laisse
enchaîné dans sa propre cabine…

---

*Nouveau ! **2** rendez-vous mensuels*
aux alentours du 1ᵉʳ et du 15 de chaque mois.

Romance
d'aujourd'hui

Le 25 mai :

Le souffle du scandale ∽ Sandra Brown (n° 3727)

A Palmetto, en 1976, Jade Sperry, la plus jolie fille du lycée, se fait violer par trois camarades de classe : Hutch, Lamar et leur chef de bande, le cruel Neal Patchett qui appartient à la famille la plus puissante de la ville. En conséquence, au commissariat, l'affaire est étouffée. Et la vie de Jade détruite : son petit ami, la croyant infidèle, met fin à ses jours. Quinze ans plus tard, la jeune femme revient pour se venger...

En proie aux tourments ∽ Sarah Duncan (n° 8086)

Précédemment paru sous le titre *Adultère mode d'emploi*

Après avoir passé plusieurs années à l'étranger à s'occuper de sa petite famille, mais aussi à vivre hors des sentiers battus, Isabel Freeman, de retour en Angleterre, a besoin de changement. Elle décroche un poste de secrétaire à domicile chez un célibataire et va bientôt découvrir le piment des amours clandestines...

> ### Nouveau ! 2 titres tous les deux mois
> ### aux alentours du 15.

Retrouvez également nos autres collections :

SUSPENSE

Le 4 mai :

Substitution ? ∽ Sandra Brown (n° 3666)

L'avion de Carole, l'épouse de Tate Rutlegde, candidat au sénat des Etats-Unis, s'est écrasé. Une femme a survécu, portant Mandy, l'enfant de Tate, dans ses bras : brûlée, défigurée, incapable de parler, tout le monde la prend pour Carole. Mais il s'agit en réalité d'Avery Daniels, une journaliste. Alors qu'elle s'éprend de Tate, un homme à l'hôpital lui fait part d'un complot visant à le tuer...

Hors de contrôle ∽ Shannon McKenna (n° 8347)

Meg Callahan s'aperçoit un jour que son compagnon, un séduisant ingénieur, la trompe. Décidée à rompre, elle se rend à son bureau où elle le trouve à moitié mort. Meg est assommée, ligotée dans un hôtel mais parvient à s'échapper. La police la recherche : accusée de meurtre, elle change de nom et de ville, jusqu'au jour où son passé revient la hanter...

> ### Nouveau ! 1 rendez-vous mensuel
> ### aux alentours du 1er de chaque mois.

MONDES MYSTÉRIEUX

Le 4 mai :

Une aventure de Vicki Nelson —2. Piste sanglante ∝ Tanya Huff (n° 8350)

Vicki se remet à peine de sa rencontre avec un démon quand son récent ami vampire, l'écrivain Henry, lui demande son aide. De très chers amis à lui qui vivent dans l'Ontario, dans un endroit reculé, ont vu trois de leurs membres assassinés. La famille en question est une paisible fratrie de … loups-garous. Vicki, malgré ses doutes, accepte d'enquêter sur ces meurtres…

> *Nouveau ! 1 rendez-vous mensuel*
> *aux alentours du 1ᵉʳ de chaque mois.*

Et toujours la reine du roman sentimental :

Barbara Cartland

Le 4 mai :

Les amours mexicaines (n° 1052) *collect'or*
Fragile bonheur (n° 4296)

Le 25 mai :

Ce serait un si beau mariage (n° 8342)

> *Nouveau ! 2 rendez-vous mensuels*
> *aux alentours du 1ᵉʳ et du 15 de chaque mois.*

8315

Composition Chesteroc Ltd
Achevé d'imprimer en France (Manchecourt)
par Maury-Eurolivres
le 2 mars 2007.
Dépôt légal mars 2007. EAN 9782290000656

Éditions J'ai lu
87, quai Panhard-et-Levassor, 75013 Paris
Diffusion France et étranger : Flammarion